現代税制の現状と課題

国際課税編

著　青山　慶二（早稲田大学大学院会計研究科教授）

新日本法規

は　し　が　き

　1899年に世界で最初の本格的租税条約がプロシャ・オーストリーの間で締結されてから120年、1928年に国際連盟下で初めての租税条約の国際モデル案が合意されてから90年、そして1963年OECDの下で近代的なモデル租税条約が合意されてから55年を経過した。グローバル化に伴い各国の国内法の下で国境を越えて発生する各種課税物件（所得、資産、消費）に対する課税に期待される役割は、一段と重要性を増してきている。

　国際的な資本の流れは、かつてのように資本余剰の先進国から資本不足の途上国へという単純な動きではなく、グローバルバリューチェーンの効率化のキャッチフレーズの下で、競争力確保を狙った多様な国際展開を見せている。2016年5月の政府税制調査会に財務省が提示した資料によれば、2014年実績で対内総投資残高を多い順に並べたトップ10の中には、経済規模が小さなオランダ、ベルギー、ルクセンブルク、スイス、香港の5か国がリストアップされており、また、対内証券投資残高のトップ10にもルクセンブルク、アイルランド、オランダが入っている。これらの国は税負担の低い国としても知られており、国際的な資本がこれらの国を経由して様々な投資活動を展開している様子が推測される。

　折しも、2015年10月にOECDから公表された税源浸食・利益移転（BEPS）プロジェクトの最終報告書は、多国籍企業の不当な二重非課税享受を許している既存の国際課税ルールの包括的見直しを行いその成果を一定の処方箋の勧告として取りまとめた。G20の強力な政治的リーダーシップの下、従来のOECD加盟国の枠組を超え新興国も含めたフォーラムで合意された改革案は、国際課税ルールをほぼ網羅する15項目の分野をカバーしている。2016年12月現在で、それら処方箋

の一部はすでに各国の国内法の税制改正や条約改定を通じて実施に移されようとしており、国際協調の範囲は第2次大戦後の諸改革を通じても最大規模のものになると予測されている。

　我が国は、このような国際動向も踏まえて、平成21年度改正による外国子会社配当益金不算入制度の導入を踏まえた平成22年度改正によるタックスヘイブン税制の改正や平成26年度改正による事業所得課税への帰属主義課税の適用など、重要な近年国際課税制度の改革に着手してきた。OECDモデルの改正を反映した租税条約の積極的な改正を加えると、我が国の国際課税ルールは、ここ10年間にその装いを一新したとも評価されよう。

　本書は、そのような改正を経てきた現行の我が国国際課税制度の特徴を、実務家のニーズと知的好奇心に寄り添う形でとりまとめ、最新の国際課税のガイドブックとして活用いただけるよう編集し、今般創立70周年を迎える新日本法規出版株式会社の記念出版『現代税制の現状と課題』の「国際課税編」として発行するものである。

　本書のかなりの部分は、著者が「TKC税研情報」に2014年6月から2016年8月まで連載してきた国際課税基礎セミナーシリーズの著述をベースとして、その後のBEPS動向を反映した改定を行った成果物である。一般に国際課税の概説書では、その複雑な技巧性ゆえに、テクニカルな規定ぶりを正確に描写することに集中するコメンタリー方式が多く見受けられる。しかし、本書は基礎的情報の解説は網羅しながらも、できる限り立法趣旨を踏まえた解釈の在り方を主要判例の検証を通じて行う作業にも紙面を割いている。また、立法趣旨の理解を深める目的で、諸外国税制との比較法的な検証も必要に応じて紹介した。このようなニーズは、筆者が筑波大学及び早稲田大学における10年間の「国際税務」講義の経験を経て確信するに至ったものである。実務家を主たる読者として想定しつつ法人税制を中心とした国際課税法の

体系的理解を狙った本書が、最新の国際課税に通暁した専門家を目指す実務家の方々の座右の書のひとつになればとの願いが込められている。

　なお、執筆中の2016年に本書が随所で触れているBEPS最終報告書の実施段階に際して、我が国の平成29年税制改正大綱をはじめ国際課税制度の将来にかかわる多くの重要文書が発表された。これらに関し各章で取り上げられなかった部分については、最終の第13章（BEPS最終報告書の課題）において取りまとめて言及している。

　平成29年10月

青　山　慶　二

著 者 略 歴

青山　慶二（あおやま　けいじ）
早稲田大学大学院会計研究科教授

昭和48年　東京大学大学院法学政治学研究科修士課程修了
　　　　　　（法学修士）

昭和48年　国税庁入庁

平成16年　国税庁審議官（国際担当）

平成18年　筑波大学大学院ビジネス科学研究科教授

慶應大学特別招聘教授、筑波大学客員教授、税務大学校講師、JICA講師、国連税の専門家委員会委員、税制調査会専門家委員会特別委員、経済産業省国際課税研究会座長、21世紀政策研究所研究主幹等を歴任。

平成24年より現職

【主要著書】

『現代租税法講座　第4巻　国際課税』（共著、日本評論社、平成29年）

『国際課税の理論と実務』（共著、大蔵財務協会、平成23年）

『日本の税をどう見直すか』（共著、日本経済新聞出版社、平成22年）

『租税条約の理論と実務』（共著、清文社、平成20年）

『改訂版国際課税の理論と課題』（共著、税務経理協会、平成11年）

『国際課税の理論と実務』（共著、有斐閣、平成9年）

『米国内国歳入法第482条（移転価格）に関する財務省規則』（監訳、日本租税研究協会、平成7年）

略　語　表

＜法令の表記＞

根拠となる法令の略記例及び略語は次のとおりである。

法人税法第138条第1項第1号＝法法138①一

法法	法人税法		地法	地方税法
法令	法人税法施行令		措法	租税特別措置法
法規	法人税法施行規則		措令	租税特別措置法施行令
所法	所得税法		憲法	日本国憲法
所令	所得税法施行令		会社	会社法
相法	相続税法		法基通	法人税基本通達

＜判例の表記＞

根拠となる判例の略記例及び出典の略称は次のとおりである。

最高裁判所平成27年7月17日判決、判例時報2279号9頁＝最判平27・7・17判時2279・9

民集	最高裁判所民事判例集		判タ	判例タイムズ
訟月	訟務月報		税資	税務訴訟資料
判時	判例時報		裁事	裁決事例集

参考文献一覧

- 青山慶二「わが国企業の海外利益の資金還流について－海外子会社からの配当についての益金不算入制度－」租税研究710号
- 青山慶二「英国の法人税改正の動向（国際課税の観点から）」租税研究743号
- 青山慶二「国際課税を巡る世界的動きと移転価格」21世紀政策研究所研究報告『国際租税制度の動向とアジアにおけるわが国企業の国際課税問題』、平成23年
- 青山慶二「国連モデル条約に基づく2012年移転価格マニュアルについて」租税研究765号
- 青山慶二「最新租税基本判例70」税研178号
- 青山慶二「自家保険をめぐる日米判決の比較」TKC税研情報平成25年10月号
- 青山慶二「所得課税における利子費用の取扱いの多国間解決方法」租税研究721号
- 青山慶二「途上国における一般的租税回避否認規定（GAAR）」租税研究776号
- 青山慶二「米英における海外子会社配当の課税改革案について」筑波ロー・ジャーナル5号
- 青山慶二ほか「国際課税を巡る最近の課題と展望」租税研究771号
- 青山慶二「CFC税制はどこでも同一の内容か－所得帰属方法のインパクト－」租税研究735号
- 青山慶二「OECDと国連のモデル租税条約の比較」租税研究730号
- 青山慶二「国内法の租税条約適合性に関する判決」TKC税研情報平成24年4月号
- 浅妻章如「課税原則のあり方－総合主義・帰属主義－」税研173号
- 浅妻章如「利子控除（Action 4）について」21世紀政策研究所報告『グローバル時代における新たな国際租税制度のあり方～BEPS（税源浸食と利益移転）プロジェクトの討議文書の検討～』、平成27年
- 石山嘉英「タックスヘイブン税制の導入」国税庁『改正税法のすべて 昭和53年』（大蔵財務協会、昭和53年）
- 今村隆「外国事業体の「法人」該当性」税大ジャーナル24号

- 植松守雄『非居住者、外国法人及び外国税額控除に関する改正税法の解説』（国税庁、昭和37年）
- 太田洋＝北村導人「現地子会社へのタックス・ヘイブン対策税制の適用を巡る重要判例詳解－実態基準及び管理支配基準に関する東京高裁・平成25年5月29日判決の検討」月刊国際税務33巻7号
- 岡直樹「第62回IFA総会－無差別原則をめぐる議題1及びセミナーAにおける議論の紹介－」税大ジャーナル10号
- 金子宏『租税法〔第19版〕』（弘文堂、平成26年）
- 川田剛ほか「外国子会社配当益金不算入制度の検証」月刊国際税務29巻5号
- 川田剛＝徳永匡子『OECDモデル租税条約コメンタリー逐条解説〔改訂版〕』（税務研究会出版局、平成21年）
- KPMG税理士法人『国際税務＝Global Tax Strategy：グローバル戦略と実務』（東洋経済新報社、平成25年）
- 小松芳明「所得課税の国際的側面における諸問題」租税法研究21号
- 谷口勢津夫『租税条約論 租税条約の解釈及び適用と国内法』（清文社、平成11年）
- 中里実「タックスヘイブン対策税制改正の必要性」中里実ほか『タックスヘイブン対策税制のフロンティア＝Frontiers of CFC Rules』（有斐閣、平成25年）
- 羽床正秀「過少資本税制の問題点」水野忠恒『国際課税の理論と課題〔二訂版〕』（税務経理協会、平成17年）
- 原武彦「非居住者課税における居住性判定の在り方－出国税（Exit Tax）等の導入も視野に入れて－」税大論叢65号
- 本庄資「外国子会社合算税制の適用除外要件の充足の有無」ジュリスト1472号
- 増井良啓＝宮崎裕子『国際租税法＝Introduction to International Taxation〔第3版〕』（東京大学出版会、平成27年）
- 宮武敏夫「国際課税における恒久的施設」月刊国際税務16巻11－12号
- 森信茂樹「グローバル経済下での租税政策－消費課税の新展開－」フィナンシャルレビュー102号
- 安河内誠ほか「平成25年度の国際課税（含む政省令事項）に関する改正について」租税研究765号

- 吉田泰三「E国法人に対して支払ったゲームソフトの開発委託費は、国内源泉所得である著作権の譲渡等の対価に該当し、非居住者等に支払う所得に対する源泉所得税の課税対象となるとした事例」税大ジャーナル20号
- 吉村政穂「徴収共助の許容性に関する法的観点－レベニュールールの分析を素材として」フィナンシャルレビュー94号
- 吉村政穂「出資者課税－「法人税」という課税方式(1)」法学協会雑誌120巻1号
- 渡辺淑夫『外国税額控除 国際的二重課税排除の理論と実務〔全訂新版〕』(同文館出版、平成9年)
- Brian J.Arnold & Michael J.McIntyre, "International Tax Primer", (Kluwer Law International, 2002)
- Brian J.Arnold, "International Tax Primer, Third Edition" (Wolters Kluwer, 2016)
- Cahiers de droit fiscal international, vol.96b, General Report by G.Blanluet, (2011)
- H.Ault & B.Alnold, "Comparative Income Taxation", (Kluwer Law International, 2010)
- Joseph Isenberg, "International Taxation", (Foundation Press, 2000)
- "Klaus Vogel on Double Taxation Conventions" (Kluwer Law International, 3d.Edition, 1997)
- M.Graetz, M.O'Hear, "The Original Intent of US International Taxation", (Duke Law Journal, 1997)
- "Model Tax Convention on Income and on Capital, Full Version" (OECD, 2012)
- R.Avi-yonah, D.M.Ring, Y.Brauner, "US International Taxation", (Foundation Press, 2011)
- R.Avi-yonah, "International Tax as International Law", (Cambridge University Press, 2007)
- "United Nations Model Double Taxation Convention between Developed and Developing Countries" (United Nations, 2011)

目　　次

| 第1章　国際課税総論 | ページ |

第1節　国際課税の環境変化……………………………………………3

第2節　国際課税法の骨格………………………………………………4

　1　国際課税に関する制度の全体像………………………………4

　2　国内法と租税条約………………………………………………4

第3節　課税管轄…………………………………………………………5

　1　国家の管轄権からみた国際課税法……………………………5

　　(1)　日本国憲法の租税法律主義による制約……………………5

　　(2)　国際租税制度による制約……………………………………6

　2　二つの課税管轄と国内源泉所得………………………………10

　　(1)　居住地管轄（人的管轄権）と源泉地管轄（物的管轄
　　　　権）…………………………………………………………10

　　(2)　居住地の判定…………………………………………………11

　　(3)　国内源泉所得（ソースルール）……………………………12

第4節　源泉地での課税方法……………………………………………14

　1　ネット課税方式（直接投資から得られる所得を対象）……15

　　(1)　閾　値…………………………………………………………15

　　(2)　課税所得の計算方法…………………………………………15

　2　グロス課税方式（間接投資から得られる所得を対象）……16

第2章　非居住者・外国法人の課税

第1節　非居住者・外国法人というステータス……………………19

第2節　制限納税義務者の意義…………………………………………20

　1　制限納税義務者とは……………………………………………20

　2　非居住者・外国法人の認定要件………………………………22

　　(1)　国内法の非居住者要件………………………………………22

　　(2)　二重居住者についての租税条約による調整………………23

（3）　国内法の外国法人要件‥‥‥‥‥‥‥‥‥‥‥‥‥‥‥ 25

（4）　二重居住法人についての租税条約による調整‥‥‥‥‥ 27

第3節　改正前の総合主義課税（ハイブリッドな制限納税義

務者課税）‥‥‥‥‥‥‥‥‥‥‥‥‥‥‥‥‥‥‥‥‥‥‥ 27

1　立法の沿革‥‥‥‥‥‥‥‥‥‥‥‥‥‥‥‥‥‥‥‥‥‥ 27

（1）　総合主義に基づく国内法の立法‥‥‥‥‥‥‥‥‥‥‥ 27

（2）　その後の国際情勢の変化‥‥‥‥‥‥‥‥‥‥‥‥‥‥ 28

（3）　2014年改正法の成立‥‥‥‥‥‥‥‥‥‥‥‥‥‥‥‥ 29

2　改正前制度の概要‥‥‥‥‥‥‥‥‥‥‥‥‥‥‥‥‥‥‥ 29

（1）　ソースルール‥‥‥‥‥‥‥‥‥‥‥‥‥‥‥‥‥‥‥ 29

（2）　課税根拠規定‥‥‥‥‥‥‥‥‥‥‥‥‥‥‥‥‥‥‥ 32

3　平成26年度改正法の概要‥‥‥‥‥‥‥‥‥‥‥‥‥‥‥‥ 32

（1）　総合主義から帰属主義への変換‥‥‥‥‥‥‥‥‥‥‥ 32

（2）　PEに帰せられる所得の位置付け‥‥‥‥‥‥‥‥‥‥ 35

（3）　PE帰属所得の算定‥‥‥‥‥‥‥‥‥‥‥‥‥‥‥‥ 36

（4）　外国法人に係る外国税額控除制度の創設‥‥‥‥‥‥‥ 43

（5）　内国法人の外国税額控除の改正‥‥‥‥‥‥‥‥‥‥‥ 44

（6）　租税回避否認規定の創設‥‥‥‥‥‥‥‥‥‥‥‥‥‥ 45

第3章　外国法人課税制度と税源浸食利益移転（BEPS）プロジェクト

第1節　PE該当の人為的回避への対応という課題‥‥‥‥‥‥‥ 49

第2節　外国法人課税におけるPEの役割‥‥‥‥‥‥‥‥‥‥‥ 50

1　国内法の規定ぶり‥‥‥‥‥‥‥‥‥‥‥‥‥‥‥‥‥‥‥ 50

（1）　現行法（平成26年度改正前の法人税法）‥‥‥‥‥‥‥ 50

（2）　帰属主義による改正法人税法‥‥‥‥‥‥‥‥‥‥‥‥ 51

2　租税条約上の位置付け‥‥‥‥‥‥‥‥‥‥‥‥‥‥‥‥‥ 56

（1）　従来のPE概念の拡大解釈の経緯‥‥‥‥‥‥‥‥‥‥ 57

第3節　BEPSプロジェクトにおける恒久的施設関連提案‥‥‥‥ 62

1　BEPSでの検討概要‥‥‥‥‥‥‥‥‥‥‥‥‥‥‥‥‥‥ 62

2　中間報告書が指摘する電子経済が投げかける課税リス
　　　ク……………………………………………………………………… 62
　　3　報告書の提示する五つの処方箋オプション………………… 63
　　4　私見による検証……………………………………………………… 64
　　　(1)　準備的・予備的業務をPEから除外する現行法制………… 64
　　　(2)　重要な電子的実在（significant digital presence）と
　　　　　いう新たなネクサスの認識など物理的実在性の解釈
　　　　　拡張……………………………………………………………… 65
　　　(3)　PE概念改定に当たって留意すべきこと…………………… 66

第4章　二重課税の排除（外国税額控除及び海外子会社　　配当益金不算入）

　第1節　二重課税排除の意義……………………………………………… 69
　第2節　法的二重課税排除の方法………………………………………… 70
　　1　法的二重課税排除の二方式……………………………………… 70
　　2　外国税額控除方式の趣旨………………………………………… 71
　　3　国外所得免除方式の趣旨………………………………………… 71
　第3節　外国税額控除制度………………………………………………… 72
　　1　法的二重課税排除を保証する実定法…………………………… 72
　　2　外国税額控除の基本構造………………………………………… 73
　　　(1)　内国法人……………………………………………………… 73
　　　(2)　外国法人税を納付すること………………………………… 74
　　　(3)　控除限度額の計算…………………………………………… 74
　　　(4)　控除対象外国法人税の額…………………………………… 79
　　3　外国税額控除制度の運用………………………………………… 83
　　　(1)　総　　則……………………………………………………… 83
　　　(2)　納付確定時期の原則と予定納税、源泉徴収等の特
　　　　　例………………………………………………………………… 83
　　　(3)　税目別の控除の順序………………………………………… 84
　　　(4)　外国税額の控除限度超過額の繰越しと控除余裕額
　　　　　の繰越し・充当………………………………………………… 84

（5）　外国税額控除における添付書類················85
第4節　外国子会社配当益金不算入制度················85
　1　制度の趣旨················85
　2　立法の沿革及び諸外国との比較················86
　　（1）　間接外国税額控除制度の問題点への対応··········86
　　（2）　諸外国の制度との比較················90
　3　我が国の外国子会社配当益金不算入制度の概要··········92
　　（1）　基本構造················92
　　（2）　対象となる外国子会社················93
　　（3）　対象となる子会社配当等の額················94
　　（4）　益金不算入額の計算等················95
　　（5）　間接税額控除の廃止とそれに伴う経過措置·········96
　4　本制度に関連するタックスヘイブン税制の改正··········97
　　（1）　問題の所在················97
　　（2）　特定外国子会社等からの配当の益金不算入扱い·······97
　　（3）　特定外国子会社等を経由する孫会社配当について
　　　　の二重課税の調整················99

第5章　外国子会社合算税制（タックスヘイブン税制）
第1節　制度の趣旨················103
第2節　平成29年度改正前のタックスヘイブン税制の骨格·······104
　1　租税回避防止のための現年度合算課税··········104
　　（1）　タックスヘイブン税制の沿革················104
　　（2）　現年度合算課税方式················105
　2　合算課税対象法人等················106
　3　適用除外基準················107
　　（1）　事業基準以下の5基準の構成················108
　　（2）　各適用除外基準の留意点················111
第3節　BEPS勧告を踏まえた平成29年度改正··········121
　1　経　緯················121

2　BEPS最終報告書（行動3）における勧告……………………122
　　　(1)　最終報告書が確認したCFC税制の基本理念……………122
　　　(2)　移転価格税制との関連の整理………………………………123
　　　(3)　CFC税制における6つの構成要素…………………………125
　　3　平成29年度改正法の制度設計……………………………………126
　　　(1)　改正法のBEPS対応ぶり……………………………………126
　　　(2)　外国関係会社の定義…………………………………………128
　　　(3)　経済活動基準によるCFC所得のふるい分け……………129
　　　(4)　キャッシュボックス法人等に対する手当…………………130
　　　(5)　事務負担軽減の仕組み………………………………………131
　　4　改正法のその他留意点……………………………………………132
　　　(1)　外国関係会社の定義における持株割合……………………132
　　　(2)　経済活動基準のビジネスモデルに即した改善…………132
　　5　改正内容の評価と今後の課題……………………………………134

第6章　利子控除制限税制（過少資本税制及び過大支払利子税制）

　第1節　制度の趣旨……………………………………………………139
　第2節　BEPS最終報告書による問題提起…………………………140
　　1　利子控除を利用した租税計画の事例……………………………140
　　　(1)　対外投資のケース……………………………………………141
　　　(2)　対内投資のケース……………………………………………142
　　2　BEPSを引き起こすデットファイナンスの問題点…………143
　　　(1)　借入調達した資金運用がもたらす内・外投資の差
　　　　別的取扱い……………………………………………………143
　　　(2)　各国が採用している対抗策の多様性と多国間協調
　　　　の必要性………………………………………………………143
　第3節　法人税法における利子費用の取扱い………………………144
　　1　シャウプ勧告による制度の立てつけ……………………………144
　　2　我が国での税制改正によるアプローチ…………………………145

3　各国の対応……………………………………………………145
　　　(1)　主要国の利子控除税制…………………………………145
　　　(2)　新しい法人税制の模索と利子控除の議論………………147
　　4　過少資本税制………………………………………………149
　　　(1)　適用対象法人……………………………………………149
　　　(2)　適用要件…………………………………………………149
　　　(3)　損金不算入額の取扱い…………………………………150
　　　(4)　制度の運用状況と評価…………………………………150
　　5　過大支払利子税制…………………………………………151
　　　(1)　導入の経緯………………………………………………151
　　　(2)　関連者純支払利子の控除制限という基本構造………152
　　　(3)　調整所得金額を参照した損金算入限度額の計算………152
　　　(4)　制度の比較法的位置付けの確認………………………154
　　　(5)　我が国における今後の改正見通し……………………156

第7章　移転価格税制

第1節　移転価格税制の趣旨・目的………………………………159
第2節　我が国移転価格税制の基本構造…………………………161
　　1　租税特別措置法66条の4の構成………………………………161
　　　(1)　国外関連者………………………………………………161
　　　(2)　関連者間の多様な取引…………………………………162
　　　(3)　我が国課税権を阻害するとの要件……………………162
　　　(4)　法人税法適用に当たっての「独立企業間価格」みな
　　　　　し規定……………………………………………………162
　　2　独立企業間価格の算定方法……………………………………163
　　　(1)　最適手法ルールの採用…………………………………163
　　　(2)　最適手法ルールの構造…………………………………165
　　　(3)　帳簿書類等提出義務と推定課税………………………168
　　3　租税条約の特殊関連企業条項との関係………………………169
第3節　我が国移転価格税制の課題………………………………171
　　1　タックスヘイブン税制との関係………………………………171

2　外国法人に対するPE帰属所得課税との関係……………………172
　　3　棚卸取引以外への算定方法の適用ぶり……………………………174
　　　(1)　法令改正の必要性……………………………………………174
　　　(2)　所得相応性基準を見据えて…………………………………174
　第4節　移転価格税制の中長期的課題……………………………………175
　　1　問題の所在…………………………………………………………175
　　2　契約の引直し（否認・再構築）…………………………………176
　　　(1)　契約と実態の一致…………………………………………176
　　　(2)　アウトソーシングの認容…………………………………179
　　　(3)　我が国税制への影響の予備的考察………………………181
　　3　評価困難な無形資産取引…………………………………………182
　　　(1)　無形資産に関する討議文書の経緯………………………182
　　　(2)　評価困難な無形資産についての提言内容………………185
　　4　検討の方向性………………………………………………………189

第8章　国境を越える利得配分に関するその他の国内法
　　　　制
　第1節　その他の法制が必要とされる背景………………………………193
　第2節　出国税………………………………………………………………194
　　1　創設の経緯…………………………………………………………194
　　　(1)　問題とされた租税回避スキーム…………………………194
　　　(2)　それまでの国境を越える取引に対するキャピタル
　　　　　　ゲインのみなし実現課税………………………………196
　　2　出国税制度の概要…………………………………………………197
　　　(1)　対象となる納税義務者・資産……………………………197
　　　(2)　一時的海外転出者に対する課税取消し…………………198
　　　(3)　譲渡等により対象資産の価額が転出時より下落し
　　　　　　た場合等の調整……………………………………………198
　　　(4)　国外転出時の譲渡所得等の特例適用がある場合の
　　　　　　納税猶予……………………………………………………198

(5)　贈与等により非居住者に資産が移転した場合の譲
　　　　渡所得等の特例……………………………………………… 198
　　(6)　本制度により発生する二重課税の調整………………… 199
　3　新制度の評価…………………………………………………… 200
第3節　納税地変換（コーポレートインバージョン）対策税
　　　制…………………………………………………………………… 201
　1　創設の経緯……………………………………………………… 201
　2　制度の概要……………………………………………………… 202
　　(1)　クロスボーダー組織再編時の非居住者株主に対す
　　　　る譲渡益課税……………………………………………… 202
　　(2)　特定の三角合併等の適格性の否認に伴う課税………… 203
　　(3)　特殊関係株主等である内国法人に係る特定外国法
　　　　人の課税の特例（狭義の納税地変換（コーポレートイ
　　　　ンバージョン）対策税制）……………………………… 204
　3　本制度の評価…………………………………………………… 205
第4節　国外送金及び国外財産に関する情報申告制度…………… 206
　1　沿　革…………………………………………………………… 206
　2　制度の概要……………………………………………………… 206
　　(1)　国外送金等調書制度……………………………………… 206
　　(2)　国外財産調書制度………………………………………… 207
　3　本制度の評価…………………………………………………… 207

第9章　租税条約総論

第1節　近年の動向…………………………………………………… 211
第2節　租税条約の趣旨・目的及び歴史…………………………… 212
　1　税に関する国家間の合意……………………………………… 212
　　(1)　租税条約の種類…………………………………………… 212
　　(2)　条約という法形式………………………………………… 212
　　(3)　条約と国内法の優先関係………………………………… 213
　2　二国間主義が原則……………………………………………… 214

3　趣旨・目的··214
　　　(1)　二重課税の排除··214
　　　(2)　脱税の防止··215
　　　(3)　二重非課税への対応······································215
　第3節　租税条約の歴史··216
　　1　国際連盟下の業績··217
　　2　OECDでのモデル条約の発展と国連モデルの追加··········218
　　　(1)　2つのモデル条約の併存と最近の動向·····················219
　第4節　租税条約の解釈と紛争解決手法····························237
　　1　条約解釈のルール··237
　　　(1)　文脈に従いかつ目的論的解釈を許容する文理解釈
　　　　の原則··237
　　　(2)　解釈の補足的手段··238
　　　(3)　条約解釈に当たっての第三国言語による条約文確
　　　　定··238
　　2　紛争解決のメカニズム··239
　　　(1)　相互協議の仕組みと実体····································239
　　　(2)　相互協議に当たっての法的課題····························239
　第5節　租税条約の全体構造··241

第10章　租税条約各論Ⅰ（事業活動所得条項）
　第1節　全体構造··245
　第2節　事業所得（モデル条約7条）······························246
　　1　条約上の事業所得··246
　　　(1)　事業所得の定義··246
　　　(2)　事業所得の中身と適用条項································246
　　　(3)　人的役務所得条項の競合の可能性··························247
　　2　PEへの帰属原則··248
　　　(1)　PE帰属主義に関する各モデル条約の構成及び解釈
　　　　のバリエーション··249
　　　(2)　BEPS最終報告書での提案··································252

3　PEへの資本配賦及びPE間の内部取引の取扱いに当た
　　　っての条約上の課題···254
　　　(1)　PEへの資本配賦の相違···254
　　　(2)　内部取引の認定··255
　　　(3)　上記2例に対応した租税条約上の二重課税排除の仕
　　　　組み···255
　第3節　不動産所得、国際運輸所得···255
　　1　不動産所得··256
　　　(1)　「不動産」の意義及び不動産所得の範囲···················256
　　　(2)　企業が保有する不動産から生じる所得についての
　　　　事業所得条項との適用関係···256
　　2　国際運輸所得··257
　　　(1)　国際運輸所得の範囲··257
　　　(2)　共同計算による運航の取扱い······································257
　第4節　特殊関連企業条項···257
　　1　他の課税権配分諸規定との関係···258
　　　(1)　事業所得条項との競合··258
　　　(2)　投資所得条項との競合··259
　　2　対応的調整の義務··259
　　　(1)　対応的調整の方法及び範囲···259
　　　(2)　対応的調整条項がない条約における当事国の義務·······260
　　3　BEPSプロジェクト最終報告書の焦点·································261
　第5節　投資所得条項の企業への適用関係···································262

第11章　租税条約各論Ⅱ（投資活動所得）

　第1節　投資活動条項の意義··267
　第2節　各種の投資所得条項···267
　　1　共通した特徴··267
　　　(1)　事業所得との比較···267
　　　(2)　租税条約による修正··268

2　配　当……………………………………………………… 270
　　　（1）　配当の定義……………………………………………… 270
　　　（2）　減免を受けるための受益者該当要件…………………… 271
　　　（3）　BEPS最終報告書における濫用防止規定との関係……… 273
　　　（4）　その他………………………………………………… 276
　　3　利　子……………………………………………………… 277
　　　（1）　課税原則………………………………………………… 278
　　　（2）　利子の定義……………………………………………… 278
　　　（3）　支店利子税の取扱い…………………………………… 279
　　4　使用料（ロイヤルティ）………………………………… 279
　　　（1）　使用料の定義…………………………………………… 279
　　　（2）　使用料の源泉地………………………………………… 280
　　　（3）　今後の課題……………………………………………… 280
　　5　投資所得に関し条約の特典を受けるための手続………… 281

第12章　租税条約各論Ⅲ（その他の重要条項）

第1節　その他条項の意義……………………………………… 285
第2節　無差別取扱い…………………………………………… 286
　　1　無差別条項の構造………………………………………… 286
　　　（1）　各項を解釈するための基本原則……………………… 286
　　　（2）　国籍・無国籍＝無差別（1項、2項）……………… 287
　　　（3）　恒久的施設・資本＝無差別（3項、5項）………… 288
　　　（4）　支払控除に関する無差別取扱い…………………… 290
　　2　無差別条項の課題………………………………………… 291
　　　（1）　EUにおける税制の調整……………………………… 291
　　　（2）　無差別条項の租税条約における意義……………… 292
　　　（3）　国内法との抵触への考え方………………………… 292
第3節　情報交換及び執行共助条項…………………………… 293
　　1　最近の状況変化…………………………………………… 293
　　2　共通報告基準の概要……………………………………… 294
　　　（1）　経　緯………………………………………………… 294

(2)　CRSを支えるモデル条約情報交換規定（26条）………294
　3　執行共助条項（徴収共助を中心に）……………………296
　　(1)　最近の環境変化…………………………………………296
　　(2)　租税条約の対応…………………………………………296

第13章　BEPS最終報告書の課題

第1節　概　説………………………………………………………301
第2節　BEPS最終報告書フォローアップ作業の全体的動向………301
　1　BEPS包摂的枠組みをスタートさせた京都会合……………301
　2　税の透明化を目指すもう1つのプロジェクト………………302
　3　政治的コミットメントの拡大…………………………………303
　4　最終報告の執行及び包摂的枠組みのその後の進展…………304
　　(1)　行政庁の取組……………………………………………304
　　(2)　各国税制当局の動向……………………………………304
　　(3)　拡大BEPS会議における参加者の更なる拡大…………304
　　(4)　拡大BEPS会議での具体的アジェンダの確定…………305
第3節　多国間協定の確定と課題…………………………………307
　1　多国間協定の趣旨………………………………………………307
　2　課　題……………………………………………………………307
　3　多国間協定の内容………………………………………………308
　4　2016年11月多国間協定文書の概要と今後の対応ぶり………309
第4節　ミニマムスタンダード項目の個別検討…………………310
　1　行動13（ドキュメンテーション）関係……………………310
　　(1)　最終報告書でのドキュメンテーションの構造…………310
　　(2)　開始時期のずれによる実施国間での調整………………310
　2　行動14（紛争解決メカニズム）関係………………………312
　　(1)　ミニマムスタンダードの確認…………………………312
　　(2)　紛争解決目的の達成を担保する手段…………………312
　3　行動5（有害税制への対抗）関係……………………………314
　　(1)　開示対象とされるルーリング…………………………314

(2)　開示の趣旨……………………………………………………315
　　(3)　ユニラテラルAPAへの影響………………………………315
　4　行動6（条約濫用）関係………………………………………315
　　(1)　ミニマムスタンダードとされた条約改正の内容………315
　　(2)　多国間協定での具体化の動向………………………………316
第5節　積み残しになっていた重要なガイダンス文書……………316
　1　行動7関係の討議文書：PE帰属利得に関する追加ガイ
　　ダンス……………………………………………………………316
　　(1)　行動7に関するミニマムスタンダードの確認……………316
　　(2)　帰属主義適用ガイダンスの必要性…………………………317
　　(3)　討議文書の構成………………………………………………317
　　(4)　代理人PEの4事例の検証……………………………………318
　　(5)　倉庫PEの3シナリオの検証…………………………………321
　2　行動8〜10関係の討議文書：利益分割法に関する改訂
　　ガイダンス………………………………………………………322
　　(1)　BEPS最終報告書における利益分割法の位置付け
　　　の確認…………………………………………………………322
　　(2)　討議文書における2つのアプローチ………………………323
　　(3)　討議文書の問いかけとビジネスの反応……………………323
　　(4)　所得相応性基準との関連性…………………………………324
　3　行動4関係の討議文書：グループ比率の設計・運用の要
　　素…………………………………………………………………324
　　(1)　行動4最終報告書でのグループ比率の取上げ方の確
　　　認………………………………………………………………324
　　(2)　討議文書の提案内容…………………………………………325
　　(3)　我が国税制改正への影響……………………………………326
　4　その他の主要な討議文書及び主要国の国内法改正動向……326
　　(1)　銀行・保険業における利子控除の討議文書………………326
　　(2)　支店ミスマッチ取決めについての討議文書………………326
　　(3)　主要国の主な動向……………………………………………327

第1章

国際課税総論

2

第1章　国際課税総論　　3

第1節　国際課税の環境変化

　グローバル経済の中で、我が国企業は、大企業から中小企業に至るまで、海外の顧客向けの営業活動のみならず、原材料や中間材の調達さらにはソフトウェアなどの研究開発の海外委託から外国人労働力の導入に至るまで、多方面にわたって国境を越えた事業展開を余儀なくされている。また、外国の企業が日本市場を対象に対内直接投資を行う機会も格段に増えてきた。このように、海外取引が、上場された多国籍企業の独占対象ではなくなり、内外法人の全てがグローバル規模での競争に巻き込まれざるを得ない取引環境下では、我が国法人税制が国境を越えた取引にどのように適用され、それは国内完結の取引に適用される法制とどのように異なり、その結果税負担にどのような影響を及ぼすのかについての正確な理解が、現代の税務の専門家には求められている。

　そして国際課税法に関する対応のこのようなニーズは、最近の3つのイニシアティブにより、更に増幅されたといえよう。すなわち、①国内におけるアベノミクスの推進の中で、法人税実効税率の引下げや投資促進税制の拡大が着実に進行していること、②2013年からOECD/G20により開始され2015年10月に最終報告書をまとめたBEPS（税源浸食・利益移転）対抗プロジェクト、さらには、③2016年4月にパナマの法律事務所から漏出したタックスヘイブンのペーパーカンパニーについての投資家情報に関わる『パナマ文書』への対応である。これらは、①が国内法ベースで、我が国法人の海外進出や外国法人の対内投資の促進に寄与するものであるのに対し、②と③は、租税条約と国内法の双方を通じて、多国籍企業の二重非課税を狙った不当な租税計画や富裕者のタックスヘイブンを利用した租税計画に対抗するという施策である点で、ベクトルの方向とすれば対照的といえるが、いずれも、国際課税法の伝統に抜本的改革を促す点で共通点を有する。しかし、これらのイニシアティブを通じて国際課税ルールに一定の政策協調が達成されれば、納税者にとって海外取引による税負担の予測可能性が高まるとともに、二重課税のリスクも縮減するというメリットも期待される。

　本章は、このような背景を踏まえて、主として企業課税に焦点を当てながら、国際課税法の基本構造を確認しつつ、我が国の国際課税制度の変遷の特徴をグローバル基準と比較しながら検証することを目的としている。

第2節 国際課税法の骨格

1 国際課税に関する制度の全体像

国際課税法を定義することは、租税法の研究上、さして重要なことではない。なぜなら、それは租税条約を別にすると、我が国では、非居住者・外国法人課税制度や内国法人の外国税額控除、並びに移転価格税制や外国子会社合算税制にみられるように、国内取引に適用される所得課税の立法（所得税法、法人税法、租税特別措置法等）から分離・独立した法律の形式で存在するわけではなく、あくまでその一部として規定されており、したがって、解釈・適用の方法にも独特なルールがあるわけでもないからである(注1)。

ただし、対象領域を限定する意味では、国際課税に関わる法制度を抽出・確認しておく必要があり、これを図解すると以下の構造となる（財務省ウェブサイトより作成）。

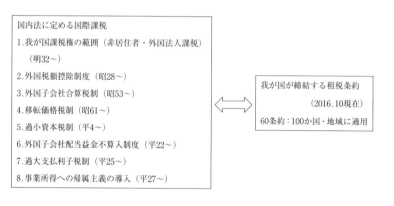

2 国内法と租税条約

租税条約の締結権（相手国と条約文を合意し署名する権限）は内閣に属し、国会による批准により条約は発効する（憲法73）。

国内法と租税条約の関係では、双方の規定内容に競合がある場合には、日

(注1) 国際取引に関する課税法を集約した独立法規の例としては、ドイツの「国際取引課税法」がある。

本国憲法の国際協調主義の下、条約優位の原則が働くと解釈されている。しかし、後述する通り、租税条約は国内法による課税要件規定を前提に、二重課税の発生を緩和する方向で国内法の課税レベルを減免することを主たる内容としているため、条約優位によって納税者が不利益を受けるおそれは原則としてない。

　我が国は、条約は批准されればそのまま国内的効力を有するとする「自動的受容」の立場をとっている。したがって、租税条約もその規定を直接納税者に適用し得ることが原則であるが、仮に新たに締結された条約の規定が既存の国内法規定との間で抵触を生じている場合の適用関係について学説は分かれている。すなわち、条約の趣旨を解釈により明らかにして常に条約を直接適用すべきとする立場と、条約の規定内容により直接適用の可否を判断すべきとする立場である。我が国の有力説は、①租税条約上の課税制限規定については、課税要件明確主義の観点で問題なき限り直接適用を認め、②仮に条約で国内法と異なる新たな課税根拠規定が合意された場合には、課税要件法定主義の観点から国内適用可能性を一般的に排除する（すなわち、改めて条約と同内容の国内法立法が必要）、という後者の考え方を採っている(注2)。日本国憲法上国会における条約の批准の条件が、法律案の議決よりも緩和された予算のそれと同様とされている（憲法61）ことから、租税法律主義の要請（憲法84）に沿った解釈である。

第3節　課税管轄

1　国家の管轄権からみた国際課税法

(1)　日本国憲法の租税法律主義による制約

　国家管轄権の一部として、租税に関する立法管轄権と執行管轄権は、国際法秩序の下で各国の主権により一定の制約を受けると考えられている。立法

（注2）　このような主張を唱えるものとして、谷口勢津夫『租税条約論』（清文社、1999）
　　　P.29−32

管轄権は、条約の課税権配分規定の合意により通常源泉地国での課税減免というやり方で相互抑制されるのみであるが、一方、執行管轄権は、その中心をなす税務調査や徴収などの強制措置には国際法上厳格な属地主義が要請されており、課税当局が立法管轄権により国外での経済活動を国内法の課税要件事実に取りこんだ場合であっても、その事実確認を行うための調査活動や確定した租税債務の徴収活動などの執行は管轄地外で自由に行うことは許されない。それを担保するためには、租税条約の情報交換や徴収共助等の執行協力条項を活用しなければならない。

　なお、租税法においては、納税義務を定める課税要件法は、日本国憲法の租税法律主義の要請に従い法律の定めによることとされており、国家間の合意である条約の規定を直接の根拠として新たな納税義務を創造することはできないというのも、前述したとおり有力説の考え方である。

　したがって、管轄権をまたぐ課題の中心は、課税要件法である国内税法及び同要件につき二重課税防止の観点から合意された租税条約の課税制約条項及び執行協力条項の立法趣旨を探求し、それを解釈・適用することとされている。具体的には、①居住者又は内国法人に対する国外所得課税や外国税額控除などの二重課税調整策を規定した国内法、及び非居住者又は外国法人に対する国内での課税関係を定めた国内法の立法趣旨を理解し、その課税要件規定の適切な解釈を行うことと、②租税条約の合意がそれらに対して付加する制約の趣旨を明らかにした上で、具体的な事例に解釈適用することの2点に集約される。

(2)　国際租税制度による制約

　近年、法実証学的なアプローチに立って、国際法としての「国際課税制度（International Tax Regime）」が成立しているとする、有力な学説が展開されている[注3]。この学説によれば、OECD及び国連のモデル条約に即した租税条約ネットワークの構築等を通じて、国内法と租税条約の中に普遍的な慣習法に昇華された諸原則が存在し、それは各国に広く受け入れられていると

───────────────

(注3)　R. Avi-yonah, "International Tax as International Law", Cambridge University Press（2007）P.5

第1章　国際課税総論　　7

主張するものである。シカゴ大学教授R.Avi-yonahを中心とする研究者によるこの理論は、BEPSプロジェクトの理論的支柱と位置付けられ得ると考えられるので、以下にその概要を紹介したい。

　ア　Avi-yonahの国際租税制度の検証

　Avi-yonahは、まず、国際慣習法化の外形的な証拠として、二重課税救済策として外国税額控除方式と国外源泉所得に対する免除方式がほとんどの国で広く採用されていることと、2000を超える世界の租税条約がどれも、内容的にきわめて類似しているOECDと国連のモデル条約のいずれかを参照していることを挙げている。次に、慣習法化している課税制度の証拠として、米国の国内立法史を検証しつつ、次の4点を例示している。

① 非居住者等の国外源泉所得は課税対象としていないこと。その具体的内容として、外国子会社に対する課税は、（直接親会社の所得として課税するのではなく親会社にとっての）みなし配当と整理して課税されていること。

② 非居住者の扱いを居住者と差別することを禁じる無差別条項が全ての租税条約に盛り込まれていること。

③ 移転価格税制における独立企業基準の遵守が継続していること。

④ 租税条約が存在しない場合においても、二重課税救済措置として外国税額の損金算入ではなく、外国税額控除又は国外所得免除が、国内法により認められていること。

　これらの事実認定に基づき、帰納的に確認された慣習法と認識できる課税原則として、①1回限りでかつ課税の空白が生じない課税の原則（以下、「1回限り課税の原則」という。）と、②源泉地国と居住地国間での課税権配分に当たっての「便益原則」（能動的所得については、源泉地国に優先課税権を配分し、受動的所得については、居住地国に優先課税権を配分すること。）の二つが挙げられるとの結論に到達している。

　イ　国際課税法における慣習法の意義

　　（ア）　従来の判例

　従来、国際的な二重非課税状況については、各国の課税主権に基づく国内法の制度設計の結果として発生する必要悪のようなものであり、租税条約等で明示的に規制されている場合を別にすれば、それを否認すべき余地はない

とする有力な意見が主張されてきた[注4]。具体的には、二重非課税を容認した以下の判例を根拠とするものである。

インドAzadi Bachao Andolan事件最高裁判決[注5]

事実関係は、欧米の投資家がインド・モーリシャス条約の株式譲渡益に対する免税措置を活用する目的で、モーリシャス法人を介在させたインド株式市場への投資を行った事例である。高裁では、租税条約は二重非課税を許容していないとして納税者を敗訴させたが、最高裁では、インド・モーリシャス条約の株式譲渡に関する源泉地課税権否認条項が惹起させる二重非課税は原審の指摘するような否認されるべき条約濫用（トリーティショッピング）ではないとの判断を、厳格な法的文理解釈により示して納税者を逆転勝訴させた。

すなわち、租税条約中に特典制限条項（LOB条項）がない限りは、当該条約には二重非課税の発生を否認する濫用防止機能はないと判断したものである。判決中では、途上国にとって株式譲渡への課税優遇策は外資導入の誘因であるので、トリーティショッピングの可能性の許容は言わば「必要悪」のようなものであるとコメントしている。さらには、条約の規定は国内法に優先するので、LOB条項を持たない条約下では法人格否認などの国内法上の濫用防止法理も適用される余地がないとも判断している。

　（イ）　BEPSプロジェクトでの国際租税制度へ向けた協調

慣習法化しているとするAvi-yonahによる国際租税制度の理論、とりわけ1回限り課税の原則は、BEPSプロジェクトでの国際的二重非課税との戦いの有力な理論的バックボーンとして機能しているようである[注6]。なお、同プロジェクトは発足段階からOECD加盟国のみならず中国、インド、ブラジル等の新興国をも巻き込んでいるので、条約や国内法の条文改正により二重非課税防止を実現する広範な国際協調が実現した際には、Avi-yonahがイメー

（注4）　そのような主張は、特に外資導入のために国内法上優遇税制を設け、租税条約上もいわゆるみなし外国税額控除の合意を目指す途上国や、源泉課税の減免を内容とする租税条約ネットワークと国外所得免除方式の併用により持株会社の立地国として存在感を増していた欧州の中小国家で顕著に見られた。そのような議論を反映したものとして、2006年IFAウィーン大会議題1を参照。

（注5）　Union of India v Azadi Bachao Andolan（2003）263 ITR 706（SC）

（注6）　2015.10BEPS最終報告書・行動6「租税条約の濫用」における処方箋（条約前文への二重非課税防止趣旨の明示等）

第1章　国際課税総論　　9

ジしていた慣習法たる国際課税制度が制定法化する効果も期待されている。

　（ウ）　BEPSにより確認されたルールと課題

　BEPSプロジェクトでは、経済活動の行われた地域での課税を保証することにより二重非課税の発生を防止するとの基本方針が確認された。付加価値発生地と納税地を一致させるというこの原則は、居住地と源泉地を通じて1回以上でも1回以下でもないという「1回限りの課税」を保証するAvi-yonahの課税原則とも整合性があり、今後の国際課税制度の改正の方向性として筆者も支持するものである。ただし、同プロジェクトにおいては、移転価格における無形資産の認識・評価などを中心にOECDと国連の両モデル条約の間に以下のような解釈の相違点があることも認識されており、今後各国が行う具体的処方箋への取組においても、協調した解釈の保証は簡単ではないと予測される。

　（参考）OECDモデルと国連モデルの下での移転価格ポリシーの相違点

　両モデルとも、9条が扱う移転価格税制は、独立企業原則を踏襲すると規定する点で共通しており、相手国課税が条約に即したものである場合の対応的調整義務も規定していることから、条文上の相違点は存在しない。しかし、2012年に公表された「国連移転価格マニュアル」においては、特に中国、インド、ブラジル等の新興国が、消費地国無形資産の範囲を拡大したり（例えば中国においては、市場特性を源泉地無形資産と実質的にみなす方式により、中国市場での販売による超過収益を専ら中国に帰属させる手法を主張）、源泉地無形資産のウェイト付けを高めたりする執行を行っていることが、（コンセンサスベースではないものの）公表されており、我が国企業の多くがその課税攻勢に苦しんでいることが伝えられている[注7]。また、7条（事業所得条項）の下での帰属主義の解釈についても、両モデル間で共通の理解に達してはいない。これらの解釈の共通のガイダンスを作成する努力は、2017年においても最終報告書のアフターケア活動として取り組まれている。

（注7）　国連移転価格マニュアルの詳細については、青山慶二「国連モデル条約に基づく2012年移転価格マニュアルについて」租税研究2013年7月号P.275、我が国法人への課税攻勢については、青山慶二「国際課税を巡る世界的動きと移転価格」（21世紀政策研究所研究報告『国際租税制度の動向とアジアにおける我が国企業の国際課税問題』、2011）P.1

2 二つの課税管轄と国内源泉所得

課税管轄権は単一の基準で1か所に集中して発生するとは考えられていない。現行法が承認する居住地と源泉地という二元的な課税管轄の概念をまず確認しておこう。

(1) 居住地管轄（人的管轄権）と源泉地管轄（物的管轄権）

国境を越えた取引を行うと、当該取引の生み出す所得については、海外当局と我が国当局の双方から課税される可能性が高い。これは、納税者に対する人的管轄権の主張（居住者・内国法人（以下「居住者等」という。）に対する全世界所得課税）と物的管轄権の主張（非居住者・外国法人（以下「非居住者等」という。）に対する国内源泉所得課税）の交錯が避けられないためである。

この二つの管轄権を認め合うという前提のもとに、①両管轄権の輻輳する分野を源泉地国課税権を抑制する方向でできるだけ狭くすること（事業所得については、恒久的施設の存在という閾値を設けるとともに、投資所得については、源泉地支払の際の源泉徴収税率の減免を行う。）と、②輻輳の結果やむなく発生した二重課税については、居住地国の負担と責任で回避措置を講ずること、の2点の基本合意がグローバル経済の健全発達のためには望ましいことがOECDや国連のモデル条約で合意され、現在の二国間租税条約はそれを踏襲して構築されている。

二つの課税管轄権は、いずれも所得との「経済的結びつき（Economic Allegiance)」[注8]の存在を根拠とするが、両者には大きな違いが存在する。すなわち、人的管轄権は居住者等であるステータスに基づき無制限納税義務（国内源泉所得と国外源泉所得の双方を対象）を課すことを内容とするものであり、その根拠は、一つには一般国際法の「属人主義」の国家管轄があり、さらには、税法プロパーの観点からは「所得の消費地ないし貯蓄地の課税権」との位置付けである[注9]。他方、物的管轄権は、非居住者への制限的課税権

（注8） 1923年国際連盟に提出された4人の財政学者の報告書では、支払能力という所得課税原理からは、どちらの管轄権に課税権を与えるかの答は出せず、所得の種類ごとに「経済的結びつき」（これを構成するものは富の生産・保有・処分の3要素としている）の存否・分布程度に応じて課税管轄を決定すべきと、提言している。"Report by the Experts on Double Taxation",League of Nations (1923) .P.20

（注9） R.Avi-yonah, D.M.Ring,Y.Brauner, "US International Taxation", Foundation Press (2011) P.2

第1章　国際課税総論　　11

を根拠付けるものであり、国際法での属地管轄に相当するものといえるが、税法の観点からは、「事業活動の寡黙なパートナー（事業活動へのインフラ提供地との意）としての源泉地国には優先的課税権を与えるべし」という米国立法史上の考え方を背景としている(注10)。

(2)　居住地の判定

人的管轄に基づく課税対象となる居住者等の概念は、ほとんどの国が全世界所得課税の根拠として採用しているものである。居住の事実を判定する要素に関しては、国別に独自性があり、その結果二重居住者等のステータス発生は避けられず、二重課税や二重非課税の原因となる可能性を秘めている。

BEPSで取り上げられている多国籍企業による二重の経費控除や損失控除は、法人操業の所得計算における両国間の取扱いの差異（ハイブリッドミスマッチと呼ぶ）を活用するものであり、この点についての事例ごとの詳細な対応策が提案されている(注11)。

個人の居住者認定は、我が国では、「国内に住所を有し、又は現在まで引き続いて1年以上居所を有する個人」と規定している（所法2①三）。非居住者は、居住者以外の者というように消去法で定義されているが、我が国の特徴は、居住者の中に「非永住者」というサブカテゴリーを有している点である。非永住者は、過去10年間に5年以下の期間日本に住所を有する日本国籍を持たない居住者（所法2①四）とされ、課税所得の範囲から国外で稼いで我が国に送金されないものを除外する特典を与えている。我が国の経済発展に貢献する外国人専門家への課税軽減という立法趣旨等からみて見直しを求める意見も有力であり、今後も特別措置としてその妥当性をモニタリングすべきと考えられる。

なお、住所概念については、贈与税の事案についてであるが、最高裁判例により民法からの借用概念であるとして、住所の有無は客観的に生活の本拠かどうかにより判断すべきとされた事例がある(注12)。

他方、米国では居住者課税の更にバックアップとして市民権課税の原則を採用しており、米国国籍取得者は他国の居住者であっても、米国で全世界課

(注10)　M.Graetz, M.O' Hear, "The Original Intent of US International Taxation"、Duke Law Journal（1997.3）

(注11)　最終報告では、受取国での課税内容に即して二重課税が生じないよう支払国で損金算入を否認する等のいわゆるリンキングルールの導入が提案されている。

(注12)　武富士事件最高裁平成23年2月18日判決（判時2111・3）

税の義務を負っている(注13)。

最後に、二重居住者への対応に関しては、租税条約に居住者決定振分け規定(タイブレーカールールと通称されている。)が設けられており、最終的には相互協議によって解決が見込まれている(注14)。

(3) 国内源泉所得(ソースルール)

源泉地国の課税権を画する「国内源泉所得」が、どのような要件で認定されるかについては、その枠組(所得種類ごとのソースルール)が各国の国内法に任されているため(例えば我が国では所得税法161条、法人税法138条)、その枠組の違いにより二重課税の発生が起こり得る。租税条約のネットワークに参加する国の間では、例えば、役務提供については役務の提供地を源泉地とする原則など、一定の標準型に収束されているが、両国法制の間の違いが明確な場合には、条約の条項で特定のソースルールを合意することもある(例:日印条約12条6項は使用料の源泉地として、我が国国内法の使用地主義ではなくインド国内法の債務者所在国主義で合意)。そのような場合には、我が国では法人税法の国内源泉所得の読替規定に従って条約のソースルールを適用することとされている。

なお、仮に所得毎のソースルールが同じであったとしても、所得類型の認定が異なった場合には、それによっても二重課税は発生し得る。特にデジタル経済に代表される情報産業においては、一義的な所得分類は困難であり、BEPSプロジェクトでも検証された二重非課税だけでなく、二重課税が発生するリスクも高いといわれる。

(参考)情報産業に関する二重非課税及び二重課税の事例

販売による所得、無形資産の使用料収益、役務提供の対価の所得の3類型は、情報産業にはつきものである。例えば、事業者が国境を越えてウェブサイトを通じて直接顧客にダウンロードで引き渡す音楽・画像・情報等のデジタルグッズの所得課税や消費課税が不完全である問題は、現在、我が国のみなら

(注13) 米国税法では、IRC911条が国外居住の市民権保持者に対し、年間8万ドルの所得控除を認めるほか、居住者認定においても、過去3年間を通算した183日ルールの設定などきめ細かな取り決めを置いている。米国市民としての国家の庇護のもとにある対価としての市民権課税には、一応の合理性は認められるものの、執行コスト(租税条約上の対応を含む)も考慮すると実効性につき疑問が投げかけられている。前掲(注3)P.22

(注14) 個人の租税計画上問題となるのは、いわゆるパーマネントトラベラーと呼ばれる富裕者である。どこにも生活の本拠を持たず世界を転々とする租税回避には、後述する出国税での対応はあるものの残念ながら抜本的な処方箋が見いだせない状況にある。

第1章　国際課税総論　　13

ずBEPSプロジェクトで検討されたが、それらの取引から得られる所得の性格については、販売の事業所得なのか、著作権の許諾対価である使用料なのか、あるいはそれらのグッズ作成者の役務提供への対価なのか、必ずしも判然としない場合が多い。以下の事例は、訴訟と相互協議を経た結果重大な二重課税が残った実例である。

Boulez氏事件：米国判例83TC584（1984）

　ドイツの居住者であり著名な作曲家兼指揮者であったBouletz氏（以下「B氏」という。）は、米国のフィラデルフィア交響楽団の指揮者として招かれ、一連の演奏公演を行った。その際、（株）CBCはその公演をレコード化し、米国におけるレコード売上げの一定割合を報酬としてB氏に支払った。当該支払につき、米国歳入庁は役務提供の対価であるとしてB氏に課税したのに対し、B氏は、本件は著作権の使用料であり米独条約で免税とされていると訴訟提起した。

　裁判所は、B氏の販売における支配力を認定して米国の課税処分を認容したが、ドイツ課税当局は使用料との認定を譲らず、その結果ドイツにおけるB氏に対する外国税額控除を否認した。その結果、多額の二重課税が発生したものである。

　その後、最近に至り、米国では特にソフトウェア取引に焦点を当てたソースルールの規則が制定されているが、その内容は自由に頒布する権限を有している限り販売に当たるとするもので、結果的に居住地国に有利な課税権配分となっている。ソフトウェア制作の中心である米国にとっての税収を最大限保障する効果を持つものであり、同規則は十分な説得力を持たないのではとの批判も国内では行われている(注15)。

　なお、我が国においても、活発化しているソフトウェア開発外注取引において、所得の性格付けの相違に基づく二重課税のリスクが高まっているようである。次の裁決事例は、そのような状況を物語っている。

ゲーム開発委託事件：平成21年12月11日裁決（裁事78・208）(注16)

　本件は、審査請求人が、ゲームソフトの開発費及びゲームソフトのパッケージ・広告用のイラストの制作費としてE国に本店を置く外国法人に対して

───────────

（注15）　R.Avi-yonah,前掲（注3）P.54

（注16）　本件裁決の評釈については、吉田泰三「E国法人に対して支払ったゲームソフトの開発委託費は、国内源泉所得である著作権の譲渡等の対価に該当し、非居住者等に支払う所得に対する源泉所得税の課税対象となるとした事例」税大ジャーナル2013年1月号P.167

支払った金員について、原処分庁が、当該開発費及び当該イラスト制作費は所得税法161条7号ロに規定する著作権の譲渡の対価に当たるものであり、国内源泉所得に該当するとして、源泉徴収に係る所得税の納税告知処分及び不納付加算税の賦課決定処分を行ったことに対し、請求人が、これらは開発委託費等であり著作権の譲渡の対価には該当しないとして、これらの処分の全部の取消しを求めた事案である。

　裁決では、本件開発委託契約の目的は、E国法人が保有する原著作物を基礎とした新たなゲームソフトの開発及び販売であり、その本体をなす合意は、E国法人から請求人に対する当該ゲームソフトの二次的著作物に係る著作権の譲渡又は使用許諾であるといえるから、本件開発委託契約に基づいて支払った金員は、当該二次的著作物に係る著作権の譲渡又は使用許諾の対価に他ならないとして、源泉所得税の課税対象となる国内源泉所得に当たるとみるのが相当と判示した。

　前記事例でも明らかなように、開発業務に係る役務の提供と著作権の譲渡を区分するには納税者サイドで適正な区分経理を行う必要があり、それができない場合は、簡明な源泉徴収義務の構成の必要上、支払額が一体として源泉徴収対象となるリスクが付きまとうことになろう。なお、いわゆるインド条約のように技術的役務の対価についても源泉徴収が規定されている場合には、前記のような紛争は結果的に回避できることとなる。

第4節　源泉地での課税方法

　Avi-yonahの便益原則によれば、能動的所得は源泉地での優先課税、受動的所得は居住地国での優先課税と整理されることになるが、その結果、源泉地における課税方法は当該所得がどちらに区分されるかによって異なることとなり（ネット課税か、グロス課税か）、税負担に大きな相違が生じ得る。

　前記第3節2で検証した日米の課税事案でもうかがえるとおり、役務提供の対価であれば、事業所得という能動的所得と位置付けられ、受領者が源泉地に恒久的施設を持つかどうかにより源泉地でのネット課税の可否が決せられるが、いずれにしても支払者側では支払額につき条約に基づく源泉徴収の上で損金算入が認められる。

　他方、受動的所得である使用料とされれば、支払者側は条約の規定により

第1章　国際課税総論　　15

源泉徴収の上損金算入するのに対し、受領者側ではPEを持たない場合が多いと思われるので、源泉徴収のみで源泉地の課税関係が終了する可能性が高い。

　我が国は、米国等の他の先進国と同様、ソースルールと課税権を根拠付ける条項を別々に規定している（課税権条項は、所得税法164条、法人税法141条などソースルール条項の直後に置かれており、それぞれ非居住者・外国法人のPE保有の有無に応じて課税所得の範囲が定められている。）。我が国が源泉地国として課税権を行使する形態は次の2類型である。

1　ネット課税方式（直接投資から得られる所得を対象）

(1)　閾　値

　国際投資統計では、通常10％以上のシェアの株式保有を経営に支配力を行使できる直接投資と定義し、それ以下のシェアの投資と区分して管理している。これに対し、税法の観点からは、株式保有10％基準で課税取扱方法の全てが線引きされているわけではない。

　例えば、我が国の国際課税制度を通覧すると、まずネット課税対象となる典型例である支店形態等での源泉地操業については、100％子会社と経済的状況は同一であるものの、PEの閾値を超えたものについて初めてネット課税に服することとされている。

　また、外国子会社合算税制のオールジャパン支配の閾値は「50％超」であるのに対し、移転価格の資本金での支配基準は「50％以上」、外国子会社配当益金不算入制度の閾値は「25％以上」、外国子会社合算税制の個別対象法人の閾値は「10％以上」と、一定の被支配法人につき居住地法人に帰属させて課税方法を決定する措置の適用においては、保有比率にバラツキがある。これは、被支配法人かどうかの区分はそれぞれの課税制度の趣旨・目的に沿って弾力的に設定されており、いずれも各国の立法政策の範囲内であると考えられるためである。ただし、現実には、租税条約の締結相手国との間では、国内法より低い保有割合に修正する例がみられる（外国子会社配当益金不算入制度の閾値につき、法人税法施行令22条の4第5項に基づき、例えば日米条約上親子会社間配当の二重課税救済閾値である10％に引き下げられるケース）。

(2)　課税所得の計算方法

　なお、支店等につきPEが認定されネット課税に服した場合には、その課税所得計算は、内外無差別すなわち内国法人の算定ルールに服することとされている。事業所得のこのような課税所得算定ルールは、所得と源泉地との結

びつき（Nexus）についての内国法人・居住者との同等性に基づくものであり、その背景には、ネットベースでの事業所得課税を支えるインフラである帳簿の備付と継続記帳の存在が予定されている。この点に関し、平成26年度の国内法改正で導入された帰属主義の下では、AOAと呼ばれるOECD承認アプローチに従って本支店をそれぞれ独立した企業と見做し、それが果たす機能、使用する資産、引き受けるリスクを分析し、本支店間の内部取引も損益計算上認識すると共に、支店への資本配賦も行うこととされた。支店の文書化義務が移転価格税制の適用対象となる子会社並みに強化されるわけであるが、これにより正確な申告に基づくネット課税が実現し、国境を越えた二重課税のリスクが減少すると見込まれている（ただし、PEを有する外国法人は、PEに帰属する所得（能動的所得）とそれ以外の国内源泉所得について別々の課税標準として申告することになり、双方間の損益通算は認められない。この点については、Avi-yonahの便益原則の厳格な適用が行われていると評価することもできよう。）。

2 グロス課税方式（間接投資から得られる所得を対象）

　投資対象を支配することによって事業リスクを引き受け、それにより高いリターンの獲得を目標とするものでない投資を間接投資（ポートフォリオ投資）と呼び、当該投資の果実である受動的所得（債券利子、配当等）に対しては、源泉地国は支払に際してのグロス課税（源泉徴収の方法による）を用意している。したがって、非居住者等が我が国に事業拠点を持たない場合には、グロスの支払額に対する源泉徴収のみで、源泉地である我が国での課税が終了する仕組みである。

　PEに帰属しない受動的所得について、源泉徴収のみで課税を終了させるのは、前記の源泉地との結びつき（Nexus）の薄弱さという理由もあるが、主として所得課税の理想であるネット課税を実施する上での執行可能性（Enforceability）に着目した割切りと評価すべきである。前述した国家管轄権の外延を画する属地主義の制約に基づくものであり、国際課税ルールの宿命の一つと考えられる[注17]。

（注17）　経済のデジタル化の下で、租税条約に基づく情報交換への期待が高まっており、特に高額所得者の国境越え資金運用に関する情報交換を自動的に行う枠組みの検討が進んでいる。この目的は、主として受動的所得についての居住地国課税の漏れをなくす観点でのイニシアティブであり、源泉地課税の方式の改革を目的とするものではない。

第2章

非居住者・外国法人の課税

18

第1節 非居住者・外国法人というステータス

　所得を課税物件とする所得税法と法人税法は、居住者及び内国法人について全世界所得を課税対象とするという意味で無制限納税義務者と位置付ける一方、それに該当しない者を非居住者及び外国法人の定義の下 (所法2五、法法2四)、国内源泉所得に対してのみ納税義務を負う制限納税義務者と位置付けている (所法5、法法4)。そして、非居住者・外国法人の納税義務の範囲については、我が国との経済的連節（Nexus）を根拠として所得類型ごとに規定される国内源泉所得条項 (所法161、法法138) と納税者の恒久的施設の保有の有無のいかんによる課税範囲を定める条項 (所法164、法法141) により、具体的な納税義務の範囲が画されている。我が国のこのような取扱原則は、2014年の帰属主義導入という税制改正を反映したものであり、OECDモデル条約に基づくグローバルな租税条約ネットワークの拡大を通じて現在達成されている国際標準の規範とも、基本的には整合的なものとなっている。我が国は、2014年改正以前は、非居住者・外国法人の稼得する国内源泉所得の課税について、総合主義（全所得主義ともいう）を国内法上維持し続けてきたのであるが、2010年のOECDモデル条約改定で解釈が一義的になった帰属主義を踏まえて、グローバル基準に沿った国内法改正が行われたことは評価される。

　なお、国際協調の場では、BEPS（税源浸食・利益移転）プロジェクトの下で、恒久的施設該当性を人為的に外す多国籍企業による不当なスキームに対する対抗策が提案されており、帰属主義適用のガイダンスの必要性がより強く求められる現状にある。本章では、まず従来の我が国の総合主義の概要と問題点を俯瞰し、それとの対比で2014年改正後の現行の帰属主義（施行は2016年4月以降）の概要と適用上の課題を分析する。

第2節　制限納税義務者の意義

1　制限納税義務者とは

「制限納税義務者」の概念は、別に国際課税領域に限った概念ではない。営利事業から稼得される所得に課税対象が限定される公益法人等や人格なき社団等も、納税義務が一定の制約を受けるという点で、制限納税義務者と位置付けられ得る。ただし、公益法人等は、国内法上制限納税義務者と位置付けられるものの、租税条約の便益享受の適格性上は居住者として扱われ、例えば海外債券から受け取る利子等の源泉徴収を減免される資格は失われない。したがって、公益法人等は国内における租税計画で濫用される可能性があるとともに、国際取引面でも濫用の可能性があり、各国は公益法人を利用した国際的租税計画に対しても、必要に応じ国内法等での対処を施している[注18]。

ところで、制限納税義務者と区分されることによる便益享受のうま味は、金融取引の拡大に伴い金融資産をはじめ財産の多くを海外に移転することが容易になっているグローバル化した経済社会環境の下では、所得課税の局面以上に資産課税の局面で敏感に受け止められてきている。なぜなら、財産課税の場合、財産所在地を基に課税管轄の線引きが行われるが、その際、財産所在地の認定は、原則として所有権等の法的権原の所在地で客観的・一義的に判断されるためである。この点、所得課税における所得源泉が、帰属主義の下では、保有する資産・果たす機能・引き受けるリスクといった多面的な経済活動要素の総合判断により行われ、国境を越えた濫用的プランニングに対して一定の耐久力を有していることと対照的である。

近年我が国は、相続税法の制限納税義務者のカテゴリーにつき、その範囲を狭める方向で順次重要な改正を重ねてきているが、これらは、資産課税の制度設計においては、制限納税義務者に帰属する財産について、濫用的プランニング対応として帰属を制限的に規制することは法技術上困難であるとの事情に基づくものと考えられる。

そのような背景での改正結果、現在の相続・贈与税の制限納税義務者カテゴリーは次表のとおりとなっている。

（注18）　例えば、米国のアーニングストリッピング条項や我が国の過大支払利子税制は、支払先について、外国関連法人のみならず国内外の公益法人等の場合も対象にしている。

（表1）　資産課税における制限納税義務者の範囲

被相続人・贈与者 ＼ 相続人・受贈者		国内に住所あり	国内に住所なし		
			日本国籍あり		日本国籍なし
			国外居住 10年以下	国外居住 10年超	
国内に住所あり		国内・国外財産とも課税（無制限納税義務）			（領域C）
国内に住所なし	国外居住 10年以下		（領域A）	（領域B）	
	国外居住 10年超			国内財産のみ課税（制限納税義務）	

（参考）　「国内・国外財産とも課税（無制限納税義務）」とされている区分のうち、点線で区分された3区画（領域A・B・C）についての立法履歴は以下のとおり[注19]。

（領域A）　従来から無制限納税義務の対象とされていた区画（相法1の3一）

（領域B）　平成12年度改正による導入（当初特措法での対応、その後平成15年度改正で本則化。相法1の3二－イ・1の4二－イ）。

　　武富士事件最高裁平成23年2月18日判決（判時2111・3）等にみられるように、相続・贈与税対策として受贈者の海外移住事例の増加が契機となったといわれている。

（領域C）　平成25年度改正による導入（相法1の3二－ロ・1の4二－ロ）。

　　海外出産等により外国国籍を取得する受贈者を利用するなどの租税計画に対応するものといわれている。

（注19）　安河内誠ほか「H25年度の国際課税に関する改正について」租税研究2013年7月号P.6。なお、上掲表1は平成29年度改正（国外居住期間を5年から10年に延長）後のものに修正している。

2　非居住者・外国法人の認定要件

　税法上、制限納税義務者とされる非居住者・外国法人は、積極的な定義規定ではなく、消極的定義、すなわち「居住者以外の者」・「内国法人以外の法人」と規定されている。したがって、その認定要件も居住者要件と内国法人要件を消極的に認定することになり、以下の検討枠組みで行われる。

(1)　国内法の非居住者要件

　居住者は「国内に住所を有し、又は現在まで引き続いて1年以上居所を有する個人をいう」（所法2①三）とされている。このほか居住者区分についての特則として所得税法3条は、我が国の公務員につき居住場所のいかんを問わず国内に住所を有するとみなす旨を規定するとともに、以下のとおり、施行令（所令14・15）では移住の際の住所の認定に関する推定基準を規定している。

- ・　国内に居住することとなった者についての住所推定
    - ——国内において、継続して1年以上居住することを通常必要とする職業を有している場合
    - ——日本国籍を有し、かつ、その者の国内において生計を一にする配偶者等の保有その他国内における職業及び資産の保有等の状況に照らし、継続して1年以上居住するものと推測できる事実があること
- ・　国外に居住することとなった者についての非住所推定
    - ——国外において、継続して1年以上居住することを通常必要とする職業を有している場合
    - ——外国の国籍又は永住権を有し、かつ、その者の外国において生計を一にする配偶者等の保有その他外国における職業及び資産の保有等の状況に照らし、再入国し国内に居住すると推測するに足る事実がないこと

　以上のとおり、住所認定について税法独自の客観的なメルクマールを持たない我が国法制の下では、制限納税義務の前提条件である居住性について、最終的に司法審査を待つしかないという意味で、予見可能性が不十分とする評価も可能であろう。

　我が国判例（前記武富士事件）は、贈与税に関し、租税回避の目的を有する海外移住を居住意思が不十分として現地での住所を認定しなかった課税処分を認めず、住所は民法からの借用概念であることを前提に、民法の「生活

第2章　非居住者・外国法人の課税　　23

の本拠」をその者の生活に最も関係の深い一般的生活、全生活の中心を指すものと解釈し、生活の本拠たる実態の具備如何は客観的に判断すべきと判示している[注20]。

（参考）

①　各国の立法例

　　ほとんどの国では居住者認定に当たって、住居の保有を中心とした納税者の当該国との経済的連節の有無を総合勘案して判断している[注21]。その際、我が国と同様一定の事実に基づく住所推定を行うことが一般的であるが、そこでは183日ルールを規定している場合が多い[注22]。しかし、グローバル化の下での183日ルールは容易に回避することが可能であり、また、国境移動の自由化の下では、立証責任の所在如何により執行の困難性は高いと考えられている。

②　どの国も課税できない「恒久的な旅行者（permanent traveler）」の問題

　　また、グローバル化したビジネス環境の下では、一定の場所に定住せず1か所につき短期間の滞在を繰り返し、世界中の居住者課税管轄権をすり抜けていく納税者が存在する[注23]。これらは、タックスヘイブンへの住所移転と並んで、現行法下では公平な課税の観点からの対処が困難な租税計画であり、後述する出国税での対応が唯一施行可能な処方箋と考えられる。

(2)　二重居住者についての租税条約による調整

　無制限納税義務者の定義を定める権限は国内法に委ねられているので、租税条約の役割は、従来、国内法の抵触により2国間で発生し得る二重居住者状態から引き起こされる二重課税の調整という点に限られてきた。二重居住者

（注20）　なお、住所認定を巡る判決では、東京高裁平成20年2月28日判決（判タ1278・163）（ユニマット事件：シンガポールにおける住所認定で納税者勝訴）と東京地裁平成21年1月27日判決（税資259・11126）（マグロ漁船員事件：公海上の漁船の住所認定が否認され納税者敗訴）。同内容については、TKC税研情報（2010.6）青山評釈を参照。

（注21）　Brian J. Arnord,"International tax premer"3d.ed.（2016）、P.17

（注22）　単年度ベースでの183日ルールのみならず、米国のように3年間の通算ルールとして適用して、一定の租税計画を防止しているものもある。IRC7701条(b)

（注23）　2006.7.16朝日新聞朝刊記事

状態が発生したときの要素によって勝ち組（居住者と認定される国：無制限納税義務を維持する国）と負け組（居住者とは認定されない国：制限納税義務へ課税を撤退させる国）を判定するかを2国間で合意したものが、いわゆるタイブレーカールールと呼ばれる条項であり、個人についてはOECDのモデル条約4条2項に沿った下記の条項の挿入が、我が国の条約例では一般的に観察される。

（参考）　OECDモデル条約4条の対個人適用のタイブレーカールール

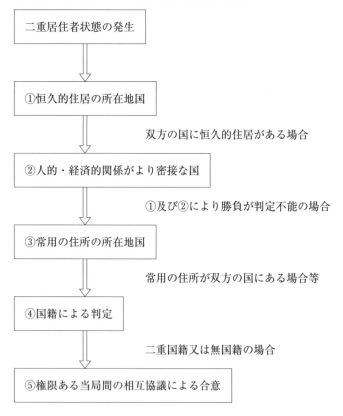

（注）　個人についても、法人と同様に相互協議の合意で解決するとする条約例も散見される（例：対中国、ドイツ、カナダ、インド、タイ、インドネシア条約）

(3) 国内法の外国法人要件

内国法人は、「国内に本店又は主たる事務所を有する法人をいう。」(法法2①三) とされている。ただし、法人の定義はされておらず、判例通説は法人を私法に基づく概念を借用しているものと解している(注24)。商事事業会社の大宗を占める株式会社の場合、会社は本店所在地で設立登記の義務を課されており (会社911)、また会社の住所は本店所在地とされていることから (会社4)、それらの要件を満たさないもの (会社法等に準拠して設立されたものでないもの) が典型的な外国法人と解釈される。このように設立等に関する法的客観性をメルクマールとしていることから、法人については内国法人・外国法人の境目を巡る紛争は国内法上予測されにくい。

ただし、外国の法律に従って設立された事業体が、我が国税法上法人と認定できるかどうか (すなわち法人として権利義務の主体となることができるものか) については、「法人」という借用概念の解釈を巡って学説上の争いがある。すなわち、①借用しているのは我が国の民商法であるので、民商法で法人と判断されるものかどうかが税法の法人該当性判断の物差となり、外国の準拠法に従って設立された事業体は、その実態を上記物差に当てはめそれと同等のものといえるかどうかで認定すべきとする考え方 (いわゆる2段階説) と②法人概念の借用先は民商法であるものの、それを外国の準拠法で設立された事業体に適用する場合には、抵触法のルールにより、外国の準拠法上法人とされているかどうかで直接判断すべきとする立場 (準拠法説) の二つである(注25)。この問題は国内法の解釈適用に関する問題であり、BEPSの扱う国際協調の事例そのものではないが、国際取引の実効税率を左右する重要課題といえる。我が国では、最近米国デラウェア州リミティドパートナーシップ (LLP) を利用した投資スキーム事件について、最高裁で判断が下され、前者の内国法準拠アプローチ (2段階説) に基づく解釈の結論が以下のとおり確認されている。

(注24) 「租税法上の法人は民法、会社法といった私法上の概念を借用し、これと同義に解するのが正当」と判断したものとして、東京高裁平成19年10月10日判決 (訟月54・10・2516) (米国ニューヨーク州LLC事件)。

(注25) この点を比較法の観点から詳しく分析したものとして、今村隆「外国事業体の法人該当性」税大ジャーナル2014年6月号P.1)。

26 第2章 非居住者・外国法人の課税

（参考） 内国法準拠アプローチをとった判決の判断枠組み

区　分	最高裁平成27年7月17日判決（判時2279・9）	大阪地裁平成22年12月17日判決（判時2126・28）
内国法準拠の内容	我が国の租税法は、<u>外国法に基づいて設立された組織体のうち内国法人に相当するものとしてその構成員とは別個に租税債務を負担させることが相当であると認められるものを外国法人と定め</u>、これを内国法人等とともに自然人以外の納税義務者の一類型としているものと解される。 外国法に基づいて設立された組織体が「外国法人」に該当するか否かは、当該組織体が日本法上の法人との対比において我が国の租税法上の納税義務者としての適格性を基礎付ける属性を備えているか否かとの観点から判断することが予定されている。そして、<u>我が国においては、ある組織体が権利義務の帰属主体とされることが法人の最も本質的な属性であり、</u>そのような属性を有することは我が国の租税法において法人が独立して事業を行い得るものとしてその構成員とは別個に納税義務者とされていることの主たる根拠であると考えられること等を考慮すると、外国法に基づいて設立された組織体が外国法人に該当するか否かについては、上記の属性の有無に即して、当該組織体が権利義務の帰属主体とされているか否かを基準として判断することが相	当該事業体がその準拠法においてどのような概念として定義付けられているかのみによって結論を導けず、実質的な観点から、当該事業体に認められている能力及び属性の内容を検討し、その上で、我が国の私法上「法人」とされることによって当然に認められる能力及び属性を全て具備していると評価できるか否かにより決する他ない

当である。	

(4) 二重居住法人についての租税条約による調整

　法人について無制限納税義務を負う内国法人をどう国内法上定義するかについては、大きく分けて、設立準拠地主義と管理支配地主義の二つに分かれる。この相違を放置すると、法人の二重居住者認定が行われ、結果として甚大な二重課税のリスクを伴う場合が想定されるため、OECDモデル条約はタイブレーカールールとして管理支配地基準を採用することとしている。しかし、米国のように設立準拠地基準をとる国（我が国のように本店所在地基準をとる国も同様）から同タイブレーカールールについては留保が付されており、現実の二国間条約では相互協議による解決方法が広く採用されていること、IT技術の使用に伴う困難事案が今後予想されることなどに配意して、OECDモデル条約も、2010年改定において、権限ある当局による解決案をコメンタリーベースで代替案として提示している[注26]。

　なお、BEPSプロジェクトで取り上げられたハイブリッドミスマッチ取極により創出されるハイブリッド事業体は、その多くが費用や損失の二重控除を目的とした二重非課税狙いのスキームであり、そこで提案されている解決策は、事業体の認定レベルでの否認ではなく、費用控除と損失処理の二国間の連携立法である[注27]。

第3節　改正前の総合主義課税（ハイブリッドな制限納税義務者課税）

1　立法の沿革

(1)　総合主義に基づく国内法の立法

非居住者及び外国法人の稼得する企業利得に対する2014年改正前の課税ル

（注26）　OECDモデル条約4条コメンタリーパラ24.1
（注27）　OECD最終報告書では、リンキングルール（二重控除はまず投資者法域＝親会社所在地国で損金算入を否認すべきであり、それができない場合には子会社法域で損金算入を否認するとのルール）が提案されている。

ールは、昭和37年税制改正で確立されたいわゆる総合主義に基づく構造を基本としていた。すなわち、我が国における恒久的施設（PE）の存在を条件に、あらゆる国内源泉所得を対象として所得税あるいは法人税の申告納税を求める方式であり、この方式を支える国内源泉所得を定めるソースルール（所法161、法法138）とPEを基準として居住地国課税権の範囲を画する規定（所法164、法法141）は、立法時に我が国の国際課税ルールの原点とされた昭和29年締結の日米条約とその背景にある当時の米国国内法を参照したものであったとされている。

しかし、ヨーロッパの多くの国では1955年のOEECモデル条約に沿って帰属主義を採用していたこと等もあって、昭和37年の総合主義の国内法立法化当時においても、我が国が締結したかなりの租税条約においては帰属主義が採用されていた。このことから、国内法での帰属主義の選択可能性は、当時の立法当局者にとっても検討されたようである[注28]。立法者があえて総合主義を採用した背景について、当時の資料からは必ずしも明らかではないが、当時の我が国の源泉徴収制度による課税権確保の限界もその理由の一つとされていたようである。

(2) その後の国際情勢の変化

ところが、米国はその後まもなく国内法を改正し（1966年）、総合主義から帰属主義とほぼ結果を同じくする「実質的関連所得」主義へと転身を図った。その上、その後の我が国の条約締結は相変わらず帰属主義を認めるものがほとんどであったこと等から、国内法と条約の乖離を不適切とする指摘が長年にわたり有力に主張されるという状況にあった[注29]。

そのような環境下で、OECDモデル条約7条の改定が2010年行われ、7条の帰属主義を9条の下での独立企業原則とパラレルに解釈するというコンセンサスが成立した。OECD公認アプローチ（AOA）の採用に代表される新7条は、旧7条の文言の下で複数の解釈可能性があった帰属主義の内容を明確化することを目的としていた。すなわち、国境を越えた本・支店間での事業所

（注28） 国税庁「非居住者、外国法人及び外国税額控除に関する改正税法の解説」(1962.5、植松守雄氏講演録) P.9-12。なお、植松氏は、いわゆる1号PEを有する場合にのみ吸引力を認めている点を指して当時の改正を「折衷主義を採用」と解説している。

（注29） 代表的なものとして、小松芳明「所得課税の国際的側面における諸問題」租税法研究21号P.1

第2章　非居住者・外国法人の課税　　29

得課税権の配分を、本・支店を独立企業であると擬制して、機能・資産・リスク分析に基づき移転価格税制と同様の独立企業原則に従い算定する方法が採用されたのである。

(3)　2014年改正法の成立

　今後OECD加盟国が締結・改正する租税条約は、新7条が規定する帰属主義によることとされたことは、我が国国内法が採用する総合主義からの決別をさらに促進することとなった。政府税制調査会では、帰属主義への改正への検討が本格化し、平成26年度税制改正に結実したものである(注30)。すなわち、平成26年度税制改正大綱には、昭和38年以来50年ぶりに、外国法人等に対する我が国の国際課税原則が、従来の総合主義から帰属主義に変更される旨の改正案が盛り込まれ、平成26年度税制改正法は平成26年3月20日成立した。ただし、非居住者・外国法人に関する本件改正規定に関しては、非居住者の所得対応は平成29年分以降の所得税から、また、外国法人についても平成28年4月1日から開始する事業年度の所得に対する法人税について適用することとし、準備のための猶予期間を設けた。

2　改正前制度の概要

　長年にわたって我が国で適用されてきた総合主義の下での課税制度は、新制度を理解する上でよく参照されるので、ここで概説しておく。

(1)　ソースルール

　非居住者にとっての所得税課税の対象となる国内源泉所得を全般的に定めると共に、源泉徴収の対象となる法人の受動的所得の国内源泉所得の範囲を画する機能をも持つ所得税法161条と、外国法人の法人税申告義務の範囲を画する機能を持つ法人税法138条は、個人独自の所得類型に係る数項目を除いて、ほぼ同様な内容で規定されていた。

　以下では平成26年度改正法との対比の便宜上、旧法人税法138条当時の我が国のソースルールを概観する。

　　ア　国内源泉所得の基本形である1号所得

　　　1号所得は、次の3種に区分されていたが、2号以下に該当するものは除

（注30）　問題点のとりまとめと検討の方向性を示したものとして、平成22年11月9日税制
　　　調査会専門家委員会「国際課税に関する論点整理」P.11

くとされていた。

- ・　国内において行う事業から生じるもの
- ・　国内にある資産の運用、保有若しくは譲渡により生ずるもの
- ・　その他その源泉が国内にあるものとして政令で定めるもの

　すなわち、表現ぶりから見て前記3類型の所得は国内源泉所得の全体像を表しており、その中の特定のものが源泉徴収の対象にもなるものとして2号以下に規定されたと説明されてきたのである[注31]。

　（国内において行う事業から生じる所得）

　法人税法138条を受けた法人税法施行令176条1項は、1号で棚卸資産の国外仕入・国内販売につき、国外での製造等の付加価値増加がない場合には、全ての譲渡益が国内源泉所得となる旨定めていた。そして、国内販売といえるためには、①引渡し直前に棚卸資産が国内に所在している、②譲渡に関する契約が国内で締結される、③譲渡に関する契約締結のための重要な部分が国内で行われる、のいずれかの条件が満たされていればよいとされた（法令176④）。

　これは、2010年改正前のOECDモデル条約7条が規定していた単純購入非課税原則や国連モデル条約5条が規定する拡大した恒久的施設概念（引渡機能を果たす事業所のPE認定）と整合性のある規定であり、後者の部分については、より狭いPE定義を持つ租税条約の下では国内法が修正を受ける状況にあった。

　また、法人税法施行令176条1項2～7号では、同項1号以外の状況で、例えば国外製造・国内販売のように国内・国外の協働業務により生じた所得については、国内業務と国外業務を区分し、それぞれが独立企業である場合に国内業務に帰属すべき所得を、1号所得と規定していた。

　更に、補助的機能を有する行為（広告宣伝、情報提供、市場調査、基礎的研究等）からは1号所得は発生せず（法令176③一）、また、本支店間サービスを含めて企業の内部取引からは収益や費用は発生しないとする規定（法令176③二）もおかれていた。

　なお、国内にPEを有する法人が行うPEに帰属する海外投融資活動か

（注31）　植松守雄「非居住者、外国法人及び外国税額控除に関する改正税法の解説」（昭和37年国税庁）P.18

らの所得について、一定の条件付きで国内源泉所得とする規定（法令176
⑤）が置かれており、その解釈を巡っては、それが創設的規定か確認的規
定かについて論争があった。平成26年度改正は、後述する通りそのよう
な論争に終止符を打つ機能を果たしたことでも評価されよう。

　（国内にある資産の運用・保有若しくは譲渡により生ずる所得）

　法人税法施行令177条1項は今回改正対象とはなっておらず、国内にあ
る資産の例示として、公社債のうち、日本国債、地方債、内国法人の発
行する債券等、個人居住者に対する非業務用の貸付金債権、等を挙げて
いる。なお、公社債の利子は法人税法138条4号に規定する利子に該当す
るので、前述したとおり同号が同条1号に優先して適用されることにな
る。

　なお、法人税法施行令177条2項は、国内にある資産の譲渡から生じる
所得を例示しており、その中には、OECDモデル条約の規準に合致した
もの（法令177②五に規定する不動産関連法人の株式譲渡）のみならず、OECDモ
デルでは課税権条項が明示されていない株式譲渡（法令②三に規定する事業
譲渡類似株式等の譲渡）（注32）についても規定している。

　我が国の条約例はこの点区々となっており、OECD型モデルの条約下
ではそれが国内法に優先して適用されるため譲渡益課税ができない場合
が多い。それ以外の国との関係では、国内法の解釈適用の乖離によって、
二重課税を巡る紛争が生じやすい状況にある（注33）。

　（その他その源泉が国内にある所得として政令で定める所得）

　法人税法施行令178条も改正対象となっておらず、その内容として、国
内業務に関して受ける保険金・損害賠償金等、国内にある資産の受贈益、
拾得遺失物、懸賞金等が列挙されている。

イ　2号以下のソースルール

　2号以下のソースルールは、外国法人に対する源泉徴収対象となる所
得の所得税法のソースルール（所法161）をそのまま引き写したものであ

（注32）　国連モデルでは、13条5項で一定の保有割合（直接・間接を含む。）の条件の下で、
　　源泉地国課税権を許容している。
（注33）　インド、中国等新興国が課税している間接保有株式の譲渡所得課税の問題につい
　　ては、青山慶二「途上国における一般的租税否認規定」租税研究2014年6月号P.225参照。

る。その結果、例えば社債利子等は源泉徴収の対象になるとともに、法人税の対象とされていた。

(2) 課税根拠規定

外国法人に対する法人税の課税根拠規定は法人税法141条であり、同条はPEの保有の有無及びその形態いかんにより法人税の納税義務の範囲を定めていた。ここで1号PE（支店、工場等事業を行う一定の場所）を保有する外国法人については、法人税の納税義務は全ての国内源泉所得に及ぶとされていた（完全な総合主義）。前述したとおり、我が国の締結した租税条約は全て帰属主義に基づいており、条約締結国との間では同条項が機能する余地は大きな制約を受けていた。2号PE（建設現場）と3号PE（代理人）を有する外国法人については、4号所得以下のうち国内において行う事業に帰せられる所得に限って法人税の課税所得になるとされており、この部分は、既に国内法上も帰属主義が先取り適用されていた分野といえる。

1〜3号PEのどれも有しない外国法人の法人税納税義務は、事業所得以外の1号所得と人的役務の提供所得及び不動産貸付所得に限られていた。

3 平成26年度改正法の概要

帰属主義への改正は、非居住者・外国法人を対象とした改正であり、かつ住民税、事業税といった地方税にも関わるものであるが、以下においては税制改正大綱及び改正法令をベースに、法人税に係る改正点に焦点を絞って概観する。

(1) 総合主義から帰属主義への変換

ア 改正概要と立法趣旨

PEを有する外国法人について、従来の国内法が規定していた総合主義に基づく課税根拠規定（法法141）を帰属主義に基づき改正し、それに伴いソースルールも新しいカテゴリーの創設を伴う構造的な改正を行った。すなわち、その骨格は、①「PE帰属所得」という新しい国内源泉所得のカテゴリーの導入、②PE帰属所得計算ルールのAOAに準拠した規定の導入、③外国法人の納税義務を、PE帰属所得とそれ以外の国内源泉所得に区分して、それぞれ別個に申告納税を求める方式の採用とそれに伴う前者の課税における新たな外国税額控除制度の導入、④帰属主義に基づく所得計算に必須の本・支店間の機能・資産・内部取引を検証するために新たな文書化義務の付加、⑤本支店

第2章　非居住者・外国法人の課税　　33

間取引を利用した国際的租税回避に対応するための一般的否認規定導入の5
点に集約できると考えられる。

　このような改正の立法趣旨については、税制調査会に提出された主税局参
事官の私的研究会報告書(注34)の中で、次の4点が指摘されている。

①　支店形態か子会社形態かによる海外進出に伴う税負担の中立性確保
②　AOAに基づく帰属主義に集約する今後の2国間租税条約と国内法の整合
　性確保
③　AOAの普及による二重課税・二重非課税リスク発生の軽減
④　制度の透明性による国境を越える投資拡大への期待

　前記のメリットはいずれも的を得たものであり、少子高齢化の下、グロー
バル経済に今後より深くかかわらざるを得ない我が国にとって、時機を得た
改正であると判断できよう。特に、事業形態のいかんに拘わらない課税の中
立性確保の要請は、モデル条約7条と9条の独立企業原則の適用を可能な限り
共通なものとすることによってのみ達成が可能であり、今回の改正でも、本
支店間の特別な状況(信用評価の不可分性や内部保険行為の許容不適切性等)
に鑑みた例外措置を除き、全てイコールフッティングとする方針が貫かれて
いる。

　しかし、AOAに基づく本件改正の行く手は、必ずしも平穏な航海が待ち受
けているわけではないと思われる。すなわち、第1にはAOAを受け入れない
と宣言している国連モデル条約の影響下にある途上国の存在である。2011年
改定の国連モデル条約は、AOAを採用しないとし、依然としてOECDモデル
では批判の対象とされているPEの吸引力を部分的に認めており、総合主義
を許容するものとなっている。第2には、移転価格の分野でも課税ガイダン
スの確立が不完全であり、BEPSプロジェクトでも難しい課題として提起さ
れている無形資産取引について、本支店間では内部取引を擬制し、評価して
内部使用料の認定をするという高いハードルを越えねばならないという点で
ある。支店形態を利用する業種が銀行・商社等の金融業務に携わる業種であ

───────────────────

(注34)　平成25年10月「国際課税原則の総合主義（全所得主義）から帰属主義への見直し」
　　　（帰属主義研究会報告書）P.2-3（税制調査会平成25年10月24日配付資料：内閣府ホーム
　　　ページ掲載）

り、無形資産の占める比重が大きい点に鑑みると、無形資産の課税ルールについてのコンセンサスが不十分な場合には、執行状況のいかんによってはその背後にある「独立企業原則」への信頼をさらに揺らがせかねない懸念も残る。BEPSプロジェクトでは、多国籍企業の租税回避防止の観点から、無形資産に関する移転価格税制のガイダンス（OECD移転価格ガイドライン）を更新したが、その内容は本・支店関係での環境にも適用されることになる。なお、国内法が先行する形で施行されるAOAの内容は、AOAに沿った条約改正が未済の条約相手国(注35)との間では条約による修正を余儀なくされることとなり、個別条約と国内法の間での乖離が残存する経過期間においては、執行コストが加重される点も第3の課題として追加できよう。

イ　PE概念の無修正

帰属主義の導入に際しては、外国法人課税の閾値であるPEの内容には触れていない。OECDモデル条約の改定が7条のみについてであり、5条には修正がなかったことと整合的である。したがって、単純購入のみを行う事業所はPEに該当しないが、単純購入業務自体はAOAの下で利益配分の対象とされるので、他の要因によりPEと認定されていれば、当該PEが行う単純購入業務からも機能・事実分析により当該PEに利益が帰属することになる。ただし、PEの定義自体に関してもBEPS行動計画で条約の改定案が提示されていることから(注36)、今後、PE定義修正に関する国際的コンセンサスを踏まえて国内法改正に至る可能性も否定できない。今回の改正では、PEの定義が法人税法141条から法人税法2条の定義規定条項へ移行されており、その内容（事業所PE、建設PE、代理人PEの3種）に変化はないが、AOAの下ではPEの種別によって課税範囲を定性的に区分する必要はないので、法人税法141条の課税根拠規定では「PEを有する法人」として一括規定されている。

以上は、総論部分についてであるが、以下においては改正の個別項目ごと

（注35）　OECD加盟国との間では、旧7条モデルの下でも、内部使用料や一般事業法人の本支店間利子などを除き一定の内部取引損益の認識や無償資本賦賦が容認されてきたので、AOAに即した条約改定が行われない場合の深刻な二重課税リスクは、それ以外の重要交易国（BRICS等）との間の条約に関するものと限定できる。

（注36）　BEPS行動計画1では電子商取引への所得課税に関しての新たなPE認定の可能性の指摘、同7ではPE認定を免れる余地のある現行の準備的・補助的業務規定（モデル条約5条4項）の改正案が提案されている。

第2章　非居住者・外国法人の課税　　35

に、その内容と立法趣旨を参照しながら検証する。

(2)　PEに帰せられる所得の位置付け

ア　ソースルールの改正

ソースルール（法法138）の改正では、従来、国内事業＋国内資産の運用・保有＋国内資産の譲渡を一括して規定し、総括的ソースルールと称されてきた1号所得を、各パーツごとに三つに分解し（それぞれ1〜3号とする）、国内事業所得については、「当該恒久的施設が当該外国法人から独立して事業を行う事業者であるとしたならば、当該恒久的施設が果たす機能、当該恒久的施設において使用する資産、当該恒久的施設と当該外国法人の本店等との間の内部取引その他の状況を勘案して、当該恒久的施設に帰せられるべき所得（当該恒久的施設の譲渡により生ずる所得を含む）」（「恒久的施設帰属所得」と略称）と規定し直した。この内容はAOAの趣旨をそのまま体現したものであり、OECDモデル条約7条コメンタリーが、「機能・事実分析」と整理しているものに対応する内容である。勘案すべき要素として内部取引を明示している点で、移転価格の比較可能性分析との構造的な違いが明らかにされており、この点が本支店間所得配分の焦点であることがうかがわれる。その際、2〜6号に外形的に合致する所得であってもPE帰属所得に該当する限りは、当該分類が優先する仕組みが保障されている[注37]。

なお、従来は法人税法138条2号及び3号に列記されていた申告納税対象の国内源泉所得は、改正法では4号（人的役務事業）、5号（国内不動産等の貸付）に付け替えられ、最後にその他政令で定める国内源泉所得を6号が規定するという形で再編成されている。総合主義の廃止により法人税の納税義務の範囲として一般的に表記する必要のなくなった従来の4〜11号所得は、PE帰属所得に該当しない場合には所得税法のみが源泉徴収で対応することとなったので、それらのソースルールの明記は所得税法のみとなり、条文の簡素化が図られた。

（注37）　OECDモデル条約上は、不動産譲渡所得に関し、13条の譲渡所得条項が優先適用され不動産所在地国に課税権が割り当てられている（13条1項、2項）ため、国内法での事業所得該当性の優先扱いが適切かどうか問題になりうるが、事業所得性の認定を対象資産の性格によって区分すべきとは考えられないこと、及び、主要な帰属主義採用国（英、独、仏）においても、PE帰属所得の事業所得分類が不動産の譲渡所得の分類に優先していることから、同様な扱いには十分な理由があると考えられる。

イ　PE帰属所得の課税標準

以上のように、「PE非帰属国内源泉所得」と呼ばれる法人税の申告納付対象となる2～6号所得については、外国法人の法人税課税標準を定める改正後の法人税法141条において、PE帰属所得と併記した形で、別の独立した課税標準として規定され、それぞれに法人税の税率を適用し納付税額を算定することとされている。

このような課税標準の整理は、従来の総合主義が、PEの所在を根拠に全ての国内源泉所得に対して内国法人並みの納税義務を課そうとしていたのに対して、帰属主義の下では、原則としてPEに帰属する事業活動に関連する所得に限って内国法人並みに扱うという帰属主義の理念を反映したものである。その結果、2種類の課税標準間では損益通算は認められず、また、欠損金についても2本立てとされている。したがって、PEを有しない外国法人が新たにPEを有することとなった場合等にみなし事業年度が設けられている。

(3)　PE帰属所得の算定

新たに設けられたPE帰属所得の計算方法は、AOAの考え方を体現するとの立法趣旨からすれば、そのPEが本店等から分離・独立した別個の者であるとした場合に、そのPEによって遂行された機能、使用された資産及び引き受けられたリスクに基づいて、独立企業同士であればそのPEが取得したとみられる所得というように構成されるべきことになる。したがって、従来の規定が採用していた単純購入非課税の規定（法令176②）などは廃止された（注38）。

そこで、PE帰属所得算定の焦点となる内部取引の認識と本支店間の資本配賦について、個別にその改正内容を整理する。

ア　内部取引の認識と損益の算定原則

「内部取引」の文言は、前述のとおりPE帰属所得を定義する法人税法138条1項1号で機能、資産と並んで規定されている。そして内部取引の定義は同条2項で、「外国法人の恒久的施設と本店等との間で行われた資産の移転、役務の提供その他の事実で、独立の事業者の間で同様の事実があったとしたならば、これらの事業者の間で、資産の販売、資産の購入、役務の提供その他の取引（資金の借入れに係る債務の保証、保険契約に係る保険責任について

（注38）　ただし、我が国が締結する租税条約には単純購入非課税の原則が規定されているので、条約の直接適用によるオーバーライドが可能と解釈されているが、念のため国内法での調整措置も講じられている。

第2章　非居住者・外国法人の課税　　37

の再保険の引受けその他これらに類する取引として政令で定めるものを除く。）が行われたと認められるもの」と定義されている。

　資産移転等の事実に関して、独立企業原則による留保を付している意義については、AOAの考え方に基づくと、「本支店間の資産移管が行われた場合には、その事実のみによって当該移管取引を即座に認定して損益の計上を認めるのではなく、資産に関する機能が移転された場合に限って内部取引として認めるべき」とする考え方、すなわち新7条の下での「重要な人的機能」というAOAのフィルターを通すことが必要と解されているようである。なお、そのような要件を課す一方で、逆に、法人税法上の販管費の計上要件である債務確定要件は内部取引につき求められないこと、さらには、内部取引には損益取引のみならず資本等取引も想定されるので、本店からPEへの支店開設資金の供与や支店から本店への利益送金などは、資本等取引に含まれることなどの特則が設けられている(注39)。このような整理は、次に掲げる内部取引と本店費用配賦の区分とも整合的である。

　（参考）　内部取引と本店費用の配賦の区分
　内部取引を新たに構成するという発想からは、従来本支店間で行われてきたいわゆる「本店経費の配賦」措置を内部取引の一部として性格付けし直す法的整理も、観念的には考えられるところであった。しかしながら、移転価格においては、法人格の異なる者間での取引であり、法人間の費用負担も法的には全て取引形態で構成されるべきとされるために、独立企業間価格算定ルールという同一土俵での理論整理（マークアップありとマークアップなしの2区分）が必要とされるが、PE環境の下では、マークアップなしの性格のものをそのまま処理してきた経費配賦方式という位置付けを、法的効果が異ならないのにわざわざ変更する必要はないと考えられる。立法者もそのように整理し、従来の費用配賦の取扱を維持するとした。なお、費用配賦の文書化が行われておらず、当該文書の提出に応じられない場合は、従来通り損金算入は認められないことが法定されている（法法142の7）。

　ところで、PEが果たす機能及び使用する資産は、PEの所得算定過程で会計帳簿を基に測定可能であり、従来から原則として課税所得算定過程において斟酌されてきたのに対し、新たに認識される内部取引については、同一法

───────────────
（注39）　法法142条3項1～3号。なお、費用配賦の根拠となる同条3項2号の規定は、従来の法令188条1項1号の規定を法律に格上げしたものである。

人内での資産等の移転であるため、契約書などの法的文書が通常作成されておらず、その認定及び対価の決定に困難が伴う。そこで、前記定義規定において、AOAに則った内部取引の認識と対価の決定の原則が、まずうたわれたものである。そこでは、OECD・PEレポート(注40)に即して、内部の債務保証や再保険は、企業が同一の信用力を有する実態であること等の理由から内部取引とは認めないとまず留保している。この点については、子会社形態をとった場合にグループ内保証やグループ内再保険（キャプティブ保険）が法制上原則として自由となるため、別途それらを利用した租税回避への備えが必要とされていることに比較して、安全装置が確実に働くという強みと評価されよう(注41)。しかし、このような事業体間の租税回避行為に対する国内法による耐久力の相違の顕在化は、逆に子会社に対する現行法制が十分なのかという問題提起を本格化させ、移転価格税制の見直しや租税回避行為否認規定の追加を迫る契機となるとも考えられる(注42)。

　　イ　内部取引に関する文書化義務

　内部取引に関する所得算定を担保するうえで、文書化義務の立法は必須のものと考えられた。改正法では、法人税法第3編（外国法人の法人税）にPEに係る取引の文書化の章（第5章146条の2以下）を新たに追加している。そこでは、AOAの下でのPE帰属所得の算定に必要とされる外国法人の取引、すなわち①PE帰属所得に対応する第三者との外部取引、及び②法人税法138条1項に規定する内部取引の双方についての明細を記載した書類の文書化（当該書類の保存と帳簿記載）義務を課している。この文書化義務の背景には、企業の私的自治への配慮があるとされている。すなわち、移転価格税制でも強調されている納税者の契約締結の私的自治尊重を、課税要件認定の出発点とし、安易に課税当局による契約の引き直しを認めないとする考え方である(注43)。

（注40）　2010年OECD「恒久的施設に帰属する所得に関する報告」パートⅠパラ103及びパートⅣパラ179

（注41）　青山慶二「自家保険をめぐる日米判決の比較」TKC税研情報2013年10月号P.56

（注42）　この点を指摘するものとして、浅妻章如「課税原則の在り方─総合主義・帰属主義─」税研2014年1月号P.47)

（注43）　2010年OECD移転価格ガイドラインパラ1.64～69。なお、私的自治の強調を支持するものとして、租税研究2014年1月号「国際課税を巡る最近の課題と展望」における増井良啓教授及び吉村雅穂准教授のコメント

第2章　非居住者・外国法人の課税　　39

　この文書化は、PE帰属所得の算定を担保する「第1ステップの文書化」と
位置付けられるものである。すなわち、内部取引の存否及び内容を明確にす
るためのものであり、「第2ステップの文書化」（内部取引の独立企業原則合致
性を検証するための文書化）の前提となるものである。後者の文書化義務は、
移転価格税制との整合性確保の観点から租税特別措置法に規定されており
（措法66の4の3）、対価の算定に当たってはそっくり租税特別措置法66条の4を
準用する内容と規定されている。
　第2ステップの文書化義務については、それを納税者が果たさなかった場
合に、移転価格税制と同様推定課税規定を置いて課税不可能な状況を回避す
る措置が取られており、この措置に関しては国際的なコンセンサスが得られ
ているが、第1ステップについて文書化義務が果たされない場合に、推定課税
的な所得算定の認定（例えば、内部取引に関する損金算入否認）が可能かど
うかが問題となる。この点、立法者は、文書化なき場合であっても、AOAの
理念に沿って機能・事実分析により内部取引等が認定されるかどうかを判定
し、認定された場合においては、第2ステップで初めて推定課税の利用可能性
が出てくるとの立場をとっている(注44)。第1ステップで推定課税的処理を認
めてしまうと、課税当局にとって安易な裁量課税の領域を広げることとなり
実務がAOAの趣旨から乖離する恐れが高いので、妥当な判断といえよう。
　最後に、内部取引の文書化を促進する担保策として、それが外部取引にお
いて通常存在するであろう契約書、領収書等の証憑類に相当するものにつき、
青色申告法人の帳簿保存義務の対象としている。
　　ウ　内部取引の対価についての移転価格税制の準用
　内部取引の対価について独立企業原則を適用する国内法の規定（措法66の4
の3）は、そっくり移転価格税制（措法66の4）に準拠している。したがって、我
が国の課税所得を減額する方向で対価が独立企業間価格から乖離している場
合に限って、発動されることになり、かつPEとの間での内部寄付金の額は損
金算入されないことも、移転価格と同様である。ただし独立企業原則を適用
する内部取引の範囲に関しては、前述したとおり、法人税法138条1項1号の留
保（内部債務保証取引と内部再保険取引は認識せず）と同条2項の留保（AOA
の趣旨に基づく内部取引を認定しない租税条約を締結している場合の不適

───────────

（注44）　前掲（注34）P.13

用）が付されている。

　移転価格税制のルール適用に基づけば、内部取引が認定された場合の損益の認識時点はその後法人として外部取引を行って損益が確定する時点ではなく、内部取引の行われた時点に前倒しということになる。そのため法人全体としてみた場合に、PEで発生した所得に対応する所得が本店等において未実現である状況が発生し、二重課税の調整のタイミングに一定のずれが生じることとならざるをえない。しかしこれらは後述する通り、外国税額控除における繰越制度によって吸収されることが予測されるので、国内法及び条約での対応が可能と考えられる。なお、AOAの目的はあくまでもPE帰属所得の算定にあるため、移転価格税制と同様、現実に対価のやり取りが本支店間で必要とは考えられていない。

　（参考）　内部取引の擬制と内部取引に対する源泉徴収

　AOAの下では、内部取引の擬制はPE帰属所得の算定目的でのみ有効とされている(注45)。したがって、擬制内容の取引を実際の支払とみなして源泉地国の支払者に対して源泉徴収義務を課すことができるとの解釈はOECDモデルが予定するところではない。したがって、今回の改正では所得税法にみなし内部取引に係る源泉徴収規定は設けられていない。

　　エ　本・支店間の資本配賦

　AOA採用によってPE帰属所得を算定するうえでの2番目の課題は、PEへの資本配賦である。まず、その前提として、新設された法人税法142条の4が、AOAの考え方を反映して、PEに帰せられるべき資本に対応する負債の利子の損金不算入を規定している。

　そこで、このAOAに基づく利子損金算入の制限と過少資本税制に基づく利子控除制限との関係が整理されなければならない。これについては、両制度がいずれも資本負債比率に基づき支払利子が過大か否かを判定するものであり、目的及び手段において重複する制度であるので、PEの状況に対しては過少資本税制の適用が見送られ本件資本配賦措置に集約された。他方、過大支払利子税制は、所得水準に対し高率の利子控除での利益払出しを防止する租税回避否認規定であり、これとは共存するものとされている。AOAに則った前者の支払利子控除がさらに国内法の過大支払利子税制によって否認され

────────────

（注45）　OECDモデル条約7条コメンタリーパラ28

第2章　非居住者・外国法人の課税　　41

ることは条約の趣旨に合致しないとの反論も予想されるが、現行の過大支払
利子税制の内外無差別の構成やOECDモデル条約コメンタリーのスタンスか
ら見れば、改正内容は許容される範囲内と考えられる。

　次に、「PEに帰せられるべき資本」の算定方法については、諸外国で多く
採用されているOECDのPEレポートの定めるAOA原則に忠実な手法、すな
わち資本配賦アプローチと過小資本アプローチについて優先順位を付けずに
規定している。前者のアプローチにおいてはPEの保有するリスクウェイト
資産の割合をベースに外国法人の資本の配賦を行う方法であり、後者は同種
の事業を行う比較対象法人の資産・自己資本割合を参照して資本配賦を行う
方式であるが、いずれも継続使用を前提に認めることとされている(注46)。な
お、銀行等を営む外国法人については、規制上の自己資本のうち負債に該当
するものがある場合には、当該負債につき外国法人が支払った利子のうち、
前記いずれかの方法によりPE帰属資本の額に応じて配賦した金額は、損金
算入可能とされている。

　これらの内容は、PEレポートで詳細に検討された方針に沿ったものとなっ
ており、妥当と考えられるが、PEレポートも懸念している通り、二国間で算
定方法に相違がある場合の二重課税解消問題が重要性を持つ。その意味で
は、モデル条約7条3項がPE環境の下での二重課税についても9条と同様に権
限ある当局間で対応的調整をすることを予定していることからすると、
APAの対象として納税者の予測可能性を高める必要性が最も求められる領
域の一つとなると考えられる(注47)。

　　オ　PEの譲渡による所得等

　PE全体が外部に譲渡された場合のPE所在地国の課税権が、租税条約上、
AOAの下での事業所得（PE帰属所得）に該当するのか、あるいは、国内資産
譲渡所得に該当するのかは、OECDモデル条約は明示していない。すなわち、
13条（譲渡所得）のコメンタリーで、PEの事業用資産（不動産を除く）の譲
渡から生じる所得やPE全体の譲渡から生じる所得については7条の準則に対

────────────

(注46)　ただし、外国法人が過少資本の状態にあるとき（資本配賦アプローチのケース）
　　や比較対象法人の自己資本比率が著しく低い場合には、公平確保の観点からそのまま使
　　用することを認めない方針で、具体的内容は政令に委任されている（法法142の4②）。
(注47)　同様の理由で、内部取引の認識・性質・ALP算定のいずれに関しても、一般的に、
　　資本配賦と同様にAPAの対象となることは当然と考えられる。

応していると言っているのみである。改正法では、PEの外部に対する譲渡
による所得はPE帰属所得とすることを明示している。

さらに、PEが閉鎖されPEに該当しなくなる場合には、その該当しないこととなる直前のPEに帰せられる資産の時価評価益を、PE閉鎖日の属する事業年度のPE帰属所得として認識する旨を明示した。これらはいずれも、在日PEが存在しなくなった後に生じる所得を、あたかもPEが所在し続けるかのようにみなして、通常のPE帰属所得と同様の課税を行うこと（「みなしPE課税」）が租税条約上許容されないことから、そのような指摘を避けるため、いずれもPE存在の最後の時点でPE帰属所得として法律構成しようとする改正である。

前者のPE全体の外部譲渡については、仮に、譲渡後にはPEが存在しないこととなることを前提として、国内資産譲渡所得と位置付けて我が国課税権を構成すると、条約13条の適用対象となって課税できる範囲が限定的となり、AOAの理念に沿ったPE帰属所得全体の課税権行使が我が国でできなくなる恐れがある。そこで、PE帰属所得と法律で明示したものと考えられる。

なお、PE全体の譲渡と同様に、我が国でのPEを通じた事業活動を停止した場合の「在日PE帰属資産」に対する課税関係も、同様の扱いがAOAの観点から要請されると考えられる。改正法では、PEに該当しなくなる直前のPEに帰せられる資産の時価評価益を、PE帰属所得として清算課税する考え方が示されている。この整理は、連結納税に参加する連結法人の時価評価課税とも親和性があり、納税者の租税属性が変更される場合の譲渡益に関する一般課税ルールとも整合的であると考えられる。PE閉鎖時点(注48)に存在する各種の繰延収益や費用、その他繰延損益の精算による課税扱い（益金又は損金算入）も同等の理由によるものであり、発想的には「出国税（出国時に含み益資産につきみなし譲渡益課税を行うもの）」の系列に属する改正といえよう。

さらに、PEの設立の際に本店から在日PEに資産移転する場合には、PEでは時価で資産を取得したものとして取り扱い、PEに含み損益を持ち込まな

（注48）　PE閉鎖時の課税については英国は、PEがPE事業関連資産を閉鎖時に時価で譲渡
　　　するとともに、即時再取得したものとして課税する「みなし譲渡所得課税方式」を採用
　　　しているのに対し、フランスは我が国と同様の「評価益課税方式」を採用している。

いこととしている。国境を越える資本等取引についての従来の原則を踏襲したものである。

なお、これらの本邦における時価評価課税によって本店所在地国において発生する可能性のある二重課税については、本店所在地国での調整が求められている。

(4) 外国法人に係る外国税額控除制度の創設

外国税額控除を規定する法人税法69条は、制度発足以来一貫して、内国法人に限って外国税額控除を認めてきた。今回の帰属主義導入により、AOAに基づきPE帰属所得が国外で発生する場合にも内国法人並みの課税を行うこととする以上、二重課税調整についても内国法人並みの手当てが当該所得に関して求められることになる。そこで、法人税法144条の2において、PEを有する外国法人が納付する控除対象外国法人税額について、控除限度額の範囲内でPE帰属所得に対する法人税の額から控除するとの規定が導入された。

なお、外国法人のPEに係る外税控除限度額の算定の基礎となる国外所得の範囲を特定するために、法人税法138条のソースルールとは別に、在日PE帰属所得のうち国外所得とされるものの積極的な定義規定を置いている（法法144の2④）。

ア 控除対象外国税額の範囲

在日PEに対する外国税額控除の対象となる外国法人税については、PEによる直接納付以外のいろいろなケースが想定されるが、例えば以下のものはその対象となるとされている。

- ・ 外国法人の本店が第三国で課された外国法人税を在日PEに配賦する場合
- ・ 在日PEが本店所在地国で源泉税が課され、かつ当該本店所在地国が国外所得免除方式をとっている場合

以上の2例は、前者は在日PEのPE帰属所得につき調節負担する場合と同様の状況であれば二重課税排除は当然と考えられるものであり、また後者は、国外所得免除方式の場合の例外扱いである。

（注）外国法人の本店が本店所在地国において全世界所得に課された外国法人税のうち、在日PEに帰属する部分を配賦してきた場合には、我が国PE帰属所得課税との間で二重課税状態となるが、条約では本店所在地国が二重課税の救済義務があるとしており、我が国の外税控除の対象とはされない。

イ 控除限度額の特例

控除限度額の計算及び繰越制度は、内国法人の外国税額控除制度と同様とされる。ただし、在日PEが第三国で課された源泉税等について、実際に課された外国税額のうち、PE所在地国である我が国と第三国の間の租税条約に定める限度税率を超える税額がある場合は、当該超える部分は外国税額控除の範囲から除外し、その部分については、所得計算において損金算入を認めることとしている。

これは、モデル条約24条コメンタリー・パラ69─70によって許容された方式であり、内国法人が当該第三国から得た所得に対して供与される外税控除とイコールフッティングの状況を作り出す効果を有している。

ウ PEに対する外国子会社配当益金不算入制度の導入の可否について

現行の外国子会社配当益金不算入制度は、内国法人にのみ認められた制度である。しかしAOAの理念、すなわち子会社形態と支店形態による課税の中立性確保の観点からは、PEに対する外国子会社配当益金不算入制度の適用を理論的に否定する根拠は薄いと思われる。その意味では、国外所得免除方式の内国法人の国外PE帰属所得への拡大問題と同様、立法政策に委ねられた領域と考えられる。

今回のPE帰属所得の二重課税問題の改正事項の中には、この点につき新たな措置は導入されていない。この点について、立法者は、外国法人の活用実態や租税回避防止の観点から状況を見守るスタンスをとっているように思われる[注49]。

(5) 内国法人の外国税額控除の改正

外国法人課税を規定するソースルールは、法人税法上、国外所得の範囲を画するルールとしての役割も持っており、法人税法69条の下での内国法人の外国税額控除と強く結びついている。今回の我が国国内法によるAOAの採用によるソースルールの改正は、その裏返しとして、内国法人とその在外PEとの間に二重課税調整に当たってもAOAに基づく課税権配分が行われるこ

(注49) モデル条約コメンタリー（24条関係パラ49─50）は、賛否両論があることを紹介している。内国法人の国外PE所得にまで納税者の選択により国外免除を及ぼす税制改正を行った英国のように、各国税制も流動的であり、Wait-and-seeの態度はやむを得ないと思われる。ただし、仮に導入することとなる場合には、支店環境に対しても外国子会社合算税制を波及させる必要があることは間違いないと思われる。

とを当然の前提としている。そこで、法人税法69条に外国税額控除対象となる国外源泉所得を積極的に規定した（法法69④）。

(6) 租税回避否認規定の創設

外国法人のPE課税に関しては、同一法人内部で機能、資産、リスクの帰属を人為的に操作して、PE帰属所得やPE帰属所得に対する税額を調整することが容易である。この点は、先行して立法化されている同族会社と同様、潜在的な租税回避リスクの高いカテゴリーであるといえよう。そこで、念のため同族会社の行為計算否認規定と同様の一般的租税回避否認規定が導入された（法法147の2）。

理論的にはAOAに基づく帰属所得の計算過程（機能・事実分析）を正確に経れば、適正なPE帰属所得が算定され得るということになり、それを超えて否認規定が必要とされる領域があるのかという疑問も出され得るが、税制と執行の間のダイナミックな関係がBEPSプロジェクトを通じてグローバルな関心事になっている現在においては、支店形態を利用したビジネスの今後の展開や個々の租税回避事例を検証しないことには、必要性を判断できないともいえるので、このような環境下での立法政策としては妥当なものと考えられる。

第3章

外国法人課税制度と税源浸食利益移転（BEPS）プロジェクト

48

第1節　PE該当の人為的回避への対応という課題

　前章で概観したとおり、平成26年度税制改正によって外国法人に対する国内課税制度が、帰属主義の下に整理され、租税条約との乖離が解消された。この改正で、国境を越えた取引により発生する所得の認定基準につきOECD加盟国との間で整合性が確保されたことにより、納税者にとっての二重課税リスクは今後大きく軽減されると期待される。ただし、この改正は外国法人課税を構築する2大課税法理、すなわち、企業の利得については、①恒久的施設（以下「PE」と略す。）なければ源泉地での法人税の課税はなしという原則と、②PEが存在するときには、当該PEに帰属する所得のみが源泉地における法人税の課税対象となるという原則のうちの、後者の法理への対処に限られている。第1の法理の基礎となるPEの認定範囲については、依然として各国国内法の規定ぶりは統一されていないし、その結果租税条約の規定も区々であり[注50]、更には、PEの認定範囲に関する執行当局の解釈にも広狭があり、このことに起因する納税者の二重課税のリスクは、残念ながら十分には解消されていない[注51]。

　それに加えて、BEPSプロジェクトにおいては、①昨今のデジタルエコノミーの環境下では、伝統的な物理的PE概念に従うと消費者の所在地国に課税権が配分されにくく、そのような伝統的基準は関係国間での課税権配分の閾値として機能していないのではないかとの観点と、②多国籍企業による細分化された国際的事業再編の下では、源泉地の課税権の制約枠組として機能してきた「準備的補助的活動のみを行う施設のPE非認定」というルールは、BEPSを防止するうえで適切な法理とは言えないのではないかとの観点から、PEの認定範囲に関する抜本的な検討が行われた。BEPSプロジェクト行動7の勧告では、準備的補助的業務を利用したPE該当の人為的回避や、専ら

（注50）　Ekkehart Reimer, etc. "PE: A Domestic Taxation, Bilateral Tax Treaty, and OECD Perspective" OECD MC-7〜8 (2011 Kluwer Law International)

（注51）　モデル条約レベルでも、OECDと国連の間では、①建設PEの存続期間、②サービスPEの許容度、③代理人PEの範囲（在庫引渡代理人、注文取得代理人の扱い）について、明確な方針の相違がみられる。

親会社のために機能するコミッショネアの代理人PE認定などを提案しており、PEの認定範囲は、今後国内法改正及び条約改定の焦点となると考えられる[注52]。

そこで、以下においては、BEPS勧告を踏まえつつ、PE認定範囲に関わる現行法（国内法及び条約）の立場を過去の沿革を確認しつつ整理し、当面の課題を検討する。

第2節　外国法人課税におけるPEの役割

1　国内法の規定ぶり

(1)　現行法（平成26年度改正前の法人税法）

平成26年度改正以前は、PEの定義は、法人税法中、外国法人の法人税を規定する第3編の中の課税標準を定める法人税法141条において、課税対象所得の範囲を区分するメルクマールとして規定されてきた。同条に規定されている号を参照して、国内における支店・工場等は1号PE、国内における建設作業等は2号PE、契約締結、在庫保有・引渡し、注文取得の代理を行う代理人は3号PEと呼び、PE形態のそれぞれに応じて課税標準とする国内源泉所得の範囲を区分標記する規定ぶりとなっていた。

特に1号PEを有する外国法人については、全ての国内源泉所得（外国に所在する本店が自ら稼得した国内事業に起因する所得や国内からの債券利子・配当を含む。）をPEへの帰属の有無を問わず課税標準とするという、内国法人並みの法人税納税義務を課していたものである（いわゆる総合主義）。このように、管轄地との地理的関連の濃淡を根拠に所得形態別に客観的に規定されたソースルールに基づき、PE形態のいかんによって法人税の申告対象の範囲を画するという総合主義をベースとした課税方式は、所得課税理論の

（注52）　同改正案は2017年に署名が開始したBEPS行動15に基づく多国間協定の内容として含められている。ただし2016年春に公表された改訂米国モデル条約では、PEの規定ぶりは一切修正されていない。

精緻さが足りない点と国際基準からのかい離という点で帰属主義に劣後するものの、国内源泉所得の認定プロセスとPEの認定プロセスを独立して2段階で行う点で、納税者にとっての予測可能性が保障され、かつ課税庁にもPEへの帰属の有無の検証を省略させるという意味で、執行の容易性を保障する方式であったと評価できよう。加えて、多国籍企業のPEが果たす機能が細分化されかつ多様化した状況下でのタックスヘイブンを利用したBEPSへの耐久力という点では、総合主義のもつ租税回避防止機能に限定的ではあるがプラスの評価が行われてきたことも事実である（注53）。

(2) 帰属主義による改正法人税法

帰属主義への改正を断行した平成26年度改正（施行は平成28年4月1日開始の事業年度から）においては、前章で詳述したとおり国内源泉所得の範囲を列記するソースルール（法法138）を帰属主義を適用して簡素化し（「PE帰属所得」の新設等）、それに基づき外国法人の法人税課税標準を「PE帰属所得」と「PE非帰属の国内源泉所得」に区分し、後者からは本店が直接稼得する債券利子や配当を除くというソースルールの改正が行われた。その結果、PEの種類による課税標準の相違は無くなり、「PEを有する外国法人」は共通な帰属主義原則の適用によって申告対象所得が算定されることとなっている。ただし、帰属主義に基づく本改正は、2010年のOECDモデル条約改正（帰属のメカニズムの中核をなす7条の独立企業原則のみが対象）に沿った改正であり、モデルで変更が加えられなかったPE定義に変更は加えていない。OECDの新7条の背景にある帰属主義に基づく独立企業間所得配分の理念は、PEの果たす機能、引き受けたリスク等の事実分析に応じて帰納的に答えを導き出すという理念であり、この手法をPE認定においても厳密に適用するという選択肢（注54）がなかったわけではないと思われる。すなわち、伝統的な物理的PE観念を中心としたメルクマールへの一致・不一致によりPEの存否を判断し、その結果をベースにPEへの所得帰属を機能・リスク分析で判定するとい

（注53）　平成21年11月9日「国際課税に関する論点整理」税制調査会専門家委員会P.12
（注54）　機能・リスク等が源泉地への所得配分の根拠となることを前提に、閾値としての
　　　　PE認定も外形標準によるのではなく果たす機能やリスクの所得への具体的貢献度に応
　　　　じてケースバイケースで判断するという方法が観念的には考えられる。

う現行の2段階判定方法を改め、PEの存否判定及び所得の帰属認定のいずれの段階においても、機能・リスク分析に基づくOECDアプローチ（AOA）で同質の判断を行って総合認定するという、抜本的見直し策である。この方式の下では、例えば、単純購入を行っているだけの事業体もPE認定され、それに帰属する所得が同様に源泉地における課税所得として認定されうることになる。

　OECDでは、既に2002年のPEレポートにおいて、サービスと電子商取引への対応を検討する際に、そのような問題意識が意識されていたが、結局、5条と7条は別々に検討するという妥協案に到達した（注55）。著者の眼には、PE概念は、独立企業原則と並んでOECD加盟国が長い伝統と広範な適用実績を作り上げて確立した現行国際課税ルールの中心にあり、これの構造的改正は他の国際課税制度に対する影響も大きいため、できればケースバイケースの解釈ベースで対応したいと判断したものと映る（注56）。このポリシーは、2010年の7条改正の基礎となった2008年のPE帰属レポートでも踏襲され（注57）、5条と7条とを通じた事業所得課税ルールの連携解決策はペンディングのまま残されてきた。今回のBEPSでの項目1（デジタルエコノミーへの国境越所得課税）で問われているのは、OECDが宿題として先送りしてきたPE認定ツールの検証であり、国際社会はこの未済債務の解決にそろそろ本格的に取り込まざるを得ない状況に追い込まれているともいえよう。この問題点については、以下で敷衍して検討したい。

　PEの定義は、法人税法141条から同法2条（定義規定）に場所を移行されたものの（法法2十二の十八）、その内容・種類について変更は加えられていない。以下においては、我が国のPE定義の特徴とBEPS勧告との関連性について概

（注55）　OECD"Issues arising under Article 5 of the MTC" Introduction パラ4
（注56）　解釈ベースでの対応については、独立企業原則に関しての多様な利益法の開発や所得相応性基準の導入等、PEについての電子商取引対応やサービスPEへのアクセスなどが挙げられ、いずれも新しい取引状況への対応を、原則自体の変更ではなく、可能な限り解釈変更の枠内で処理しようとOECDは努力してきた。
（注57）　OECD「恒久的施設への利得帰属に関する報告書」（2008日本租税研究協会　訳）序文パラ9

説する。

ア　OECDモデル条約に準拠したPEの全体構造

前述したとおり、法人税法は帰属主義に伴う改正に際しても、PEの認定に関連する条項の内容については一切の改定をしていない。現行のOECDモデル5条のPE規定は、「PEなければ課税せず」の基本原則の下に、源泉地での利潤獲得活動が「準備的補助的活動」のレベルを超えた場合に初めて事業拠点につきPEを認定して源泉地に課税権を与えるという高めの閾値を設定している。このことは、国際投資を促進するためには源泉地国で発生する二重課税を最小限に抑える必要があり、外国法人の源泉地国内での活動レベルを準備的補助的業務にとどまるものと、それを超えるものに二分して、前者については居住地国に課税権を委ねようとする政策判断に基づいていると考えられる[注58]。この点で、途上国と先進国間の条約モデルである国連モデルが、例えば商品の引渡機能やサービスの一定期間に渡る提供にPEを認定したり、保険会社の保険引受についてもPE認定対象に追加している点は、源泉地国（＝途上国）への課税権配分に留意した政策判断と認められる。我が国国内法は、全体構造はOECD基準に即しているものの、部分的には国連モデル型を採用しており、言わばハイブリッド型の国内法制という特色を有している。

条文整理の形で変更された本法、同法施行令の構成は以下のとおりである。

・　法人税法2条（12号の5）

改正前法人税法141条が「1号PE」から「3号PE」として規定していた支店・工場等、建設工事、代理人の3種は、そのまま法人税法2条（12号の18）で、それぞれが同号のイ、ロ、ハとして規定された。今後は従来の呼び方は変えざるを得ないと考えられるが、いずれにしても、OECDモデル条約5条の内容と同じであり変更はない。

・　法人税法施行令4条の4

3種のPEの内容をブレークダウンした条項で、従来の法人税法施行令185

（注58）　Joseph Isenberg, "International Taxation (3d ed.)" (2010 Foundation Press) P.234

条と186条を組み合わせたものであるが、内容は以下のとおりで従来と変更はなく、また、後述する代理人PEの部分を除きOECDモデル5条ともほぼ整合的なものとなっている。

① 支店・工場等の具体的内容

出張所その他の事務所、倉庫業者の倉庫、鉱山等天然資源を採取する場所等

② PE認定から除外されるもの

資産を購入する業務を行うためにのみ使用する一定の場所

資産を保管するためにのみ使用する一定の場所

広告、宣伝、情報の提供、市場調査、基礎的研究、その他その事業の遂行にとって補助的な機能を有する事業場の活動を行うためにのみ使用する一定の場所

前記のPE定義構造については、現行の国際的コンセンサスにおおむね沿ったものであるが、OECDモデルで準備的予備的行為と位置付けされている棚卸資産の「引渡し」を国内法上は準備的行為から外しているという若干の修正が付されている。この修正は、在庫保有代理人を国内法上PEと認定していることの論理的帰結でもある。ただし、途上国の締結した租税条約の75％が「引渡し」を準備的活動から除外している点を考慮するとしても、帰属主義を適用すれば、引渡しPEの機能に帰属する利得は通常僅かなものであることを念頭に置く必要はあろう(注59)。

全体として国内法のPE規定は、OECDモデルを踏襲したものであるため、BEPSプロジェクトにおいて指摘されている、多国籍企業の二重非課税問題の防止上、現行のPE概念が耐久力不足であり、むしろ悪用されてもいるとの問題提起が、我が国法人税法のPE規定にも当てはまりそうである。この課題に関する詳細な検討は、第3節で行う。

　　イ　OECDモデル条約基準から乖離した拡張的代理人PE

・　広範な代理人PEの認定

代理人PEの範囲については、契約締結を行う常習代理人しか認めないとするOECD基準を拡張し、いわゆる在庫保有代理人と注文取得代理人も追加

(注59)　2011国連モデル条約5条コメンタリー、パラ20—21

的にPEと認定する旨、国内法は明記している（法令4の4③）（注60）。ただし、我が国の締結した条約の中には、対先進国条約を中心にOECDモデルを踏襲するものが多数を占めているので、それらの国との間では条約優先適用の原則により、国内法の拡張代理人PE規定は適用されないこととなる（注61）。このような拡張的な代理人PE概念は、多国籍企業の事業再編で我が国の事業体の担う機能を本格的な再販売業者から手数料物流業者に変更するBEPSのタックスプラニングに対して、一定の抑止効果を有すると考えられる。すなわち、この場合には、我が国企業が果たしていた再販売業者の法的地位を有する事業体（「プリンシパル」と呼ばれる。）を新たに低課税国に設置するスキームが考えられるが、当該低課税国がOECDモデル型の条約締結国でないタックスヘイブン国である場合などには、タックスヘイブンに所在する事業体に対する本邦事業体の代理行為の範囲を拡張できるので、その限りでは国内法が抑止力として働く余地が期待される。

・　関連会社間のPE認定

　OECD基準で代理人PE認定の要件とされている「独立代理人でないこと」（注62）については、平成20年度改正で国内法上もPE認定の要件とされることになった（法人税法施行令186条、平成26年度改正後は法人税法施行令4条の4第3項）ので、この点についての国内法とOECDモデルとの間の乖離は現在では解消している（注63）。

　独立代理人をPE認定から除外するのは、資本関係のない現地の商社のように法的にも経済的にも本人から独立している代理人が、自らの通常の事業の過程において行動する場合の源泉地利得の課税は、当該独立代理人が稼得

（注60）　ただし、国内法の規定する注文取得代理人（「契約を締結するための注文の取得、協議その他の行為のうち重要な部分をする者」法令186三）については、OECDモデル条約の「常習代理人」の範囲に含まれうる旨がコメンタリーで言及されている（5条コメンタリー・パラ32.1）。

（注61）　国連モデル条約では拡張代理人PEが規定されており（5条ｂ）、これに沿った条約を我が国が締結しているインド、タイ、フィリピン等との間の所得配分においては、拡張代理人PEが適用される。

（注62）　OECDモデル条約5条が、代理人PEの範囲から「独立の地位を有する代理人は除く」とし（5項）、その対象となる代理人については、「通常の方法でその業務を行う仲立人、問屋その他独立の地位を有する代理人」（6項）と規定している。

（注63）　我が国が締結した租税条約には、全て独立代理人条項が含まれている。

する代理手数料収入に対する源泉地国課税のみで十分とする考えによるものであり(注64)、従来の国内法はこの点でより広い網をかけて我が国課税権を確保しようとしたものであるが、この点に関してのグローバルスタンダードからの乖離は、対内投資の促進を阻害するとして改正された。法的・経済的独立性の事実認定は困難であるが、OECDモデル条約では、親子会社関係にあるからと言ってそのことだけではPEを構成することはない旨が、注記されている(5条7項)。要は、関連会社間の場合であっても、機能、リスク分析で独立性の有無を判定しなければならないのである。

関連者間のPE認定は独立企業原則の応用という緻密な事実認定を要請していることもあり、BEPSによる租税回避スキームの中には、OECDベースの法制下での源泉地国課税権認定のための閾値であるPE認定のこれら困難性(独立代理人認定による留保、準備的補助的業務枠による寛大な除外等)に乗じたものも見受けられることから、我が国の拡張的代理人PEも、それのみでは十分なBEPS対応策とはなっていないと評価されよう。

2 租税条約上の位置付け

PE条項は、我が国が締結した租税条約を通覧すると、相手国に応じた合意内容のバリエーションが最も大きい条項であるといえる。その理由は、①建設PEについて、国連モデルがOECDモデルの半分の期間である6月でPEを構成し得るとしてことから明らかなように、途上国の期間短縮要求が強いこと、②我が国と同様、在庫保有代理人や注文取得代理人をPEとする途上国が多く、国連モデルもそれを支持していること、③工事監督・コンサルタント等の附帯的な人的役務提供についても、途上国からのPE認定要望が強いこと(注65)、④先進国からはOECDモデル条約どおりの内容での合意を求められること等が挙げられる。

この結果、上述したようにハイブリッドな性格をもつ国内法のPE範囲規定は、個別条約におけるPE条項が、国内法のPE閾値を引き上げている場合

(注64) OECDモデル条約5条コメンタリー・パラ36
(注65) なお、工事監督等のPE認定とは別枠で、「技術的役務提供の対価」について支払国に課税権を認める条項も散見されるが(インド、パキスタン条約)、これは自由職業所得条項(14条)でサービスPEを認める多くの条約とともに、実質的にはPE認定と同様の機能を果たしていると考えられる。

第3章　外国法人課税制度と税源浸食利益移転 （BEPS）プロジェクト　　57

と引き下げている場合の両方について、プリザベーション原則の適用はなく、一律に当該条約の条項に従って修正適用されるべきものと考える(注66)。

　なお、我が国の条約では、建設PEに関連して列記されているコンサル業務や自由職業所得条項での一定期間の滞在要件充足以外には、独立した一般的サービスPE条項をもった条約は現在のところ見当たらない(注67)。

　以上の我が国の国内法と条約の相互作用状況を踏まえると、外国法人がPE課税の仕組みを利用してBEPSを図り二重非課税のメリットを享受しようとするリスクが高いのは、タックスヘイブン法人の活用による電子商取引を利用したPE回避の他には、OECDモデル型条約の下での準備的補助的業務を活用したPEはずしということになりそうである。特に、OECD諸国間の法人税率引下げ競争の中で、我が国の相対的な実効税率負担が高まっている状況下では、我が国マーケットを相手にしたビジネスを行う企業にとっては、それから得られる利得について我が国での高い法人税納付を可能な限り避けることがグローバルな租税計画上重要性を増している。その意味では、BEPSプロジェクトの中でのPE課税の改正勧告に関しては、我が国財政当局は特に強い危機感の下で積極的に税収確保の観点から議論に参画したと推測される。

　ここでBEPSプロジェクトでの対応案の検討の前に、焦点となる①今後の更なる解釈ベースでのBEPSへの対応の余地を検討するための、従来のPE概念の拡大解釈の経緯と、②従来の源泉地課税権を画するPE閾値となっている「準備的補助的活動」の位置付けを、それぞれOECD租税委員会での検討過程をフォローしつつ検証しておこう。

(1)　従来のPE概念の拡大解釈の経緯

　OECDモデル条約の5条コメンタリーは、全部で31条に及ぶ条項のコメンタリーのうちで、『移転価格ガイドライン』という別冊のコメンタリー相当物

(注66)　この点については、プリザベーション原則が働き、納税者の有利な方向にのみ置き換えられるとする説も主張されている。宮武敏夫「国際課税における恒久的施設」国際税務16巻11－12号。

(注67)　国連モデル条約は、5条3項ｂ）が一般的サービスPE条項を規定しており、OECDモデル条約では、同趣旨が5条コメンタリーで条約交渉における代替選択肢として紹介されている。

をもつ9条（移転価格税制）を別格とすれば、7条の帰属主義のコメンタリーに次ぐ膨大なボリュームを誇っている。1928年の国際連盟モデル条約案で既に登場していたPE概念は^(注68)、本来の文理的意義である物理的施設概念を^(注69)中核としながらも、その後の国際取引の発展状況に即して徐々に適用範囲を、コメンタリーの変更・追加という解釈手続によって拡大してきた。このことは、例えば5条1項から7項までの文言が、基本的には国際連盟時代のモデル条約の文言を踏襲して確立された1977年当時の条文から全く修正が行われていないことでも明らかである^(注70)。以下においては、PE概念の拡大経緯の中で注目すべき三つの段階を概説する。

　　ア　事業所得の配分におけるPE概念の重要性確立

　1928年モデル条約案は、PEの存在地に事業所得の課税権を与える旨を明記した最初のモデルであるが、その5条の文言のみからは、事業所得の居住地国以外への課税権配分がPEの所在する国だけに限るのかどうかについて、必ずしも決着がついていなかったと考えられる^(注71)。なぜなら、途上国加盟国の影響力が強い下で起草された1943年のメキシコモデルでは、事業所得を規定する4条の1項で、「事業所得は、当該事業又は活動が行われる国において課税することができる」とし、同2項が、PEの不存在は、事業所得の稼得者が単発的・偶発的取引により稼得した所得を、本店所在地国に課税権を集約す

（注68）　よく知られているように、PE概念はドイツなどの欧州大陸諸国で国家間の課税権分配のメルクマールとして19世紀から「PEなければ源泉地国は課税権を有しない」とするルールとともに発展してきたものである。これに対し、米英のアングロサクソン系国では、ソースルールをより重視したといわれている（米国における「米国での事業に従事」や英国における「英国の事業」の規準の参照）Jean Schaffner, "How fixed is a PE ?"（2013 Kluwer Law International）P.8

（注69）　「事業を行う場所」（place of business）であり、それは「一定」（fixed）であり、かつ「その場所を通じて事業を行っていること」が基本要件とされている（5条コメンタリーパラ2）。

（注70）　OECD " Model Tax Convention on Income and on Capital, full version "（2012OECD）M-17頁

（注71）　League of Nation "Bilateral Conventions for the prevention of Double Taxation in the Special Matter of Direct Taxes"（C.562.M.178,1928.Ⅱ）P.5。本資料によれば、1928年モデル条約5条は「7条（給与・報酬）に規定された以外の事業及び自由職業所得は、PEの所在地国に課税権が付与されねばならない。（以下省略）」と規定するのみであった。

る条件として規定していたからである[注72]。これに対して第2次大戦後に先進国が参加して見直されたロンドンモデルでは、同4条1項は、「事業所得は、納税義務者がPEを有する国において課税することができる」と明記し、PEの存在が源泉地国への課税権付与の絶対条件であるとして、1928モデル条約の事業所得条項の解釈を統一した[注73]。このロンドンモデルが、現在のOECDモデル5条の原型である。なお、メキシコモデルは、アングロサクソン系のソースルールに基づく課税権配分の考え方をベースにしており、PEの存在は源泉地国に課税権を付与する一例にすぎないとの位置付けをしていたのであって[注74]、途上国の主張を反映したものと評価されている。したがって、この両モデルの対比からは、租税回避への耐久力の観点からPEの吸引力を認めるかどうかに関しての現行のOECDモデルと国連モデルの対立が[注75]想起されるところである。その意味では、後述するBEPSプロジェクトにおけるPE概念の検証は、当時のメキシコ・ロンドンモデルを巡る議論の葛藤とも共通しているとみられるので、当時の議論の推移について改めて研究対象とする価値もあると考えられる。

　　イ　機能的PEの拡大

　物理的施設を中心に構成されたPE概念は、徐々に拡大していくことになる。その過程を検証する前にまず、機能的PEを含めたPE概念の講学上の区分を見ておこう。ここでは実定租税条約の条項から抽出したSchaffnerの分類を借用することとすると、PEの種類は概略以下のとおりとなる。

- 物理的PE（支店・工場・事務所・倉庫等）
- プロジェクトPE（一定期間にわたるエンジニアリング及び建設のプロジェクト）
- 代理人PE
- サービスPE（物理的施設に替えて役務提供者の一定期間の滞在）

(注72)　League of Nations, "London and Mexico Model Tax Conventions Commentary and Text" (C.88.M.88, 1946 II.A.) P.60
(注73)　前掲(注72) P.61
(注74)　Arvid Skaar, "Permanent Establishment, Erosion of a Tax Treaty Principle" (Kluwer1991) P.88
(注75)　国連モデルでは、PEが行う業務と同一の業務等を本店がPEを介さずに源泉地国で行った場合には、それから発生する所得をPE利得に加算して課税できるとするPE吸引力原則が認められている。

- 保険PE（保険料の受取やリスク引受の場所）
- オフショア活動PE（天然資源の掘削等）

　これらのうち、物理的PEを除くものは、いずれも外国法人の租税管轄地における所得稼得の「機能」が存在するという意味で、「機能的PE」と総称されることがある。そのうち、代理人PEについては、既に1928年モデルから言及されていたが、それ以外のものは、メキシコ・ロンドンモデルでの建設PEの登場をはじめとして、その後条文追加あるいはコメンタリーベースで、徐々にPEの範疇に取り込まれてきたものである(注76)。

　以下においては、BEPSでの検討に際して参照されることの多い拡張的PE概念として、物理的PEの拡大例としての電子商取引に係るサーバPEと、機能的PEの例としての役務提供に関するサービスPEを概観しよう。

　　ウ　サーバのPE認定

　1998年のOECDオタワ電子商取引会議をきっかけに、電子商取引への課税問題が検討され、モデル条約5条コメンタリーに電子商取引のパートが追加された（2003年、パラ42.1～42.10）。そのエッセンスは、①ウェブサイトはそれ自体はPEを構成しないが、②そのオペレーションを行うサーバコンピューターは「物理的場所を有する設備の一部であり」、事業を行う一定の場所を構成し得るというものである。そしてその際の認定基準としては、準備的補助的業務に当たるかどうかのチェックが必要であることを指摘するとともに、インターネットサービス提供者が代理人PEとなり得るかの論点など、既存の5条解釈の枠組での検証を行い、一定の場合にサーバがPEを構成し得るとの結論に到達している。

　当時の検討は、今回のBEPSでの検討とは異なり従来のPEの枠組みを超えたものとはなっていない。

　　エ　サービスPE

　国連モデル条約は、自由職業所得（弁護士、会計士、税理士等専門家の役務提供による所得）を14条で別途規定しているほか、企業による人的役務提供に関しても、5条にいわゆるサービスPE条項を置き、役務提供への課税権は物理的PEの存在がなくても、源泉地でのサービス提供期間が一定以上（183

（注76）　たとえば保険PEについては、国連モデルでは条文中に（5条6項）、OECDモデルでは6条の代理人PRに係るコメンタリー中に（5条コメ・パラ39）言及されている。

日ルール）であれば、それをPEとみなして所得課税が可能としている。一方、OECDモデルでは、棚卸資産取引と役務取引の間の代替可能性や両者間の課税の公平の観点から、事業所得条項と自由職業所得条項の別建をやめ、いずれの取引についても前者の扱い、すなわち5条と7条で対応することで統合している（2000年）。ただし、OECDモデルも、近年の条約ニーズにも配意し、2008年に至り、コメンタリーベースで一定の制限の下にサービスPE条項を代替案として設けることを可能とした。

国連モデルとOECDコメンタリーの間の、サービスPE関連の内容の相違点を取りまとめると、下表のとおりである。

項目	国連モデル	OECDモデル
自由所得条項	14条：以下のいずれかの状況の下で、源泉地国に課税権付与 ①固定的施設に帰せられる役務提供 ②183日を超える滞在	なし ただし、廃止前の旧14条は、国連モデル14条（左記）の①のみを規定
サービスPE	5条3項b） 企業が使用人その他の職員を通じて行う役務の提供であって、12か月の間に183日を超える期間一方の締約国内で行われるもの	5条コメンタリーパラ42.23（任意の合意条項の例として紹介） 183日を超えて滞在する個人によって行われ、かつ、当該企業の能動的活動から得られる収益の50％超が当該役務提供から生じている場合

サービスPEの承認により源泉地国の課税権を拡大する方向性は、他の機能的PEの拡大と同様、BEPS対応策で論じられるPE改革策と趣旨や方法論で

共通するところが認められる(注77)。

第3節　BEPSプロジェクトにおける恒久的施設関連提案

1　BEPSでの検討概要

　2015年10月に公表された最終報告書の中身のうちPE関係の処方箋は、その1年前に公表された中間報告文書で既に明らかにされていた(注78)。その中身は、2014年初頭から順次パブリックコメントに付されてきた討議文書草案をベースとするものであり、PE条項との関連では、項目7の他にも項目1（電子商取引課税）がデジタルエコノミー課税関係で詳細な分析を行った様子が確認されている。すなわち、経済全体のIT化、ソフト化への伝統的な国際課税制度の耐久力を問う過程において、物理的PEや従来の機能的PEの枠組みから逸脱する新しいPE概念の開発の可能性に言及しているので、それを紹介するとともに私見に基づく評価を試みてみる。

2　中間報告書が指摘する電子経済が投げかける課税リスク

　電子経済（デジタルエコノミー）の発展により、インターネット広告やクラウドコンピューティング・サービスなどの新たに生まれてきたビジネスモデルや電子経済特有の性格が、既存の国際課税ルールの適用に際し様々な問題を提起し、その結果BEPSのリスクを高めているとの認識が、行動Ⅰ報告書の基本認識となっている。BEPSリスクは特に所得課税と消費課税の両分

（注77）　国連・税の専門家委員会では、BEPSプロジェクトに先立ち、人的役務課税に対するPE要件を含めた源泉地国での課税の閾値を、見直すプロジェクトを開始し、その一環として、技術的役務条項の新設を提案している。青山慶二ほか「国際課税を巡る最近の課題と展望」租税研究2014年1月号P.11。

（注78）　2014年段階で処方箋の方向性がまとめられた項目には、PE回避防止策のほかに、、電子商取引（項目1）、ハイブリッドミスマッチの効果の無効化（項目2）、有害税制への対抗（項目5）、条約の濫用防止（項目6）、移転価格（無形資産）（項目8）、移転価格関連の文書化の再検討（項目13）、多国間協定の開発（項目15）の7項目である。

野で顕在化しているため、プロジェクトでは、双方の問題を検証することとされた。

報告書では、まず、課税制度に新たな課題を提供する電子経済の特徴を、次の6点と整理している。

- ・使用する無形資産などにみられるようにモビリティの高さ
- ・データへの依存
- ・ネットワーク効果の活用
- ・分散型のビジネスモデル
- ・市場の独占又は寡占の蓋然性
- ・参入障壁の低さと技術革新の速さ

その上で、これら電子経済の特徴が、各課税管轄における課税権行使に対し、次の四つの課題を問いかけていると報告書はまとめた。

① 課税の根拠となる源泉地との結びつき（ネクサス）について、所得課税の伝統的理論は物理的拠点であるPE概念をベースとしているが、電子経済は物理的拠点を必要としないため新たなPE概念の定義が必要か

② 企業が電子サービス等によって収集した顧客・利用者等の大量のデータから生ずる価値を、課税上どのように認識・評価し、顧客・利用者の所在する課税管轄ごとに割り振るか

③ クラウドサービスをはじめとした新たなビジネスモデルの電子サービス等への支払を課税上どの所得に分類するか

④ 事業者と個人消費者間の取引における付加価値税の徴収をどうするか

3 報告書の提示する五つの処方箋オプション

報告書では、処方箋の提示に当たって、OECDがモデル条約改定の際一貫して採ってきた取引間の取扱の中立性・公平性確保の原則を踏襲している[注79]。すなわち、電子経済だけを切り出して課税ルールを適用することは適当でなく、また現実的でもないことを前提として、次の四つの包括的な課税方法のオプションを提示した(それぞれのオプションの妥当性については、

(注79) この原則は、サーバに関する5条コメンタリー改定の出発点とされた1998年の「オタワOECD電子商取引会合」でも遵守すべき前提条件として合意されていた。

更に検討の必要性があるとして今後の宿題としている）。

① 従来のPE概念の見直し

　　この具体策としてさらに、ア．従来PEを構成しないとされてきた準備的・補助的活動条項（5条4項）を廃止すべきかどうか、イ．顧客との取引がウェブで完結するようなケースにおいて源泉地国での経済活動がビジネスの中核となっている場合等には、重要な電子的実在（significant digital presence）という新たなネクサスを認識してPE概念を拡張できないか、ウ．第三者のサーバを利用したウェブサイトでの事業に、サーバ所在国に仮想PEを有していると見る可能性など、が指摘されている。

② 収集したデータから生じる価値に着目した課税の導入

　　ここでは、例えば付加価値の測定に際し、電子データのバイト数に応じた評価などが提案されている。

③ 電子商取引の決済を行う金融機関等への源泉徴収制度の導入

　　国境を越える電子商取引に関して、クレジットカード会社等の金融機関に源泉徴収義務を課す制度が提案されている。

④ 海外からの個人向デジタル商品提供に対する消費税徴収制度の整備

　　我が国が既に税制改正を行った海外事業者を顧客所在地国で登録させる制度などが提案されている。

　　ただし、2015年10月の最終報告書では、当面電子経済のもたらすBEPSリスクへの対応は、他の14項目の処方箋の実施によりほぼ解決できるとして、上記の提言内容の精査は打ち切られ、今後の課題として据え置かれた。

4　私見による検証

　　前記報告書による処方箋リストは、電子商取引の課税問題全体に係わる包括的な提言であり、その妥当性は各項目を有機的に比較検討して初めて、BEPSに対する有効性や課税制度としての理論的妥当性を判断できるものと考えられる。ここでは本章第2項で確認したPE課税法理の近代的検証を踏まえて、上記処方箋の①の予備的検討を行う。

(1)　準備的・予備的業務をPEから除外する現行法制

　　源泉地国における施設の機能が準備的・予備的活動にとどまる場合は、PEを構成しないというOECDモデルの背景となる理念の一つは、国境を越えた事業が利得を獲得するまでには一定のビジネス展開段階があり、その準備段

階では通常実質的な利得は発生しないこと、早い段階で源泉地国に課税権を付与するのでは、租税条約が促進しようとする直接投資を阻害する恐れがあるとするものである[注80]。OECDモデル条約5条4項はこれらのカテゴリーに属する活動を網羅し、PE該当性を否認しているが、前述したとおり、国連モデルや我が国国内法が、顧客への引渡しのための保管施設をPEと認定することにみられるように、何を準備的補助的業務とみるかは政策判断に幅が存在し得ると考えられる。

　また、準備的補助的業務をPEから外す考え方には、完結した機能を持つ外国法人、例えば製造業者、販売業者がまず自ら準備的・予備的機能（現地の購入市場調査や顧客市場調査）を源泉地で行いその次に本格的な製造・販売業務を開始するというシナリオが予定されていたと思われる。しかし、電子経済の特徴でも述べたとおり、そこで用いられる無形資産のモーバイル性や商談完結に向けた迅速なビジネスサイクル、さらには分散ネットワークを活用した多機能結合型事業という性格を考慮すると、準備的補助的活動と本格営業活動の間の時差（ウェブでの広告から契約に至る過程など）は短いかほとんど無視し得ることも多いこと、また、それらが有機的な管理監督の下に機能細分化していることも通常と考えられる。したがって、文言の修正の必要性も含めて、準備的補助的活動の中身の見直しを行い、現行条約を利用してBEPSを図る余地を縮小する必要が大きいことは、否定できないであろう。

(2)　重要な電子的実在（significant digital presence）という新たなネクサスの認識など物理的実在性の解釈拡張

　本章第2項でみてきたとおり、現在のOECDモデルは機能的PE概念を、5条の解釈の範囲で一定程度拡張してきた。しかし、アングロサクソン流の国内法のソースルール重視の考え方、及び、我が国の法人税法ソースルールの沿革にみられるとおり、「国内における事業から得られる利得」を源泉地国への課税権配分の根拠にすべきという国内法の確固としたベースがあり、その上で、①今回のBEPSによる多国籍企業の二重非課税がPE概念の狭さを活用したプラニングに基づいているといわれていること、また、②広い意味で機能的PE概念の範疇に入るサービスPEを支持する主張（国連モデルの条文、

(注80)　前掲（注58）P.236

OECDモデルのコメンタリー）等が徐々に強まっていることから見て、PE概念の更なる弾力化に向けた処方箋が必要とされているとも考えられる。

その過程では、施設の物理的存在や地理的実在性を重視するという、従来のOECDコメンタリーのガイダンスは、更に修正されるのもやむを得ないのではなかろうか[注81]。修正すべき部分は、例えば、5条コメンタリーが重視してきた「事業を行う場所についての商業的・地理的まとまりの要件」などに現れる地理的要件の存在意義である。

(3) PE概念改定に当たって留意すべきこと

中間報告書も強調していることであるが、企業活動の成果である利得への課税ルールは、経済取引間に代替性がある場合には代替可能な両取引間で課税方式に差別があってはならない（中立性の要請）。したがって、処方箋の評価に当たっては、常に特定の取引にバイアスをかけた課税要件になっていないか注意を払うべきであろう。最後に、PE概念は既に100年を超える試練に耐えてきた、すなわち、歴史的に弾力性を証明してきた概念でもある。多くの国際課税ルールがPE概念との関連で説明され役割を持たされてきたことから考えると、理論的な限界は別として、当面は可能な限り「PE解釈の範囲」で解決策を見出すソフトランディング方式を採ることが上策と思われる。

(注81) このような主張をするものとして、Schaffner 前掲(注68)P.1

第4章

二重課税の排除（外国税額控除及び海外子会社配当益金不算入）

68

第1節　二重課税排除の意義

　国際租税法の研究者にとって欠かせない参照文献の1つに、"Klaus Vogel on Double Taxation Conventions"があげられる。IFA（国際租税学会）の重鎮として20世紀から21世紀にかけて活躍されたVogel博士[注82]は、我が国の研究者にも多くの影響を与えており、また、その上記の著書は、租税条約の理論面と実施面の双方を包括的・体系的にカバーした解釈ガイダンスであり、租税条約研究のバイブルの1つといっても過言ではないほど、多くの研究者の論文で引用されている。

　その著書の題名が「租税条約」ではなく「二重課税条約」とされている点に注目せねばならない。このことは、2大モデル租税条約のタイトルに「二重課税」の文字が含まれていること等に見られるとおり[注83]、国際間で発生する二重課税の排除が国際課税ルールの主目的であることを表している。

　ここで、二重課税という場合は、1人の納税者に対して、同一の期間、同一の課税物件に対し2つ以上の国で重複して課税が行われること、すなわち「法的二重課税」[注84]を指している。国境を越える財や役務の取引、技術及び資本の移動に対して法的二重課税が阻害要因になってはならないとの認識は、条約・国内法を通じた基本原則としてグローバルなコンセンサスとなっている。なお、条約で二重課税排除目的に言及するときには、①発生した二重課税の排除方法についての合意の文脈と、②二重課税の発生を極小化するため

（注82）　Klaus Vogel博士（1930-2007）は、ドイツの国際租税法の研究者であり、ハンブルク、ハイデルベルク大学を経て1977年よりミュンヘン大学教授（国際財政法研究センター長を兼任）。IFAでは長年にわたり常設研究企画委員会で貢献。
　　　　なお、博士の"Klaus Vogel on Double Taxation Convention",（Kluwer Law International社刊）は1997年の第3版が最新であったが、没後教え子の Ekkehart Reimer, Alexander Rustの両氏による改訂が行われ、2015年1月に第4版が刊行されている。
（注83）　2016年現在、国連モデルにはDouble Taxationの文字が含められているが、OECDモデルの最近版では表現簡略化のため省略された。ただし、趣旨は変わらないことについては、OECDモデル序論パラ16を参照。
（注84）　これに対して、例えば移転価格税制の発動により発生する二重課税などは、異なる法人間（親子・兄弟等の法人間）で同一の所得に二重の負担が発生するものであり、「経済的二重課税」と呼ばれ、対応的調整（一方法人で増額更正した同額を他方法人で減額更正する調整）という仕組によって二重課税の排除が可能となるものである。

の居住地国・源泉地国間でのあらかじめの課税権配分に関する合意の文脈の双方を含んでいるのであるが、国内法において二重課税の排除を論じるときは、専ら上記①の趣旨の制度を参照している。なお、条約上の課税権配分に当たっては、一部の例外となる所得類型を除き、経済活動が行われる場所（源泉地）に優先的課税権を配賦し、投資家所在地国（居住地国）には二重課税排除後の残余課税権を付与するというのが、承認された国際課税のルールであり、その結果、二重課税排除の国内法規定は、専ら居住地国の義務として整理されてきている[注85]。

　本章では、①の趣旨に沿った国内法制に限って理念と仕組とを整理し、併せて、最近の課題等を検討する。

第2節　法的二重課税排除の方法

1　法的二重課税排除の二方式

　法的二重課税は、納税者の居住地国において適用する外国税額控除方式と国外所得免除方式のいずれかの方法により、適切な排除が可能となる。

　そのうち前者の外国税額控除方式は、所得・法人課税における源泉徴収額の所得税額控除と同様、国外で課税された税額をグロスアップした国外所得を居住者の全世界所得に加算して税率表を適用し、その算出税額から国外課税税額を控除して、最終納税額を算出する方法である。

　他方、国外所得免除方式は、国外で稼得した所得については、外国での所得課税で納税手続を終わらせ、居住者の手元では、当該国外所得の国内還流の有無を問わず、課税所得の範囲から除外することによって、二重課税を排除する仕組みである[注86]。

（注85）　ただし、我が国は平成26年改正の帰属主義導入に伴い、外国法人に対しても、恒久的施設（PE）に帰属する国外所得に課された外国税額を外税控除の対象と認めている。OECDでは、通常PE所在地の立場となる国に対しても一定の二重課税排除義務を課している。

（注86）　2つの制度の以下の概説は、H.Ault & B.Alnold, "Comparative Income Taxation",（Kluwer Law International, 2010）,P.446を参照している。

2 外国税額控除方式の趣旨

外国税額控除方式は、一般的に「資本輸出中立性」の要請に適った制度であると説明されている。すなわち、資本が国内・国外のいずれで利用されても、投資家の手元にリターンが回帰する際にはいずれも国内法が定める同一の税負担を求めているからである。資本の効率的活用に配意し経済行動に対し各国税制がバイアスを与えないとの理念が、その制度の正当化理由とされている。

外国税額控除方式を採る国では、我が国を含めて、自国の実効税率の範囲で国外支払の税額を控除するという仕組みを通常採用している。なお、近年の我が国や英国の外国子会社配当益金不算入制度の導入の結果、現在では、直接投資とポートフォリオ投資の両者に対して、外国税額控除方式のみで二重課税排除を行う国は極めて少数となっている。

3 国外所得免除方式の趣旨

一方、国外所得免除方式は、経済活動を行う者の居住地国で課税権を控えて、経済活動を行う源泉地国での課税が全てとなることから、「資本輸入中立性」の要請に適った制度であると説明されている。すなわち、この制度の下では、源泉地国での経済活動は、そこに投入される資金の出し手の国いかんにかかわらず、同一の実効税率負担となるからである。

国外所得免除方式については、免除する所得の範囲の広狭に応じて、理念的には次の3通りのパターンに区分される[注87]。

① 国内法のソースルールで、国内源泉所得とされるもの以外は、全て免除対象の国外所得とするもの

② 居住者が国外から収受するポートフォリオ投資所得は免除対象とせず、国外での恒久的施設を通じた事業所得及び直接投資所得（子会社が稼得する所得）のみを免除対象とするもの

③ 上記②と同様の区分であるが、そのうち恒久的施設を通じた国外所得は免除対象から外すもの

（注87） OECDモデル条約では、このほか免除の仕方の観点から、①完全免除方式と②累進付免除方式（国外所得は居住地国所得に対する累進税率を適用する際にはあるものとして考慮）の区分も掲げている。

資本輸入中立性を徹底する①は理念上は考えられるものの、国内税収確保の観点からは寛大過ぎる制度であり、実際採用する国は、領域内課税主義（Territoriality Principle）をとる香港、シンガポールなど一部の国、地域に限られている。

国外所得免除方式をとる国は、通常②又は③の方式を採用しており、この場合には、いずれにしても、ポートフォリオ投資及び直接投資にかかる事業所得等の一部が外国税額控除制度の対象ともなっているので、厳密には2つの方式が併存するいわゆるハイブリッド型の制度と呼ぶべきであろう。

第3節　外国税額控除制度

1　法的二重課税排除を保証する実定法

法的二重課税の排除制度は、条約の合意により新たに発生する双務的な義務としてではなく、国内法による片務的（ユニラテラル）な義務として規定されている。

我が国では、法人税法69条が、外国税額控除制度を二重課税排除の本則として規定し、別途、同条の規定を前提として法人税額から控除する外国税額の損金不算入を定める法人税法41条によって、納税者が外国税額控除の適用を選択しなかった場合には、外国税額の損金算入が可能である旨が明らかにされている。ただし、内国法人が外国税額控除方式を選択するか、損金算入方式を選択かは自由であるが、控除対象法人税額の一部についてのみ、外国税額控除を選択し、残りを損金算入することは認められていない。この点は、所得税額控除を規定する法人税法40条と好対照をなしている。

税額を損金算入した場合の負担軽減効果は、外国税額控除がフルに認められる場合に比べて低く（税率を乗じた分だけしか税額控除が行われないことに等しく）、納税者があえて損金算入方式を採用することはまれであると考えられる。

なお、我が国は、第2節3の③方式を外国子会社配当益金不算入制度として導入しているため（法法23の2）、国外所得の二重課税排除法はハイブリッド型

に分類される[注88]。

2　外国税額控除の基本構造

外国税額控除の基本構造を示す法人税法69条1項は、複雑で多くの政令委任事項を含んだ条文であるので、その基本構造を理解するために、まず同条の括弧書き等を省略して編集しなおすと分かりやすく、結果は次のとおりとなる（下線部分はキーワード）。

「内国法人が、外国法人税を納付することとなる場合には、当該事業年度の所得の金額につき法人税の税率を適用して計算した金額のうち、当該事業年度の所得でその源泉が国外にあるものに対応する金額（控除限度額）を限度として、その外国法人税の額（控除対象外国法人税の額）を当該事業年度の所得に対する法人税の額から控除する。」

以下においては、下線を引いた4つのキーワードの規定ぶりをまとめてみよう。

(1)　内国法人

平成26年度改正前の法人税法69条によると、控除権は内国法人にのみあると規定していた。これは、内国法人は全世界所得に対し我が国で課税を受けることから、国外所得について納付した外国法人税額を控除する資格を有することを明らかにしたものである。これに対して、外国法人は改正前は国内源泉所得に対してしか課税されず、当該国内源泉所得に対する課税は我が国が源泉地国として実施するものであるため、仮に、当該所得が第三国で課税対象とされても、その二重（厳密には三重）課税の排除義務は外国法人の居住地国にある、という理解が前提となっていた。

この法人税法における基本原則は、平成26年度改正により導入された帰属主義の下で、PEを有する外国法人にも外国税額控除を認める改正が行われて（法法142の2）、その内容は大きな修正を受けた。

（注88）　現在では、主なOECD加盟国はほとんどがハイブリッド方式によっていると分析されている。例えば、純粋な外国税額控除方式に近いと目される米国についても、内国歳入法911条(a)では、個人納税者による一定の外国稼得所得を免除する旨を定めている。ただし、法人については、DISCやFSC税制など一定の輸出企業所得の非課税措置の例があるのみである。H.Ault前掲（注86）P.448

(2) 外国法人税を納付すること

この外国法人税については、1項の括弧書きで「外国の法令により課される法人税に相当する税で政令で定めるもの」と規定し、これを受けた法人税法施行令141条1項は「外国の法令に基づき外国又はその地方公共団体により法人の所得を課税標準として課される税」と規定している。したがって、企業課税の類型には数えられるものの、営業税や売上税は対象外となる一方、住民税のような法人所得を課税標準とする地方税は対象とされる。なお、所得を課税標準とするものには、徴税上の便宜のため、所得に代えて収入金額に対し課されるもの（源泉徴収方式）も含むとされている。

ところで、前章で取り上げたOECDのBEPSプロジェクトは、行動5で「有害税制への対応のための透明性確保」の必要性を訴えている。そこでは、パテントボックス税制など無形資産からの所得についての優遇措置などを含めて、是正対象かどうかが議論されている。一方、無税・低課税国が、資本誘致目的で不透明な法人税の優遇措置を定めていた場合、それを外国税額控除の適用上どのようにとらえてBEPSを防止するかは、各国の国内法に委ねられた領域である。法人税法施行令141条3項は、以下に列記のものは外国法人税には含まれないと規定して、我が国は立法的解決を図っている。

① 納付税額の事後の任意還付請求可能な法人税
② 税の納付猶予期間を納税者が任意に決定できる法人税
③ 複数税率の中から納税者と税務当局の合意により任意の税率を選択できる法人税（選択可能なもっとも低い税率を上回る部分に限る）

（参考）　上記③は、最高裁平成21年12月3日判決（判タ1317・92）（損保ジャパン事件：英国王室直轄領ガーンジーでのデザイナーズ・レート制度の下で、無税から30％までの選択権が認められている中から、納税者が26％を選択した事例）での当局敗訴を受けて平成23年度改正で追加されたものである。

(3) 控除限度額の計算

控除限度額の計算方式は、法人税法施行令142条が具体的に規定しているが、これを要約すると、執行の便宜に配意した（全世界）一括限度管理方式をとりながら、非課税所得の取扱いや国外所得の上限値採用等厳格な修正を行って、一括限度管理方式下では回避することが困難ないわゆる彼我流用による租税計画に可能な限り対処し、外国税額控除適用による我が国税収への

不当な食い込みを最低限に抑える工夫をした方式とまとめることができよう(注89)。

　ただし、法人税率の引き下げ競争の中で、我が国の法人税の実効税率の高さが全世界で際立つ状況の下では、高税率国の負担と低税率国の負担を通算するメリットのある(控除枠計算において彼我流用のできる余地のある)租税計画のチャンスは本邦法人にとって少なくなっていると思われる。さらに、平成21年度改正で子会社配当益金不算入制度が導入されたことも、彼我流用の可能性を低めているといえよう。なぜなら、本社に還流する子会社利益にかかる源泉地での税負担(法人税プラス配当にかかる源泉税)は、企業にとっての代表的な高率課税部分であったからである。それらを踏まえると、我が国では外国税額控除制度に関し、限度超過税額が未控除のまま残らないように按配する必要性は減じているものと推測される。ただし、低税率国での投資活動に主として従事する本邦法人にとっては、未使用の控除余裕枠が残ることが想定されるので、当該枠の活用のインセンティブが働くことになる。

　なお、現在の仕組みに至る過程では、控除限度額の計算方法は、第二次世界大戦以降、我が国経済の国際化の進展をサポートしてきた国策の影響の下で、大きな変化を遂げてきた。

　その概要を以下に図示する。

　(参考)　控除限度額に関する税制改正の変遷

年度	限度額管理の制度内容	備考(その他の制度改正)
1953	国別限度管理方式によるスタート	直接外国税額控除のみ規定
1963	国別限度管理方式に加えて、一括限度管理方式の選択を可能に	間接外国税額控除の追加

(注89)　控除限度額管理方式については、大きく分けると全世界一括管理方式と国別管理方式の区分があり、前者については、一定の所得類型ごとに限度額を管理するバスケット方式と一括プール方式に分かれる。J.Isenberg, "International Taxation", (Foundation Press,2000) ,P.130

～1970年代後半	（海外投融資を拡大する観点から限度額管理の緩和方向での改正） ・ 控除限度額計算上、国外所得の算定に当たって欠損国を除外し、黒字国のみで計算する一括限度管理	控除限度額の余裕額の繰越使用と限度超過外国法人税額の繰越控除制度の整備 条約によるみなし外国税額控除の承認
1980～1990代前半	（限度額の彼我流用への対応） ・ 欠損国・黒字国を通算する一括限度管理方式に統一 ・ 高率外国法人税額の除外と非課税所得の一定割合（当初2分の1、その後3分の2に改正）の除外。国外所得上限値（90％）の導入	国外所得の決定基準（ソースルール）につき、PE帰属原則や本店費用の配賦原則を確立
1990代後半～		間接税額控除の孫会社への拡大 外国税額控除枠の売買等への対処
2009～	（限度額の彼我流用への対応） ・ 非課税所得は全額、国外所得から除外（2011年改正。それまでの3分の2除外を拡大）	間接外国税額控除の廃止（外国子会社配当益金不算入制度の導入）

　上記の変遷を経てきた現行の限度額計算の仕組みは、法人税法施行令142条において、手順を追って以下のとおり規定されている。

第4章　二重課税の排除（外国税額控除及び海外子会社配当益金不算入）　77

ア　控除限度額の算定の基本方式

$$当期の法人税額 \times \frac{当期の国外所得金額}{当期の所得金額} = 控除限度額$$

（注）　この式は、書き直すと

$$当期の国外所得金額 \times \frac{当期の法人税額}{当期の所得金額}\left(国内実効税率\right)$$

= 控除限度額

となり、自国の実効税率を超える税率での国外所得金額の税負担を外国税額控除の対象としない方針を明らかにしている。

イ　各計算要素についての留意事項

① 当期の法人税額（法令142①）

軽減税率は無視し基本税率ベースで算定した税額のみである。したがって、同族会社の留保所得に対する特別税率や、使途秘匿金支出にかかる特別税率、土地譲渡の特別税率の適用は考慮されない。さらに付帯税も考慮されない。

② 当期の所得金額（法令142②）

法人の全世界所得金額（外国法人税額をグロスアップしたもの）を指し、かつ繰越欠損金控除前のものである。

③ 当期の国外所得金額（法令142③）

国外所得金額は、法人税法138条に規定する国内源泉所得以外の所得に対し、法人税を課するものとした場合に課税標準となるべき当期の所得の金額（外国法人税が課されない国外所得は除く。）とされている。

なお、国外所得の算定に当たっては、販売費、一般管理費、共通利子など、国内源泉所得と国外源泉所得に共通の費用は、一定の合理的基準によって両者に配分されることとされている（法令142⑥）。

当期の法人税額と当期の所得金額についてはその性格上、政策判断での定義のバリエーションが限られるのに対し、当期の国外所得金額をどうとらえるかについては、多様なで政策的選択肢があり、前述の税制改正の変遷に表れているように、我が国でも時の対外経済政策を反映した種々の改正が行われてきた。

（ア）　非課税所得の範囲

国外の非課税所得を完全に除外した2009年改正はその最近の一例であり、

対外進出企業の現地優遇税制の活用に対し寛大なインセンティブを提供してきた従来の一括限度額方式に対し、彼我流用防止の観点から引き締める効果を発揮した。なお、源泉地の国内法上は課税だが条約上免税とされる所得は、原則として非課税所得に該当する。ただし、租税条約により相手国で軽減・免除された租税の額で、条約の規定により内国法人が納付したものとみなされるもの（「みなし外国税額控除」対象所得）については、非課税所得に該当しないこととされている。

　　（イ）　国外所得の頭打ち制限

　算出された国外所得が、当期の所得金額の90％を超える場合には、限度額算定で考慮される国外所得は当該90％に相当する金額に限定すると規定されている。これは、仮に所得計算の結果国外所得が100％とされる場合であっても、我が国にある本店は、事業の管理・運営のため相当の人的・物的資源を投入して利得の実現に貢献しているはずであり、単にソースルールのみにより控除限度額を認めること（その結果、我が国での実質納税額をゼロとすること）は、課税の公平上問題であるとの理由に基づくものである。この措置は、外国法人課税の所得配賦ルールである独立企業原則と考え方において抵触するのではないかとの指摘も考えられ得るが、あくまでも控除枠の算定ルールにおける取扱いであり、立法政策の範囲内であると考えられる。

　　（ウ）　条約等により源泉地国に課税権が与えられた場合の国外所得扱い

　国内法上国内源泉所得とされているものが、租税条約によって、源泉地国にも課税権が付与されている場合には、法人税法69条の趣旨からいえばそれは通常国外所得と認定されず、そのままでは外国税額控除は不可能となってしまう。このような場合には、個々の条約の所得源泉地置換え規定によって二重課税の救済対応することとされてきたが(注90)、平成23年度改正では、当該所得を国外所得とする取扱いを国内法で規定する改正を行った（旧法令142④三）。しかし、帰属主義に基づく平成26年度改正では、外国支店等に帰属する所得を積極的に国外源泉所得と規定しなおしたことから（法法69④）、この問題は立法的に解消されている。

（注90）　例として、日米条約23条1項の規定。これらの規定を受けて国内法上は法人税法139条により源泉地の読替えが行われてきた。

(4) 控除対象外国法人税の額

控除額計算の最後は、算定された控除限度枠の範囲内で、「控除対象外国法人税額」を控除するという手順である。控除対象外国法人税額は法人税法69条では、括弧書きで除外するものが列記されており、その内容は以下のとおりである。

　　ア　高率負担として政令で定める外国法人税額（法法69①、法令142の2①・②）

法人税法施行令142条の2は控除対象とならない外国法人税の詳細規定であり、その1番目のカテゴリーが、高率負担外国法人税である。法人のネット所得に課せられる法人税については、我が国の法人税及び住民税の合計負担水準である35％が高率判断の基準とされ、これを超える部分は控除対象から除外される。他方、支払われるグロス所得に源泉徴収の方法で課される法人の利子等の所得については、原則として10％を超えて課される部分が高率とされている。

ただし、内国法人の業種、所得率のいかんにより、利子等の高率割合は以下のとおり変更されている。

　（参考）　利子等に対する外国源泉税額の高額部分の特例

　　　　　高額部分＝外国源泉税額－（利子の収入金額×主たる事業・所得率に応じる下表の割合）

主たる事業	利子等の収入割合	所得率		
		10％以下	10〜20％	20％超
金融業		10％	15％	現地の税率による（高率部分はない）
その他の事業	20％以上			
	20％未満	特例不適用（アの原則による）		

イ　いわゆる仕組取引に起因して生じた国外所得に対して課される外国法人税

　法人税法69条括弧書きは、上記アの高率部分に加えて「内国法人の通常行われる取引とは認められないものとして政令で定める取引に起因して生じた所得に対して課される外国法人税」を除外項目として規定しており、詳細は政令に委ねている。これを受けた法人税法施行令142条の2第5項は、内国法人が国外の関連者間取引に外国税額控除枠を利用して参加する次の2つの取引類型を規定している。

　なお、以下の政令の規定は、平成21年度改正前には「外国法人税」の該当性のところで規定されていたものを、「控除対象外国法人税」の該当性のところに移したものであり、実質的な変更はない。

　　（ア）　内国法人が関連者間の金銭貸借契約の間に、預金や借入金を担保にいわゆるミラー取引の形で入り込む取引

（下図のAとBは関連者で、Aが直接Bからの利子を収受した場合には外国税額控除が受けられないケースを想定）

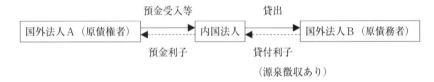

（注）　貸付利子等の条件が預金利子等の条件に比べて特に有利な場合に限る。

　　（イ）　内国法人が関連者間の貸付債権等の譲渡を受け、上記（ア）と同様の機能を果たす場合

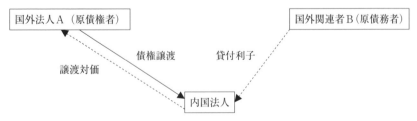

（注）　譲渡対価にAが保有していた期間の利子にかかる源泉税が含まれている場合に限る。

第4章　二重課税の排除（外国税額控除及び海外子会社配当益金不算入）

（参考）　上記の内容は、平成13年改正で導入されたものであるが、当該改正の起因となった最高裁判決として、最高裁平成17年12月19日判決（判タ1199・174）（りそな外税控除否認事件）があげられる。当該訴訟事案の事実関係及び判示内容は以下のとおりである。
　　(a)　事実関係

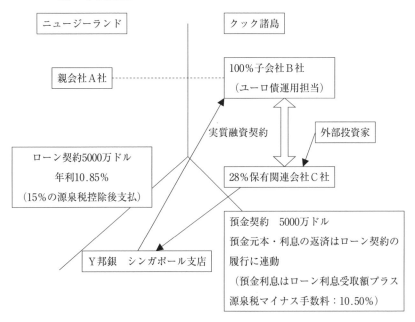

（注）　上記取引を行う納税者にとっての税務メリット
　①　B社の運用益には、低率のクック諸島法人税が適用
　②　A社が、直接外部投資家から資金調達すると、投資のリターン支払に源泉徴収されるが、C社を介在させることによりクック諸島における源泉徴収を回避
　③　Y邦銀の介在により、C社からB社へ直接貸し付ける場合の利息に対するクック諸島源泉税を回避
　　(b)　最高裁判示内容
　本来外国法人が負担すべき外国法人税を自己の余裕額を利用して引き受け、国内納付税額を減らして最終的に利益を得る行為で、本来の外国税額控除の趣旨からの著しい逸脱であり、法人税法69条の外国税額控除制度を濫用するものとして控除否認

（注）1　課税庁の処分理由は、本件クック諸島源泉税は、法人税法69条の「外国法人税」に該当せずとの趣旨

　　　2　控訴審判決では、B社、C社には事業目的あり、Y邦銀の控除枠利用は、投資の総合的コストを低下させるための手段であり、金融機関としての事業目的に沿うとして控除容認

　　ウ　みなし配当等にかかる法人税

　配当とみなして法人課税された交付金銭等のうち、株式の取得価格を下回る部分に相当する税額は、控除対象外国法人税に該当しないとされている（法令142の2⑦）。我が国法制下では、出資の払戻しに対応する資本取引であり、課税対象とならないものである。同様に、移転価格税制の紛争解決段階で、米国などにより課される二次的調整としてのみなし配当課税がある。これは、相互協議の結果我が国で減額更正を受けた場合に、我が国関係法人が海外関連者に当該金額を送金しない場合に、相手国が当該額を関連者から本邦法人への配当とみなして源泉課税を行う仕組みである。これも我が国では、所得と認識されないものであり、控除対象外国法人税額から除かれている（法令142の2⑦一・二）（注91）。

　　エ　配当益金不算入の対象となる外国子会社の所得に対する外国法人税の額

　平成21年改正で導入された、間接税額控除廃止に伴う外国子会社配当益金不算入制度については、後で節を改めて詳述するが、その性格は、既述したとおり子会社からの配当についての二重課税排除を国外所得免除方式により達成するというものである。

　その前提に立てば、免除した配当支払の原資に対し課された源泉地国における法人税に加えて配当に対して源泉税が課されたとしても、それらは外国税額控除というもう1つの二重課税排除方式のカバーする領域の埒外にあることは当然とされている（法令142の2⑦三）。

　なお、平成21年度改正は、タックスヘイブン子会社からの配当を含めて包括的に益金不算入の取扱いを定めているので、上記と同様な取扱いが、外国

────────────

（注91）　二重課税が残るこのような取扱いについては、国内法の規定に任されていると考えられる。OECDモデル条約9条コメンタリーパラ8〜11及びこれを受けた移転価格ガイドラインは、これに対する特定の処方箋を提示していない。

第4章　二重課税の排除（外国税額控除及び
　　　　海外子会社配当益金不算入）

子会社合算税制（タックスヘイブン税制）における特定外国子会社等から受ける剰余金の配当等で益金不算入とされるものを課税標準として課される外国法人税についても適用されている。

3　外国税額控除制度の運用

（1）　総　則

源泉徴収による外国法人税額を除けば、通常、外国法人税の納税額の確定は課税原因となった国外源泉所得の発生時期からは遅れる。現行法は、個々の国外源泉所得の発生事業年度とそれに対する外国法人税額の納付時期のうち、外国税額控除の適用は、納付事業年度の国外源泉所得によって算定した限度額の範囲内で控除することとしている。このため、納付税額と限度額の間にはミスマッチが発生せざるを得ず、これに対処する趣旨からも、控除しきれない法人税額についての繰越や、利用しきれない限度枠の繰越（現行法ではいずれも3年間（法法69②・③））が必要とされている。

以下においては、複数年にまたがる限度額管理の仕組みを概説する。

（2）　納付確定時期の原則と予定納税、源泉徴収等の特例

外国法人税の納付確定時期は、原則として現地法令に従って判断するのであるが、具体的には、其々の納付方式に応じた国税通則法の納付確定日が基準となると考えられる(注92)。ただし、基本通達では内国法人が継続して、納付ベースその他の税務上認められている合理的な基準により外国法人税を費用処理している場合には、当該計上を認めるとしている（法基通16－3－5）。

なお、予定納税や源泉徴収に関しては、基本通達ベースで以下の取扱特則がある。

① 　源泉地での予定納税や見積納税については、手続上確定し納期も確定したときに控除可能であるが、納税者の継続的適用を条件として、仮払金処理で確定申告時に一括計上する選択肢も認められている。

② 　投資所得につき、条約で限度税率が規定されているものの、その実現はまず国内法上の源泉徴収を行い、所定の還付手続を経て減免が実現する方式の国では、限度税率超過分の源泉徴収税額の外税控除は認められないこととされている。

（注92）　渡辺淑夫『外国税額控除〔全訂新版〕』（同文館、1997）P.72

(3) 税目別の控除の順序

我が国の外国税額控除制度は、控除対象外国税額には外国の地方税も対象としており、したがって法人税額から控除しきれない金額は、法人住民税からも控除できることとされている（地法53㉙・321の8㉗）。この場合の控除の優先順序は、控除限度額の範囲内で、法人税、道府県民税、市町村民税からとされている。

(4) 外国税額の控除限度超過額の繰越しと控除余裕額の繰越し・充当

上記2(3)で示されたとおり、我が国の一括控除限度額管理方式は、納税者と課税庁にとって最も執行コストが少なく、また、彼我流用防止の仕組みが積み重ねられた現状では、二重課税排除の本来の目的を十分果たしていると評価できよう。中でも、その潤滑油の役割を果たしているのが、3年間にわたる繰越制度である。ゴーイングコンサーンである法人の担税力を、国家財政の必要性からあえて事業年度単位で測定し、納税負担を求める法人税法の下では、欠損金の繰越制度と並んで外国税額控除の複数年にわたる限度管理は、不可欠のものといえよう[注93]。

外国税額の繰越計算は、まず、算出された当期限度額を使って、当期の控除対象外国法人税額を控除することが、第一歩となる。その結果に応じたその後の控除限度超過額と控除余裕額の繰越しのフローチャートを図示すると以下のとおりである。

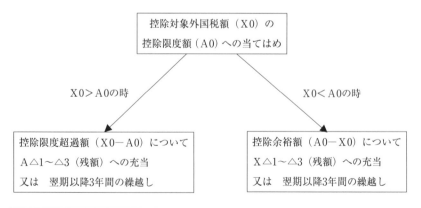

(注93) 主要国の繰延期間は一定の期間に収束していない。英国やドイツのように繰延を認めない国から、10年の米国とカナダ、さらには無制限のオランダまで多様である。H. Ault 前掲(注86) P.463

第4章 二重課税の排除（外国税額控除及び
海外子会社配当益金不算入）   85

　なお、外国税額控除適用を受けた年の翌年以後7年以内に開始する事業年
度で、控除金額の基礎となった外国税額が減額された場合には、その減額に
よる還付金額は、①当期の控除対象外国法人税の額と相殺し、②相殺しきれ
ない金額は、前3年以内の繰越対象法人税額と相殺し、③それでも相殺しきれ
ない残額は、2年経過後に益金に参入することとされている（法法69⑧、法令
150）。

(5)　外国税額控除における添付書類

　外国税額控除は、確定申告書に控除を受けるべき金額及びその計算に関す
る明細の記載、並びに控除対象外国法人税の額の計算に関する明細を記載し
た書類その他財務省令で定める書類の添付があり、かつ、法人税額を課され
たことを証する書類を保存している場合に限り適用されると規定している
（法法69⑩、法規39の2）。また、控除される金額は申告書等に記載された金額を
限度とすることとされている。ただし、当該書類の保存等に関しては、宥恕
規定が付されている（法法69⑫）。

　なお、平成21年度改正により、第三者作成書類（タックスレシート）等は
添付要件から、保存要件に変更されている。

第4節　外国子会社配当益金不算入制度

1　制度の趣旨

　我が国が、投資者の居住地国として、国境を越える取引について投資者に
発生する二重課税を救済するために定める税法上の措置は、一般原則として
の「外国税額控除制度」の他に、平成21年度の税制改正によって導入された
「外国子会社配当益金不算入制度」があげられる。この制度は、25％以上の
株式保有関係にある外国子会社から内国法人が受領する受取配当について、
法人税法上益金不算入とする別段の定めを設けて二重課税を排除するもの
で、その対象となる子会社配当については、平成21年以前は「間接外国税額
控除」制度の下で、税額控除により二重課税回避が図られていたものである。

　法人による国境越の直接投資に限って適用される本制度は、内国法人間の

配当益金不算入を定めた法人税法23条に続く同法23条の2の1項において、「内国法人が外国子会社（当該内国法人が保有しているその株式又は出資の数又は金額がその発行済株式又は出資（その有する自己の株式又は出資を除く。）の総数又は総額の100分の25以上に相当する数又は金額となつていることその他の政令で定める要件を備えている外国法人をいう。以下この条において同じ。）から受ける前条第1項第1号に掲げる金額（以下この条において「剰余金の配当等の額」という。）がある場合には、当該剰余金の配当等の額から当該剰余金の配当等の額に係る費用の額に相当するものとして政令で定めるところにより計算した金額を控除した金額は、その内国法人の各事業年度の所得の金額の計算上、益金の額に算入しない。」と基本構造が定められている。

　本節では、法人税法で新しく登場した二重課税排除方式である外国子会社配当益金不算入制度について、その意義と立法趣旨を確認するとともに、具体的な適用要件の特徴を概説し、併せて、本件導入に伴いそれと整合性を保つための改正が行われたタックスヘイブン税制の部分を解説する。

2　立法の沿革及び諸外国との比較

(1)　間接外国税額控除制度の問題点への対応

　財務省編集の「平成21年度税制改正の解説」によれば、その改正趣旨は次のとおりであるとされている。

「国際的な二重課税排除の方式について、現在の全世界所得課税及び外国税額控除制度の枠組みを基本的に維持した上で、我が国企業の外国子会社が海外市場で獲得した利益の国内還流に向けた環境整備として、当該利益を必要な時期に必要な金額だけ戻すという配当政策に対する税制の中立性の観点に加え、適切な二重課税の排除を維持しつつ、制度を簡素化する観点も踏まえ、間接外国税額控除制度に代えて、親会社が外国子会社から受け取る配当を親会社の益金不算入とする制度（外国子会社配当益金不算入制度）を導入することとしました。」

　上記引用からは、①全世界所得課税及び外国税額控除制度の枠組みは変わらないこと、②従来の間接外国税額控除制度が企業利益の国内還流を阻害するという意味で、配当政策に中立的に作用していなかった点を改正するもの

であること、③二重課税排除制度の簡素化を図るものであることの3点が改正趣旨として強調されているので、まず、それぞれについて検証しておきたい。

ア　全世界所得課税方式及び外国税額控除制度の維持

改正税法の解説では、従来の二重課税排除方式の基本を維持するものであり、外国税額控除制度の枠組内での改正であることを強調している。その背景には、まず、新制度の適用対象法人は従来の間接外国税額控除制度の適用対象法人とまったく同一の要件（持株割合25％以上の外国子会社）とされており、本改正は同適用対象法人から受け取る配当に関する二重課税調整方法の変更にすぎないとの認識があったためと思われる。しかし、本制度は、講学上の分類においては、全世界所得課税方式の対極にある「領域主義課税方式」と親和性を持つ二重課税調整方式であり、比較法の観点からみると改正後の我が国の二重課税調整方式は、外国税額控除方式と国外所得免除方式のハイブリッドと位置付けるのが適切と考えられる[注94]。

イ　配当政策に対する中立性確保

少子高齢化の下で国内市場の成長限界に直面する我が国企業は、成長率の著しい新興国を含めた海外市場に対する依存を高めること、すなわちグローバル化の拡大を図ることにより、競争を勝ち抜いてきた。ただし、従来の間接外国税額控除制度の下では、外国子会社利益を配当として本国送還すると、我が国での法人税率マイナス現地での法人税負担分の追加納税が必要とされるため、配当せずに現地に留保する傾向が高いとされてきた（平成18年末で海外子会社留保金は約17兆円と試算）[注95]。本制度の導入により、追加納税の必要がなくなったので、グループの海外余剰利益の本社による有効活用に対し税制がバイアスを与える懸念は払しょくされ、税制の中立性が拡充されたといえよう。

本件改正の経済効果は、その後の通商白書等のデータにより確認されてい

（注94）　青山慶二「「わが国企業の海外利益の資金還流について」租税研究710号P.127。
　　　なお、金子宏『租税法〔第19版〕』（弘文堂、2014）P.483も同趣旨。
（注95）　2008年8月「我が国企業の海外利益の資金還流について」（経済産業省国際租税小委員会の中間報告）参照。

る。すなわち、2012年においては、海外直接投資残高（10％以上支配の子会社等の設立のための投資）は100兆円（2005年水準の約2倍）に拡大し、証券投資残高を含めた海外投資全体の約4分の1（2005年には約6分の1の規模）に到達し、さらに、それがもたらす配当金は約30兆円と債券利子を含めた海外投資収益の約3分の1（2005年当時は約8分の1）に到達している（注96）。なお、我が国の直接投資からの収益については、2007年までは「再投資収益」（実質的には子会社の留保利益を指す）の方が「配当金・配分済支店収益」よりも多い傾向にあったが、2008年以降は「配当金・配分済支店収益」の方が増加傾向が大きく、「再投資収益」を純額で上回っている状況にある。

ウ　二重課税排除制度の簡素化の観点

　昭和37年の税制改正で導入された間接外国税額控除制度は、長い間、二重課税排除の最も重要な仕組みとして君臨してきたといってもよいであろう。米国の資本輸出中立性に資する制度として発達した間接税額控除制度は、内外投資の中立的取扱いという課税理論への信頼性を背景として、我が国でも全世界バスケット方式の限度額管理の下で、多国籍企業の重要な国際租税戦略の1つとされてきた。

　昭和37年の立法立案者によれば、間接税額控除の導入は海外の事業展開を支店形態で行う場合と子会社形態で行う場合の課税バランスをとるためのものと説明されているが（注97）、その限度額管理の制度設計の変遷をみると、そこでは高度経済成長の下で商社を中心に海外市場への進出を強力に推進していた日本企業のニーズに応えるという政策目的が強調されてきたと評価されよう。すなわち、資源開発から市場開拓及び顧客への販売・アフターケアに至る多面的な業務を多様な税制を持つ先進国・開発途上国の双方にわたって展開する本邦企業の税負担を軽減する方向での制度設計である。外国税額控除の枠組みの範囲内で本邦企業の税負担の軽減を図り国際競争力を増強することは国際課税ルールとして容認されており、政府補助金による輸出振興や国際所得の軽課などの直接的な政策がGATTやWTOで問題とされるのに比

（注96）　2014年版通商白書P.48
（注97）　昭和37年改正に関する趣旨説明については、大蔵省主税局植松守雄氏による改正税法説明会記録による。

べて安全とされていたという背景も指摘されよう。

　ただし、一方で、これらの改正が契機となった「控除枠の彼我流用可能性」は、納税者にとって外国税額控除に関する租税計画のうま味を著しく高めることとなり、その節税事例を巡って長年にわたり外国税額控除の適正化に向けた税制改正が順次行われる原因となった。これらの税制改正の結果、我が国の外国税額控除の制度は過度に複雑化し、納税者・課税当局の双方にとってコンプライアンスコストを不必要に高めることとなったと評価されている[注98]。

　（参考）　適正化の観点等からの外国税額控除制度の主な改正経緯

　　・　昭63　①非課税所得の1/2を国外所得から除外、②国外所得を全世界所得の90％に制限、③高率外国税額（50％超）の高率部分を、控除対象となる外国税額から除外、④控除余裕額、控除限度超過額の繰越期間を5年から3年に短縮

　　・　平4　①非課税所得の国外所得からの除外割合の1/2から2/3への拡大（なお、当該除外割合は、平成23年度改正で100％にまで拡大）、②間接税額控除対象法人を外国孫会社まで拡大

　　・　平13　①外国所得税・法人税の定義の明確化、②通常行われると認められない取引に係る外国税額の除外

　平成21年度改正は、領域主義的な課税原則の1つと区分される「資本参加免税」[注99]の性格を持つ「外国子会社配当益金不算入制度」へ移行することによって、我が国の間接税額控除制度が直面していた上記諸問題を一気に解消する効果をもたらしたことも評価すべきであろう。

　なお、本制度は、その条文の位置（法法23の2）及び規定内容（法人税法23条の内国法人間の配当益金不算入規定と同様の要件規定ぶり）からして、法人

（注98）　川田＝青山＝遠藤「外国子会社配当益金不算入制度の検証」国際税務2009年5月号P.18

（注99）　資本参加免税（Participation Exemption）は、一定の支配関係にある子会社（通常は最低5％又は10％の保有関係）からの受取配当や当該株式の譲渡所得を免税とするもので、欧州諸国が一般的に採用している制度である。能動的な国外事業所得（支店・子会社により稼得されるもの）を一般的に課税対象から外す領域主義的な国外所得免除と経済的には同一の効果を持つ制度と整理されている。Brian J. Arnold & Michael J. McIntyre, "International Tax Primer", (Wolters Kluwer,2002), P.35

税法23条と共通する立法趣旨（法人段階での配当重複課税防止）も体現していると解される(注100)。

(2) 諸外国の制度との比較

外国子会社配当につき益金不算入制度を採用している国は、OECD加盟34か国中、欧州大陸諸国を中心に既に3分の2以上に及び、数的には多数派を形成している(注101)。従来から、居住者につき全世界所得課税をベースに海外での納税額を外国税額控除により二重課税を回避するシステムを「資本輸出中立性」の原則に適った制度とし、その対極にある国外所得を自国課税権から除外することにより二重課税回避を図るシステムを「資本輸入中立性」の原則に適った制度と位置付ければ、法人税率の引下げ競争が促進され資本供出国と資本受入国が輻輳し多様化している現在のグローバルマーケットでは、後者の制度を採用する方が、利益の本国送還の際の追加課税というハンデを回避させるという意味で競争上歓迎されることとなる。

そのような問題意識の下に、外国税額控除方式の長い伝統を持つ米英両国において、21世紀に入って海外子会社配当の益金不算入制度の検討が行われてきたことは、外国税額控除の複雑化と彼我流用という課題に直面していた我が国にとって身近な参考となったと思われる。米英の検討成果である立法化の帰結は、それぞれ対照的な結果となっているが、我が国の新制度を理解する上で比較の尺度となり得るので、両国の検討状況を以下にまとめる。

ア　米国の検討状況

米国は、2005年11月の大統領税制改革諮問委員会報告書において、事業所

（注100）　平成27年度税制改正では、内国法人間配当を扱う法人税法23条について、①100％益金不算入となる関連法人株式の範囲の縮小（25％以上保有から3分の1以上保有に修正）、②非支配目的株式等について益金不算入割合の引下げ（100分の50から100分の20へ修正）の提案がなされている（法人税率引下げの財源対策の1つとしての位置づけ）が、法人税法23条の2についてはこれに対応する改正は提案されていない。その背景には、法人税法23条の2の外国子会社配当の非課税措置については、国内法のみならず租税条約もサポートする形で言及することが通常であり、仮に法人税法23条の2について同様の改正を行うと、いわゆる条約踩躙（トリーティ・オーバーライド）問題に発展する可能性を憂慮したためと考えられる。ただし、後掲(注109)も参照。
　　　自民党・公明党「平成27年度税制改正大綱」（2014・12・30）P.63
（注101）　Cahiers de droit fiscal international, vol.96b,General Report by G.Blanluet, (2011) ,P.25

得について国外所得免除方式を採る改革案が提示されたことを受け(注102)、2007年12月の財務省報告書で具体的な提案がなされた。ただし、同提案は子会社配当に関する外国税額控除を完全に廃止する内容となっており、そのため彼我流用が不可能になった場合の経済負荷が企業にとって大きすぎる（今後10年間で400億ドルの増税効果ありと試算されていた）と認識されていた。また、国外所得免除方式を導入した場合には、企業による所得の海外移転のインセンティブが拡大することが予測され、これに対応するためには、移転価格税制の執行に、より負荷がかかる旨の新課題も強調された(注103)。

なお、2008年両議院合同税制委員会報告書では、外国子会社所得への課税について、上記の国外所得免除の方法だけでなく、米国でケネディ政権下以来対立論として主張されてきた完全合算方式（外税控除制度の下で、子会社利益を当年度の親会社所得に完全合算課税）を比較対照する形で検討しており、国外所得免除の導入に向けたモメンタムは一時弱まった。

その後、オバマ政権下では例えば2010年税制改革提案等にも、タックスヘイブンを活用した租税回避に対する対抗策は各種盛り込まれたものの、国外所得免除の方向での改正は提案されなかった。ただし、2017年のトランプ共和党政権の下で国外所得免除構想は具体的改正案としてよみがえっている。2017年4月の改正リストでは法人税率の大幅引下げと並んで法人税改革の中心項目に掲げられている(注104)。

　イ　イギリスの検討状況

英国では2009年4月の歳入法案で、外国子会社配当の益金不算入制度を導入する税制改正が提案された。英国の大規模改正のルールにのっとり事前に財務省から改革内容の諮問文書が公表され（本件については2007年6月財務省討議文書）、英国経団連（CBI）をはじめとする企業団体と綿密な協議を続

（注102）　米国は大統領諮問委員会報告書に先立って、海外子会社に留保されていた利得の国内送還を促進するための配当軽課時限立法を、2004年American Job Creation Actで施行した経験があり、海外の留保所得課税改革の機運が熟していたという事情が認められる。

（注103）　2005年及び2007年の2つのレポートの分析評価については、青山慶二「米英における海外子会社配当の課税改革案について」筑波ロージャーナル5号P.42-51参照。

（注104）　オバマ政権の2010年税制改革のうち国際課税に関する部分については、"2009 Green Book",P.30-58（2009.5.11US Treasury,米財務省ホームページより）。トランプ政権下の法人税改革については、青山慶二「トランプ政権下の米国税制改革の現状と見通し」（2017.7.13経団連タイムズ記事）参照。

けてきたが、外国子会社配当の益金不算入を利子控除の制限やタックスヘイブン税制の抜本的改正とセットにして実現するとの提案は、以下の方向転換を余儀なくされたものの、無事立法化された[注105]。

- ・　具体策につき企業団体から各種疑問が提起されたタックスヘイブン税制の改革案（合算対象を事業体ベースで判断する我が国と同様の方式から、受動的所得に限定した所得ベースで判断する米国方式への改正）については合意に達しなかったため継続審議とし、外国法人配当益金不算入のみを先行立法する
- ・　適用対象を大企業で10％以上の株式保有を条件とする方向で検討されてきたが、最終的には持株割合要件を撤廃（別途詳細な租税回避否認規定による規制を用意）した形で実施した
- ・　本制度の濫用防止策の一環として、英国内国法人の利子控除について全世界ベースの純利子コストを基準とした損金算入制限規定（Worldwide Debt Cap）を導入した

3　我が国の外国子会社配当益金不算入制度の概要

(1)　基本構造

　法人税申告書別表8(2)は、法人税法23条の2が定める要件（1項、2項の実質要件に加えて3項が定める申告要件・書類保存要件等の形式要件を含む））を網羅した書式であり、そこでは、本制度の適用申請に当たって、配当する外国子会社ごとに、その保有割合、保有期間等の適用要件にかかる情報申告が求められている。

　25％保有要件などの新制度の実質要件は、租税回避への対応上整備されてきた従来の間接税額控除の要件をほぼそっくり引き継ぐものである。このことは、間接税額控除との連続性を保障し、国外所得免除方式を本制度を超えて拡大したり縮小したりする意図がないことを明示したものといえよう。すなわち、国境を越えた親子会社間の配当支払についての二重課税排除方法を、適用対象を変更せずに方法のみ間接税額控除方式から国外所得免除方式に変更したわけであり、現行税制に対する攪乱は極小化されている。

　しかし、従来の間接税額控除の適用のための手続に比べると納税者に要求される情報提供量は大幅に減少する（間接税額控除方式の下では孫会社レベルまで25％保有の判定と所得等の把握の必要があったが、本制度の下では情

（注105）　英国の配当非課税制度は、2009年7月以降の配当支払に適用される。

報対象は原則子会社レベルにとどまり、かつ、現地の確定申告書や財務諸表などの整備も不要となる）とともに、多くの多国籍企業がいわゆる高率負担国外所得の太宗を占めるとしていた子会社配当が外国税額控除の枠組みから外れたことによる、二重課税解消のためのコンプライアンスコスト削減のメリットは非常に大きいと評価されている(注106)。

　理論的に整理すると、本制度の導入により、本邦多国籍企業のグローバル利益の本国送還という立法目的が期待されるのみならず、これに加えて、①我が国に地域統括持株会社を設置してアジア商圏ビジネスの管理を行おうとする方向へ外国籍多国籍企業を誘導する効果が期待されるとともに、②本邦企業にとっても外国子会社設置方針いかんによりグローバルな法人税負担の実効税率に差が生じるという意味で、国際租税計画への関心を高める要因になったと考えられる。また、本制度の適用対象にはタックスヘイブン税制の適用対象となる特定外国子会社からの配当も含まれることとされたことから、国際的租税回避対応の使命を負うタックスヘイブン税制にかかる負担はより大きいものになると予測され、後述するようなタックスヘイブン税制の関連改正が併せて行われることとなった(注107)。

（2）　対象となる外国子会社

　内国法人によるその発行済株式等の保有割合が25％以上（租税条約の二重課税排除条項で25％未満の割合が定められている場合(注108)はそれによる（法令22の4⑤））の外国子会社で、その保有が剰余金の配当等の額の支払義務確定日以前6か月以上継続している会社が、対象とされている。上述した通り、対象子会社の範囲は、従来の間接税額控除対象子会社と同一であるので、改正の前後で企業の海外直接投資形態の選択に与える影響は少ないものと予想された。

　なお、25％基準の判定は、発行済株式の総数又は議決権で判断することとされている（法令22の4①）。これは、無議決権株式の発行された場合などにおいて実質的な支配を基準に適用対象を判定する趣旨である。

　また、配当支払の前後のみ当該株式保有してこの優遇措置の適用を受けよ

(注106)　KPMG税理士法人『国際税務』（東洋経済新報社、2013）P.121
(注107)　平成22年度改正による、地域統括会社の適用除外基準での救済措置導入も、本件制度導入との関連での要請と位置づけることも可能であろう。
(注108)　例えば日米条約、日豪条約、日伯条約では10％、日仏条約では15％と定められている。

うとする租税回避行為に備えて、少なくとも6か月以上の最低保有期間を要件としている（みなし配当においても同様に適用）（注109）。なお、この最低保有期間は、通常租税条約の二重課税排除条項においても条約上の二重課税排除の要件として規定されている（例：日米条約23条1(b)）。ただし、外国子会社が配当確定日以前6か月以内に設立された法人である場合には、設立日から確定日までの継続保有が満たされていればよい。

(3)　対象となる子会社配当等の額

　適用対象となる配当の範囲は、株式又は出資にかかる剰余金の配当、利益の配当又は剰余金の分配とされており、その際にはみなし配当も含まれることとされている。

　なお、平成21年度改正においては、従来間接外国税額控除の計算の基礎から除外されていた子会社所在地国における損金算入配当や配当優先株式に対する優先配当についても、本制度の下では益金不算入の対象とすることとされていた。この措置は、立法当局者の解説によれば、「外国子会社の所得についてはその所在地国の課税によって完結しており、所在地国における課税の可否や税率の多寡を問わないこと〔中略〕、及び本制度の導入が簡素化の側面と経済対策的な側面を併せ持つこと等から、対象となる剰余金の配当の額については、このような制限を設けなかった」と説明されていた（注110）。

　ただし、BEPSプロジェクトにおいては、ハイブリッドミスマッチ取極（支払者側で損金算入されるが受領者側で益金不算入となるような二国間の制度の間隙を突いた二重非課税スキーム）への国際協調の下での対応を要請しており、これを受けて平成27年度税制改正では、外国子会社配当益金不算入制度の見直しとして「内国法人が外国子会社から受ける配当等の額で、その配当等の額の全部又は一部が当該外国子会社の本店所在地国の法令において当該外国子会社の所得の金額の計算上損金の額に算入することとされている場合には、その受ける配当等の額を本制度の適用対象から除外する」（注111）とする改正（平成28年4月1日以降に開始する事業年度に受領する子会社株式から適用）が実施された。なお、改正法の下では、適用除外とされた損金算入配

（注109）　適格合併等により被合併法人等から25％以上保有する株式等の移転を受けた場合は、被合併法人等の合併前の保有期間は、合併法人等が保有した期間とみなすこととされている（法令22の4④）。

（注110）　財務省「平成21年度税制改正の解説」P.430

（注111）　前掲（注100）の「平成27年度税制改正大綱」P.105参照。

当に対して課される外国源泉税は、外国税額控除制度の下で二重課税の救済がされることになる。

この一連の立法と改正の経緯は、二重課税排除方式の持つ経済対策的な側面も、もはや租税主権の下での各国の裁量に任されるのではなく、BEPSプロジェクトを通じて他の租税優遇措置と同様のスクリーニングを受けざるを得なくなったことを示しており、興味深い。なお、OECDモデル条約23条A4項（国外所得免除方式適用の制限）は、条約に基づくハイブリッドミスマッチの結果生ずる二重非課税に対応した規定であり、国内法に基づく二重非課税に対しては適用されないとされていた。この点で、BEPS報告書の提案は国内法改正を求める点でさらに一歩進んだものであり、この点の穴埋めが未完成であった我が国を含め各国は対応を急いでいる状況にある。

(4) 益金不算入額の計算等

ア 配当に係る費用相当額の控除

外国子会社からの受取配当額のうち5％相当額を、当該配当に関する費用の額として、益金不算入対象配当金額から控除する仕組みが導入されている。これは親会社から子会社への出資に伴う費用（負債利子等）は既に親会社において損金算入済みであり、その分に相当する配当を益金不算入にすることは納税者に二重の便益を与えることになるからである。5％水準については立法裁量の範囲内と考えられるが、独・仏の同制度導入国においても5％の一律控除を行っているものに倣ったものと立法担当部局は解説している(注112)。この場合、5％を乗ずる受取配当の金額は、会計・税法の通常の取扱いに従うこととされており、源泉徴収税を含むグロスの金額をベースに計算することとされている(注113)。

ただし、企業グループの財務状況いかんによっては、実際の費用が5％未満である場合も想定されるところである。立法論としては、納税者に立証責任を負わせた上で、費用の実額控除を認める方式も考えられようが、今回の改正が間接税額控除のもたらした制度複雑化を改善する目的を併せもっており、また、国外所得免除制度は移転価格税制のように第三者取引比準による

(注112) 前掲(注110)参照。
(注113) ネット配当金額をベースに5％を算定した場合には、源泉税率の大小により費用の額が変化するという不合理が生じる。

検証を強く要請するものでもないことを考えると、5%の基準が一般的な事業実態を反映した基準であると認められる限りは、一律控除率の設定が憲法の保障する課税公平原則に違反するとはいえないと考えられる。

これらの結果、受取配当等の額の5%が費用とみなされることにより、残りの95%が益金不算入の対象となるのであるが（配当の5%は益金算入）、一連の計算は、確定申告書に益金不算入の配当等の額及びそれに関する明細の記載並びに関係書類が保存されていて初めて認められることとされている（ただし、法人税法23条の2第4項に宥恕規定あり）。

　　イ　配当にかかる源泉税の損金不算入

　法人税法39条の2は、本制度が適用される配当に対し外国当局により課された源泉徴収税は、受取法人の課税所得の算定上、損金の額に算入しない旨明示している。法23条の2は一定の外国子会社配当を我が国の課税権行使対象から除外して、当該配当に係る二重課税を排除しようとするものであり、配当支払額（源泉徴収税額を含めたグロス金額）を免除するものである。したがって、我が国課税権に服さない当該グロス額が負担する源泉徴収税は、配当支払前に負担した現地における法人税と同様、そもそも外国税額控除の対象とならないことは当然であると整理したと考えられる。すなわち、その負担が経済的には配当を受領する本邦親会社に及ぶとしても、我が国親会社の課税所得上は課税ベースに元から入ってこないものにかかる負担として、損益計算上考慮される損金とする筋合いのものではないとの整理である。ただし現行法は、法人税法の損金規定中の公租公課条項において、法人税法41条が外国税額控除対象の外国税額の損金不算入を規定し、それ以外の外国税額につき損金算入を認めているので、本制度の対象とならない剰余金の配当にかかる源泉税については、本則に戻り外国税額控除あるいは損金算入の選択が認められる。

(5)　間接税額控除の廃止とそれに伴う経過措置

　改正法は平成21年4月から施行されたが、施行前に配当が支払われ施行後に当該配当に係る法人税額が確定された場合には、納税者に次のような不都合が生じる。すなわち、当該配当は旧法の下では間接外国税額控除の適用があることを前提として受取配当（グロス金額）が益金算入とされる一方、外国法人税額が確定した時点では、既に新法下で間接税額控除制度が廃止されているため、そのままでは益金算入されていた配当に関する間接税額控除が

受けられなくなりその分の二重課税が残ってしまうという問題である。

　もともと改正前の法制下では、外国税額控除は彼我流用も含めて多国籍企業による多様な租税計画の対象となっており、そのような旧法施行下でのプラニングの期待権を、施行日を越えて法人税額が確定する場合の配当に対し認めないことは、納税者の正当な権利を害することになる点に配慮が行われた。

　具体的には、上記の不利益を解消するために、施行期をまたぐ外国子会社からの配当受領・税額確定のケースにつき、施行日以降3年以内に開始する事業年度において間接税額控除を残置させることとされた^(注114)。

4　本制度に関連するタックスヘイブン税制の改正

(1)　問題の所在

　一定の外国子会社配当を内国法人の所得計算上非課税とする法人税法本法の改正が行われることにより、措置法により一定の外国子会社の留保利益を合算課税していたタックスヘイブン税制との関係をどのように整理するかが問題となった。この問題については次の2つの観点からの整理が検討された。

　まず第1は、益金不算入制度の適用対象として、タックスヘイブン税制の適用のある特定外国子会社等からの配当も含める形で制度設計をするかどうかの判断であり、第2は、益金不算入制度の導入により海外での所得稼得のインセンティブが高まることが予測される中、現行のタックスヘイブン税制が予測される租税回避行為に対する対応力を十分に発揮できるかという観点からの検討である。

　平成21年度改正では、まず主として第1の論点につき整理を行い、第2の論点の本格的整理は今後の検討課題として翌年度以降に繰り越した。以下では、これら2点を順次フォローしておきたい。

(2)　特定外国子会社等からの配当の益金不算入扱い

　改正法では、特定外国子会社等からの配当も原則として益金不算入とし、その代わりタックスヘイブン税制上、従来は合算課税の対象から外されていた内国法人への配当分も留保金額と合わせて合算課税対象（「適用対象金額」と呼ぶ）とする方法が採用された。その内容は以下のとおり図示できる。

（注114）　法人税法平成21年3月改正附則8条

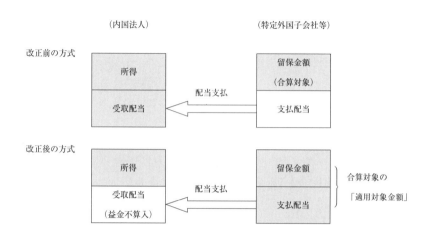

(注)　網掛け部分が我が国において課税対象

　具体的には、益金不算入制度の持株要件（持株割合25％以上）を満たしているか否かにかかわらず、タックスヘイブン税制の合算課税の適用を受ける内国法人については、特定課税対象金額（上記「適用対象金額」に基づき保有割合部分として過去10年間以内の事業年度で益金算入された課税対象金額）に達するまでの受取配当金額が益金不算入とされることとされた（ただし、本則にある5％の費用相当額の控除は、タックスヘイブン税制でそれも含めて課税されているバランス上行われない。すなわち受取配当は100％益金不算入とされる）。

　したがって、タックスヘイブン税制の適用対象となるが配当益金不算入制度の持株要件を満たしていない内国法人（持株比率が10％以上25％未満）についても、特定課税対象金額に達するまでは受取配当が益金不算入とされたのである[注115]。

　立法論としては、このように益金不算入制度の仕組みの中にタックスヘイブン税制を組み込んで調整する方式の他に、タックスヘイブン子会社からの配当を益金不算入対象から除外する方式（タックスヘイブン税制は現行のものを変化させず）も考え得るが、①二重課税調整方法としての法人税法下での益金不算入の性格と、②措置法下でのタックスヘイブン税制の位置付けを

（注115）　法人税法23条の2、租税特別措置法66条の8第1項・2項

踏まえれば、今回の規定ぶりが本来のものといえよう^(注116)。

なお、配当に係る源泉徴収税については、直接税額控除から除かれるのは上記3(4)イで論じた本則どおりであるが、タックスヘイブン税制の合算課税対象がそれらを含むグロス額とされていることとのバランスで、特に損金算入の取扱いが認められている^(注117)。

(3) 特定外国子会社等を経由する孫会社配当についての二重課税の調整

特定外国子会社等からの配当もタックスヘイブン税制の合算課税対象として制度設計が行われたので、以下のような二重課税調整の必要性が新たに生じた。すなわち、当該合算所得のうちに特定外国子会社等の下に位置する孫会社からの配当にかかる部分が存在する場合であり、かつ、

① 当該孫会社が特定外国子会社等に該当しない法人であって、当該孫会社からの配当が特定外国子会社等経由ではなく直接内国法人に支払われると仮定した場合には、新法適用で受取配当が益金不算入になったであろう場合と、

② 孫会社自身も特定外国子会社に該当し、自らの支払う配当が既に孫会社段階で合算課税の対象とされている場合

である。

これらの場合には、合算額の計算上孫会社からの配当は控除することとされた。ただし、その控除は確定申告書に明細書の添付がある場合に限るとされている。

①のケースは、そのまま合算課税の対象としてしまうと、新制度が目的とした本来の国境を越えた二重課税回避ができなくなるのを避けるためであり、②はタックスヘイブン税制自身における二重の合算課税の排除を目的としており、改正前と同様の考え方に基づいている。

最後に、技術的な改正事項であるが、合算課税された場合の外国税額控除については、制度簡素化の観点から、外国税額が減額された場合の調整は、外国税額控除の適用を受けた事業年度から7年間に限ることとされている。

(注116) 我が国と同様のタックスヘイブン税制を持つ英国においても、外国子会社配当の益金不算入制度を提案する2009年歳入法で、我が国と同様の調整策を採用している。Finance Bill 2009, Clause34 Schedule14参照。

(注117) 法人税法施行令142条の2第8項、租税特別措置法66条の8第2項

第5章

外国子会社合算税制
（タックスヘイブン税制）

102

第1節　制度の趣旨

　タックスヘイブンに所得を隠匿して課税を免れる納税者を扱った小説やドラマは、洋の東西を問わず人気がある。2010年にNHKが連続6回で放映したテレビドラマ「チェイス・国税査察官」で取り扱われたのは、カリブ海のタックスヘイブンである英領バージン諸島を舞台とした脱税スキームであったし、米国の小説家J．グリシャム(注118)のベストセラー「法律事務所」（1991年刊。トム・クルーズ主演で映画化もされた）で登場したのもやはりカリブ海のケイマン諸島を舞台とした脱税・マネロンスキームであった。それらのドラマは、前者ではどこの国の居住者にもならない「永遠の旅人」や我が国の課税を免れるために外国で出産するスキームなどドラマ仕立てにも適した節税スキームが紹介されており、後者では米国マフィアが絡んだケイマンの持株会社や投資会社を使ったマネーロンダリングがらみの脱税スキームを中心にストーリーが展開された。これらを始めとしたタックスヘイブンを舞台とした租税回避については、ケネディ政権が1962年に創設した非支配外国法人税制（CFC税制。内国歳入法の編集記号を参照して「サブパートF条項」とも通称）を皮切りに、各国で対抗税制が立法化された。その基本構造は、低税率国に所在する特定の非支配外国法人の所得を、株主である自国納税者の所得に加算するという仕組みである。

　我が国が1978年に導入したタックスヘイブン税制については、外国子会社配当益金不算入制度の導入（2009年）を経て大きく改正された。更には、2013年からOECD・G20が取り組んでいるBEPSプロジェクトで、各国が制定するタックスヘイブン税制が、多国籍企業の巧妙な税源浸食・所得移転スキームに対して効果的に機能しているかどうかを問い直しており、その結果構成要素ごとに選定されたベストプラクティスを参照する国内法改正の勧告案が出されている。

　本章では、2009年改正後の我が国タックスヘイブン税制の現状を通観する

（注118）　作者のJ．グリシャムは、米国ミシシッピー大学で税法専攻した弁護士（その後州議会議員も歴任）出身のベストセラー作家であり、「評決のとき」、「ペリカン文書」など多くの法廷小説を執筆している。

とともに、最近多発している訴訟事案において解釈上の焦点となっている適用除外基準に焦点を当てて分析すると共に、BEPS勧告を受けた平成29年度の抜本改正内容を概観する。

第2節　平成29年度改正前のタックスヘイブン税制の骨格

1　租税回避防止のための現年度合算課税

(1)　タックスヘイブン税制の沿革

　タックスヘイブン税制のもともとの原形は、第二次世界大戦前に米国が導入していた「外国同族持株会社所得」税制にある。本税制が対象とした取引は、自国の株主が海外に設立した同族会社を個人の財布（incorporated pocketbook[注119]）として利用して、自国での税負担を免れるというメカニズムであり、具体的には、資本等取引である出資で海外子会社を設立し、当該子会社を通じて従来株主が米国内で稼得していた利子、配当、譲渡所得及び信託に起因する資本所得等を海外子会社の所得に付け替えて収受するというものである。国内での個人の資本所得を、①税負担の低い国に所在する子会社が稼得する資本所得に性質変換し、②子会社所得は株主に配当しないことによって、米国での高率の課税を繰り延べるというこの仕組みの下では、株主は現実に消費が必要となったときに、当該支出を子会社の費用に仮装して支出するという脱法行為を追加することも多く、実質的には個人所得や消費の性格を持つキャッシュの出入りが、財布に見立てられる外国法人格を通じて事業所得計算の枠組内で行われるため、高額所得者の米国での所得税納税義務を回避させるという点が問題とされた。当該税制は、出資会社所得を配当されたとみなして、発生年度において米国株主に課税するというものである。なお、この対象には、いわゆる個人の役務提供所得の受け皿として法人格が利用されるもの（一人芸能法人等）も含まれている。

　しかし、第二次世界大戦後の経済発展の中で、タックスヘイブンを利用した租税回避の主役は個人から多国籍企業自体に拡大していく。その過程で検

（注119）　Joseph Isenberg,"International Taxation",（FoundationPress,2000）,P.169

第5章　外国子会社合算税制（タックスヘイブン税制）　　105

証対象とされたのが、「基地会社（Base Company）」と「導管会社（Conduit Company）」を活用した租税回避であった。基地会社は親会社の課税所得を最小化するために所得の源泉地国でない課税管轄に設置される法人であり、導管会社は源泉地国での課税所得をシェルターするために源泉地国に設置される法人であるが、いずれも、親会社のアグレッシブな租税計画に活用されるものとして、OECDが対応策を検討した(注120)。法人がタックスヘイブンに設立した租税回避目的のこれらの会社の典型的な利用例は、次のとおりである。すなわち、利子、配当、使用料などの所得を生み出す資産を現物出資してタックスヘイブンに子会社を作り、本来居住地国法人の課税ベースとなっていたキャッシュフローをそっくり子会社のキャッシュフローに付け替えて、タックスヘイブンの税務メリットを享受するというものである。

　1986年OECDレポートの結論は、CFC税制をはじめ移転価格税制も含めた国内法の拡充とともに、租税条約での対抗策も含めて基地会社や導管会社を使ったスキームに対処すべきという一般的な勧告であった。その後OECDは、1998年の有害租税競争プロジェクトのレポートで、具体的なタックスヘイブンの定義に合わせてCFC税制の強化等の具体的提言を行い、その後一定のリビューを定期的に実施してきたが、これをさらに掘り下げたものが、BEPSプロジェクトの行動3(注121)であった。

(2)　現年度合算課税方式

　租税特別措置法66条の6（個人株主の場合には同法40条の4）は、我が国の居住者・内国法人等が発行済み株式の50％を超える株式を直接・間接に所有している外国法人を「外国関係会社」と呼び、更に、外国関係会社のうち、その本店所在地での税負担が著しく低いものとして政令で定める率（トリガー税率と呼び平成29年度改正前は20％未満(注122)）の外国関係会社を「特定外

(注120)　その結果は、1986年公表の2冊のOECDレポート（通称「基地会社レポート」と「導管会社レポート」）にまとめられている。

(注121)　行動3の最終報告書では、各国のCFC税制に格差があると、緩い税制の国に資本が流れて税制の中立性を欠くことになるので、CFC税制のない国には導入を働きかけ、導入済み国も含めて、項目ごとに選択されたベストプラクティスを選んでCFC税制の制度設計するよう勧告している。

(注122)　平成27年度税制改正では、20％以下から20％未満へ改正された。これは、諸外国の法人税率引下げ動向（特に我が国からの子会社での進出が多い英国の20％への引下げ）に配意したものといわれている。

国子会社」と呼んだ上で、その「適用所得金額」を、持株比率10％以上である我が国居住者・内国法人を対象として、その持株割合に応じて益金等に合算するとされている。ただし、租税回避防止の立法趣旨に鑑み、外国関係会社の真正な事業活動を阻害しないという趣旨で定められた後述する適用除外基準を全て満たす場合には合算対象としないものとされている。なお、2009年の外国子会社配当益金不算入制度の導入は、タックスヘイブン子会社を含めて適用されることとなったため、それまで特定外国子会社の所得のうち未配当の留保金だけ（「適用対象留保金額」）を対象としていたタックスヘイブン税制は、配当分を含めた「適用対象金額」を対象とする税制に修正され、制度設計に一定の技術的修正が施された。

ところで、このような海外子会社所得の合算方式は、租税条約7条の事業所得の課税権配分規定（恒久的施設に帰属する場合にのみ源泉地国に課税権が付与される）に違反しないかどうかが、永らく実務上の課題とされていたが、我が国では最高裁平成21年10月29日判決（民集63・8・1881）（グラクソ判決）で、国内法上の租税回避否認規定（本件ではタックスヘイブン税制を指す）を自国居住者に適用することを租税条約（本件では、日・シンガポール条約）は禁止していないとするOECDモデル条約コメンタリーの趣旨[注123]を踏襲する判断が示され、論争についての決着を見ている。なお、CFC税制は、子会社利益を株主の配当ないしはそれに類似する特定の投資者収益とみなして株主居住地国が課税するという構成を採っている場合には条約との抵触は発生しないが、もし、子会社利益を事業所得の性格のまま直接株主に帰属させる構造を採る場合には条約抵触の可能性が高いと、判例・学説上は理解されている[注124]。

2　合算課税対象法人等

タックスヘイブン税制により外国子会社の所得を合算すべきとされる内国法人等の範囲は、株式持株比率とトリガー税率の組合せで限定されていた。

（注123）　OECDモデル条約1条コメンタリー・パラ9.2及び23
（注124）　グラクソ判決については拙稿「国内法の租税条約適合性に関する判決」（TKC税研情報2012年4月号）P.52、各国における学説・判例については拙稿「CFC税制はどこでも同一の内容か」租税研究735号P.233参照。

第5章 外国子会社合算税制（タックスヘイブン税制） 107

　まず、適用対象となる個別株主の持株比率については、制度創設当時は現行の10％以上保有の内国法人等であったのが、租税回避のための保有細分化に対応するため一時期5％に引き下げられていた（1992年～2009年）ものの、平成29年度改正前では主要国の閾値である10％に復帰している。なお、1992年の改正は、税制が適用されるタックスヘイブンについて大蔵大臣の告示で個別にリストアップしていたそれまでのやり方（いわゆるブラックリスト方式）を、「税負担率25％以下の外国関係会社」を対象とするというトリガー税率方式に変更したものであった。当時は、マレーシア政府によるラブアン・オフショア地区に関する優遇税制創設など、日本企業にとってアクセスしやすいタックスヘイブン環境が発生するとともに、従来の10％基準を保有の細分化により回避する事例が現われていたためと同改正の趣旨は解説されている(注125)。なお、トリガー税率の改正も、株式持株比率の改正と同時期に行われてきている（1992年～2009年は25％以下、2010年以降は20％以下等）。
　また、タックスヘイブンにおける外国事業体としては、法人に限らず信託も所得計算単位として同様の租税回避目的で活用され得る。我が国では、平成12年度改正でタックスヘイブン税制の対象に特定信託が追加され、その後、平成18年の信託法改正によって「法人課税信託」制度に改装された以降は、外国信託である法人課税信託もタックスヘイブン税制の適用対象とされている（措法66の6⑧）。

3　適用除外基準

　タックスヘイブン税制は前述のとおり租税回避否認の趣旨で設けられたものであるが(注126)、他方で、その正式名称である「外国子会社合算税制」が示すとおり、外国子会社に対する投資家居住地国の課税権の及ぶ仕組みを一般的に提示するものでもある。したがって、同税制の適用の閾値を定める適用除外基準の制度設計の仕方が問題となってくる。要は、タックスヘイブン税制のもとでは、特定外国子会社が仮に低税率国において設立されたとしても、当地で真正なビジネスを行っている場合には合算対象としない旨が、一定の適用除外基準として立法化されたのであるが、この制度設計は、合算対象と

（注125）　『平成4年度改正税法のすべて』（大蔵財務協会、1992）P.203
（注126）　金子宏『租税法〔第19版〕』（弘文堂、2014）P.307

する子会社所得につき、事業体アプローチを採るか所得別アプローチを採るかで、大きく変わってくる。まず米国やドイツで採られている所得別アプローチの場合は、元々租税回避の観点からリスクが高いとされる受動的な所得のみを対象と明記して合算するので、その項目が規定されている限りは詳細な一般的適用除外基準を必要としない。例えば、米国では合算対象所得を、①外国同族持株会社所得、②外国基地会社所得、③保険所得等と特定するだけで、基本的には十分である。ただし、所得種類上は受動的所得とされていても、金融機関などが業として行うものや、自身は受動的所得を稼得する持株会社にすぎないが、傘下の子会社が同一国で能動的な事業活動をしている場合などが、個別の適用除外事例として規定されている(注127)。このアプローチのもとでは、適用除外基準の解釈についての混乱は少ないものの、課税対象となる「受動的所得」はどの範囲なのかについて具体的なガイダンスが必要とされるため、申告義務を負う納税者にとっても課税庁にとってもコンプライアンスコストは高いと評価されている。

　これに対して、平成29年度改正前の我が国のように個々の所得判定の煩雑さという執行困難性を回避する趣旨である事業体別アプローチを基本的に採用する国(注128)では、法人の主たる事業をまず特定して、それが真正な事業といえるかどうかの判定が行われることになるが、当該真正な事業か否かの判定については一般的に多角的な要素を組み合わせた基準によらざるを得ず、立法技術上は複雑なメカニズムになりがちである。以下においては、我が国の事業体別アプローチを基本とした適用除外基準（この内容は、平成29年度改正後も変更されていない。）の特性を分析してみよう。

(1)　事業基準以下の5基準の構成

　多国籍企業の地域統括会社についての適用除外基準を見直した平成23年度

(注127)　なお、米国では、これに加えてチェックザボックス規則によりパススルーを選択した外国事業体の傘下にある子会社が真正な事業活動を行っている場合には、CFC税制上も途中の事業体を透視して、真正な事業としてCFC税制の適用対象外とするいわゆるルックスルー規則がある。これについては、BEPS問題とも関連して米国の内外でその妥当性が議論の対象となっている。

(注128)　ただし、我が国も平成22年度改正で、仮に特定外国子会社が適用除外基準を満たしていても、一定の資産性所得については合算するという所得アプローチを採用しており、この点に鑑みると、事業体別アプローチに一部所得区分別アプローチを組み込んだハイブリッドアプローチと評価すべきものであった。

第5章　外国子会社合算税制（タックスヘイブン税制）

改正の際の財務省資料によれば、事業基準以下の5つの適用除外基準の構成は以下のとおりとなっている。特定外国子会社が、以下の全ての基準を満たした場合に限って適用除外が認められると規定されているのである（措法66の6③、平成29年度改正法では措法66条の6第2項3号に規定。）。

（参考図）　現行適用除外基準の概要

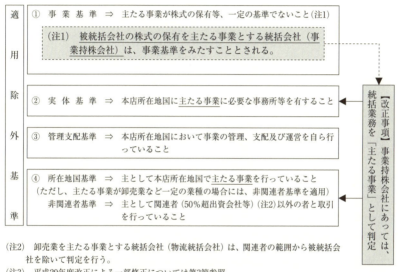

（注2）　卸売業を主たる事業とする統括会社（物流統括会社）は、関連者の範囲から被統括会社を除いて判定を行う。
（注3）　平成29年度改正による一部修正については第3節参照。

（出典：財務省ウェブサイト等）

ところで、平成29年度改正前の措税特別措置法66条の6第3項の規定ぶりからすると、これらの適用除外基準は並列的な序列で位置付けられているのではなく、まず事業基準によって移動可能で我が国においても遂行可能な受動的所得を生み出す事業を、租税回避のリスクの高い事業として優先的に適用除外対象から外したあと、それ以外の事業については法人設置地において真正なビジネスとして行われているかどうかの判定のためのその他諸基準（実体基準、管理支配基準、所在地国又は非関連者基準）を適用するという順序の立法趣旨がうかがえる。適用除外基準の構成は、昭和53年度の同税制導入以来基本的な変更はなく、とりわけ事業基準については地域統括会社特例を設けた上記（参考図）の平成23年改正までまったく改正されなかった。なお、制定時の立法事務担当者の解説書によれば、「株式の保有や船舶の貸付け等

110 第5章 外国子会社合算税制(タックスヘイブン税制)

の事業は、我が国からでも十分に営むことにできるものであり、その他に本店を置くことに積極的な経済合理性を認め難いので、これら業種に属する外国子会社等は仮に実体があっても適用除外基準を初めから考えないことにしています。〔中略〕これらの業種とは、株式又は債券の保有、工業所有権等又は著作権等の提供、船舶又は航空機の貸付けです。」と記されており、事業基準の優先的適用が暗示されていた(注129)。

　これらの構造からみて、我が国タックスヘイブン税制の適用除外基準の解釈・適用に当たって参照すべき制定法の原則は、次のとおりと考えられる。

① 制度創設を提言した昭和52年12月の政府税調税制改正答申が「正常な海外投資活動を阻害しないため、所在地国において独立企業としての実態を備え、かつ、それぞれの業態に応じ、その地において事業活動を行うことに十分な経済合理性があると認められる海外子会社等は適用除外とする」と位置付けた適用除外基準については、実定法は2段階でその趣旨を具体化したこと

② その第1段階である事業基準では、移動可能で受動的性格を持つ居住地国にとって租税回避リスクの高い類型の事業に着目して、独立企業としての実態や事業活動の経済的合理性の具体的検証に入る前に、事業の性格自体のみの理由で適用除外の審査対象外にしていること

③ 事業基準をクリアした事業に対して初めて、第2段階として独立企業としての実態のテスト(実体基準及び管理支配基準)及び事業活動の経済的合理性のテスト(業種に応じた所在地国基準又は非関連者基準の適用)を行うこととしていること

④ このような2段階の整理は、立法当時我が国が参照した米国のみならず、その後のタックスヘイブン税制導入国にもみられた「移動可能で受動的」所得を生み出す事業の先取り排除の考え方とも整合的であると考えられること(注130)

　したがって、適用除外基準の解釈が問題となった場合には、上記の実定法の枠組みに依拠した解釈論で解決せねばならず、子会社活動における経済的

(注129) 石山嘉英「タックスヘイブン税制の導入」『昭和53年度改正税法のすべて』(大蔵財務協会、1978) P.164

(注130) このような文脈で各国制度の枠組みを紹介するものとして、Brian J Arnold,"International Tax Primer", (Kluwer Law International,2002) ,P.94

第5章　外国子会社合算税制(タックスヘイブン税制)　　111

合理性の有無による救済という抽象的な立法目的を根拠として、実定法の適用除外基準の2段階整理をオーバーライドするような趣旨解釈は避けるべきであると考えられる。なお、そのことは、平成22年度改正において、従来は事業基準により持株会社に分類されるがゆえに適用除外とならないと解釈される蓋然性が高かった「地域統括持株会社」等を、税制改正により初めて、事業基準に基づく適用除外対象に区分変えした経緯によっても追認されたものと考えられる。

(2)　各適用除外基準の留意点

ア　事業基準

主たる事業が株式・債券の保有、知的財産権の提供、船舶・航空機の貸付けという資産管理業務等でないことがその内容であるが、その適用に際しては次の論点の整理が必要とされている。

(ア)　持株会社への適用を扱った判決

持株会社のうち我が国で平成9年の独禁法改正により可能となった純粋持株会社は、企業グループ内での典型的な資産管理会社であり、その収益源が子会社からの株式からの配当等であることを踏まえると、事業基準による適用除外の対象外であることは明らかといえよう。問題は、従来から事業を行いながら傘下子会社の株式を保有して資産管理も行う事業持株会社であった。この場合主たる事業が何であるかによって事業基準による適用除外該当の有無が判断されることになるため、事業統括会社の主たる事業が、本来の業務として行っている事業なのかあるいは株式保有なのかが問われることになる。この点に関しては、静岡地裁平成7年11月9日判決（税資214・362）（ヤオハン事件）が、「いずれの事業が主たる事業であるかの判定は、各事業年度ごとに行い、その事業活動の客観的結果として得る収入金額・所得金額の状況、使用人の数、固定施設の状況等を総合的に勘案して判定すべき」との判断枠組みを提示したが、その後の判決でもこれは踏襲されているようである。なお、ヤオハン事件は金融業を営む原告の香港子会社が、設立初年度に貸付資金調達のために上場前の関連者株式を取得し高額の株式譲渡益と配当収入を得た事例（該当年度の総収入の96％に相当）である。判決は、総合判断の結果、株式の保有等の事業が主たる事業であると認定したが、その理由は、事業判定は事業年度ごとに行うものであること、主たる事業は現実に行われた経済取引に即して判断されるべきことの2つの観点で、設立初年度の子会社

実態が判断されたものと考えられる。

　　　（イ）　検　討

　私見であるが、上記判決の諸要素の総合判断の枠組みには異論はないものの、事業基準の判断においては、移動可能で受動的な所得の租税回避を防止するという事業基準に課された特別の立法趣旨に鑑みると、諸要素の中では我が国課税権から逃れる「所得金額」の要素が最も重視されるべきであると考える。事業基準が、対象所得の観点から現地における事業実体の真実性に先立つ適用除外の基準として実定法上位置付けられる以上、所得金額は、当該真実性をも支え得る使用資産や従業者の評価よりも優先されるべきと考えるのである。この考え方の下にヤオハン事件判決の判断枠組みを適用するとすれば、持株会社についての事業判定は、一次的には損益計算書による各年の収支状況をベースにした株式保有等にかかる所得金額が主要な所得源であるかどうかを中心に判定すべきとなる。株式保有等の移動可能で受動的な所得は、資産性所得であるが故にそもそも稼得のための物的施設の利用や人的役務の消費との関連性が薄いものであり、そのような要素に収益・所得と同等のウェイトを持たせる必要はないと考えられるからである。

　なお、平成22年度改正により、株式等の保有を主たる事業とする特定外国子会社の範囲から除かれる「統括会社」は以下の要件を全て満たすものとされている。

・一の内国法人により発行済株式を100％保有されている特定外国子会社等であって、株式の保有を主たる業務とするものであること（被統括会社の株式の帳簿価格が保有株式のそれの50％超を要件）

・二以上の被統括会社（統括会社の株式保有割合が25％以上で、本店所在地に事業従業者を保有する外国法人）を有し、それらの被統括会社に対して統括業務を行っていること

　　（注）　上記の「統括業務」は、措税特別措置法施行令39条の17第1項において「被統括会社との契約に基づき行う業務のうち当該被統括会社の事業の方針の決定又は調整にかかるものであって〔中略〕2以上の被統括会社にかかる当該業務を一括して行うことによりこれらの被統括会社の収益性の向上に資することとなると認められるもの」と定義されている。

・所在地国において統括業務にかかる事務所等の固定的施設及び必要な従業

者を有すること

具体的には、上記3要件を満たす統括会社について、事業基準の判定上、統括会社が保有する被統括会社の株式については、「株式等の保有」から除外することとされているのである。

この改正により、一定の地域統括会社の事業判定の解釈問題は立法により解決された。しかし、上記に該当する統括会社以外の持株会社の事業判定においては、依然として、ヤオハン事件判決の判断枠組が維持されるものと考えられるので、今後も具体的な事例によって総合判断の中身が検証されることになろう。

　イ　実体基準及び管理支配基準
　　（ア）　独立企業の実体を要求する基準

この2つの適用除外基準は、租税特別措置法66条の6第3項で「その本店又は主たる事務所の所在する国又は地域において、その主たる事業を行うに必要と認められる事務所、店舗、工場等の固定的施設を有し（実体基準）、かつ、その事業の管理、支配及び運営を自ら行っている場合（管理支配基準）であって」という規定で表されている。いずれもタックスヘイブンのペーパーカンパニーを利用した租税回避行為と真正な事業活動との区分のメルクマールとしてグローバルにも承認されてきた基準であり、従来は管理支配基準の適用について若干の判例がある程度で、大きな論点とは考えられてこなかったようである。なお判例では、これら2つの基準の規定ぶりから、独立企業の実体があるかどうかについて業種横断的に共通ルールとして適用されるべきものであり、所在地における事業活動の経済合理性を判定するため業種実体を踏まえた分析を必要とする所在地国基準及び非関連者基準とは独立して適用されるべきものとされている（真正な事業活動の把握のための二分説）(注131)。

しかし、事業を行うための固定的施設の存在については、業務委託契約の下に使用されるケースなどを含めると多様な現地法人による施設使用態様が想定され、かつIT技術の発展や必要に応じた従業者の移動の容易さ等により、業種によっては子会社の事業活動における物的施設の意義自体が希薄化してきている状況を踏まえると、新しい解釈問題が既に発生してきていると

(注131)　最高裁平成4年7月17日判決（税資192・98）（安宅木材事件）

114　第5章　外国子会社合算税制（タックスヘイブン税制）

も考えられる。東京高裁平成25年5月29日判決（税資263・12220）（レンタルオフィス事件）はそれを扱ったものであるので、以下に紹介する。

　　　（イ）　東京高裁レンタルオフィス事件判決[注132]

（事実の概要）

　我が国居住者である原告X（被控訴人）は、シンガポールで設立された特定外国子会社に該当するA社（小規模卸売業に従事）の発行済株式の大部分を所有する支配株主で、かつ同社の取締役であった。

　シンガポール現地法人のB社は、同国に進出しようとする日系企業に対して、同国法人の設立やその後の運営支援業務を請負う経営コンサルティング業務を主な内容としており、A社の設立以降、オフィス・スペースの賃貸、経理や総務及び営業事務等の周辺事務業務、並びに営業担当者の派遣を内容とする業務委託契約に基づきA社の運営に関与していた。

　課税庁は、実体基準及び管理支配基準（本件は個人株主にかかるものなので適用条文は租税特別措置法40条の4に規定）を満たしていないとしてXに対し更正処分を行ったが、不服申立てを経て訴訟となり原審（東京地判平24・10・11税資262・12062）では納税者勝訴。

（判決の要旨）

　受注発注という形態の小規模な卸売業を営むA社が使用するレンタルオフィススペース及びそのシンガポール在住の取締役Cの専用執務室並びにDの倉庫スペースは事業を行うために十分な固定施設であること、A社の経営上重要な事項に関する意思決定及び会計帳簿書類の作成・保管を含む日常的な業務の遂行はC及びEら営業担当者により行われていたことを認め、納税者の請求を認容した原審判決を支持。

（検討）

　本件判決は、個人による小規模な卸売業を特定外国子会社を通じて行った場合の適用除外基準の適用に関するものであり、多国籍企業全般に射程が及ぶとは考えられないことをまず留保する必要があろう。しかし、現地の事業体にかかる国際取引の実態変化に既存の法規制がどのように適用されるべきかという課題に対する対応という意味では、BEPSプロジェクトで取り上げ

（注132）　なお、同判決の評釈については、太田洋＝北村導人『国際税務』33巻7号P.47、本庄資『ジュリスト』1472号P.127等

第5章　外国子会社合算税制（タックスヘイブン税制）　　115

られている恒久的施設（PE）課税に関するテーマと共通する点も見出せる。すなわち、BEPSのPEに関する行動項目7では、固定的施設重視の伝統的事業課税理論に対して、果たされる機能、使用される資産、引き受ける事業リスクの三者でPE概念の再構成が必要ではないかという問題提起であるとも捉えられるが、租税回避否認規定であるタックスヘイブン税制も、実質的には国境を越えた所得を自国課税権の範囲に取り戻そうとするものであり、適用除外基準の中の要素となっている固定的施設条件は、同様の問題状況の下にあるとも考えられるからである。

　この点につき筆者の当面の整理は以下のとおりである。まず、現行の適用除外基準の構成は、前述した判例が示すとおり真正事業かどうかの判断について独立企業要件と経済合理性要件の二区分方式を採っていることは明らかであり、実体基準と管理支配基準については前者、すなわち独立企業としての実体があるかどうかの観点から判断すべきとされている。したがって、例えば「事業を行うために必要とされる事務所等の固定的施設」の存在という要件の解釈は、事業実態の一般的変化を反映した解釈の弾力性、すなわち所有権のみならず賃貸権を背景とした施設利用や、合理的な範囲内での事業のアウトソーシングに伴う施設利用など独立企業が通常採用する方式を一般的には許容するものと考えられる。また、管理支配基準についても、例えば近年普及してきている取締役会のテレビ会議による参加なども解釈による許容の範囲であろう。なお、これらの解釈は当該子会社がコーポレートガバナンスの法的規制をクリアしていれば、その妥当性が補強されるとも考えられる。

　上記の平成25年東京高裁判決は、そのような意味での独立企業の実質に沿った解釈を法令の枠組内で行ったと理解できる面はあるものの、例えば、実体基準につき小規模卸売業にとっての物理的施設の必要性が少ないことなどに配慮した弾力的解釈を行っている点などは、実体基準と管理支配基準の判断要素に、先行判決においては経済的合理要件の判断ベースとされてきた業種別検証を持ち込んでいるとも評価されよう。この点において、従来の二区分説の立場に立った判例からのかい離が見て取れる。

　適用除外基準は、客観的な判断基準で一定の割切りの下に設計されているというのが筆者の立法趣旨の解釈の立場であり、そこから見ると、課税要件規定の中で納税者の納税義務免除の方向に働くこれら適用除外基準は、でき

るだけ当該規定を客観的に解釈適用すべきという要請の下にあると考えられる。そうすると、平成25年東京高裁判決は、その実質判断の是非は別として、判断枠組に対しては租税法律主義の観点からの疑念提起も可能であるように思われる。

ウ　所在地国基準及び非関連者基準

この2つの基準は一般的に経済的合理要件として性格付けられており、低税率国で行うことに経済的合理性があることを業種別に外形的に検証する仕組みとなっている。そのうち標準型と呼べるのが、事業を主として企業所在地国で行っていることを要件とする「所在地国基準」である。典型的には、製造業については現地の工場で製造活動を行うことであり、また小売業については現地の商店を通じて顧客に対する販売活動を行うケースである。企業の経済活動が現地の事業資源を利用したり現地の消費者向けに販売活動がされる場合には、そのこと自体健全な事業活動としてタックスヘイブン税制の適用から外す必要があると考えられている。ただし、その行う事業が卸売業、銀行業等一定の事業である場合には、これらの業種は通常国境を越えた顧客を相手にすることが想定される業種であるので（所在地国内で事業が完結するわけではないので）、関連者以外との取引がその収入金額の50％を超えている場合という非関連者基準を別途用意している。非関連会社基準が適用された結果として合算対象となるのは、いわゆる基地会社を利用して租税回避を図る取引が典型的なものであり、米国のタックスヘイブン税制では、これらは「基地会社販売所得」や「基地会社役務提供所得」等として一定の関連者取引を合算対象としてくくり出している。ただし、米国ではそれらの取引を事業として行っている場合には「本業免除（Active Business Exemption）」として合算対象から外す方式を採っている。その効果はほぼ我が国の非関連者基準の適用効果に匹敵するものと考えられる。

なお、平成22年度改正は、非関連者基準の判定上、卸売業を主たる事業として営む統括会社が被統括会社との間で行う取引については、関連者取引に該当しないものとした（いわゆる物流統括会社の適用除外）。

ところで、所在地国及び非関連者の両基準については、外形的な業種判定が前提となるものの、この点につき必ずしも明確なガイダンスが整備されていないことから、紛争の余地が多い。ここでは、いわゆる来料加工事件判決を取り上げ、両基準の持つ適用上の問題点を検証しよう。

第5章　外国子会社合算税制（タックスヘイブン税制）　　117

　（ア）　中国の［来料加工］取引への適用を扱った判決[注133]

　香港を本拠とする内国法人の子会社が、製造業務を「来料加工契約」の下
で中国の工場に委託して所得を得た場合に、当該事業が所在地国基準の適用
対象となる製造業に該当するのか、あるいは、非関連者基準が適用される製
造卸業に該当するのかが争われた事例である。

（事実の概要）

　カメラ用フラッシュユニット等の製造・販売を業とする本邦法人Xは、平
成4年に香港において、国内関連企業から調達した部品と香港で調達した部
品を用いて上記製品を組立加工して販売する会社である法人A社を設立した
（全株式をXグループが保有）。その後、A社は、平成15年に中国広東省にお
いて設立されたB社との間で「来料加工」取引契約（外国企業が中国の企業に
加工を委託し、設備・原材料を無償提供した上で、でき上がった製品を原則
として全量無償で引き取り、外国企業から中国企業に対しては、加工賃のみ
が支払われる形態の委託取引）を締結し、製品の組立加工工程は専らB社に
おいて行われる方式とした。

　これに対し課税庁は、A社は特定外国子会社に該当しタックスヘイブン税
制が適用されるにもかかわらず、原告Xは合算申告を行っていないとして更
正処分。Xは、A社は適用除外要件（所在地国基準）を満たしていると主張
し、上記更正処分は違法であるとして取消しを求めた事案である。

（判決の要旨）

　措法等には卸売業等の各事業について定義規定は存在しないものの、措法
通達が分類の基準としている日本標準産業分類（総務省）を1つの基準として
主たる事業を判断することには十分な客観性、合理性がある。同産業分類で
は、製造業とは、新たな製品の製造加工を行い、かつ、自ら製造した新たな
製品を主として卸売する業務を行う事業をいうとしている一方、自らは製造
を行わないで、自己の所有に属する原材料を下請工場などに支給して製品を
作らせ、これを自己の名で販売する製造問屋は、卸売業又は小売業に分類し
ている。A社の主たる事業は、B社との来料加工契約により、B社を言わば自

──────────
（注133）　東京地裁平成24年7月20日判決（訟月59・4・2536）。なお、本件判決の評釈につ
　　　いては、青山慶二「最新租税基本判例70」（日本税務研究センター、2014年178号）P.171

社工場ないし自社の一部門として、A社の責任と負担においてカメラ用フラッシュユニット等の製造を行い、これを販売して利益を得ることにあるというべきであって、A社の主たる事業は製造業であると認められる。

特定外国子会社等が製造業を「主として」本店所在地で行っているか否かを判断するに当たっては、当該会社の工場建物や機械設備の確保・管理、原材料や労働力等の確保、人事・労務管理、品質管理や財務管理などの状況を総合的に勘案して、社会通念に照らし実質的に判断するのが相当である。A社は香港には製造工場を有しておらず、A社の従業員8名に対し、B社の従業員数は400名である（B社の人件費率は全体の70％）等の事実によれば、A社がその「主たる事業」である製造業を「主として」行っていた場所は、本店所在地国である香港ではなく、B社が所在する中国である。

タックスヘイブン税制の適用除外規定は、単に海外において経済的合理性のある企業活動を行う企業について適用除外を認めているのではなく、特定外国子会社等の主たる事業を主として本店所在地国で行っている場合に、所在地国における事業活動が正常なものとして経済的合理性を有すると判断するという手法を採用しているのであるから、このような適用除外要件を充足していないにもかかわらず、適用除外を認めることは、租税法律主義に反し法的安定性や課税の公平性に反することになりかねない。

（検討）

香港を拠点とするビジネスによる中国広東省地域への製造工場移転は、1990年代の中国改革・開放政策と低廉な人件費構造を背景として急速に拡大したものでる。その際に製造委託先である中国郷鎮企業と香港企業との間で合意された契約方式が、「来料加工」と呼ばれる委託主から郷鎮企業への機械設備供給・材料支給・製品全品買上等を内容とする取引であり、これには、中国における関税・増値税の免除と香港における50％の国外源泉所得非課税取扱いという税制上のメリットも認められている。

本判決では、主たる事業が何であるかを判断する基準として、措法通達が依拠する日本標準産業分類によることに合理性があることを前提とし、同分類の製造業としての要件（新たな製品の製造加工を行い、かつ、自ら製造した新たな製品を主として卸売する業務）を香港子会社が充たしているかどうかが所在地国基準の適用可否のメルクマールとなるとの解釈基準を提示し

第5章　外国子会社合算税制（タックスヘイブン税制）　　119

た(注134)。平成22年度改正で、グローバルビジネスにおける統括会社等の機能につき新たに経済的合理性を認定して非関連者基準を含む適用除外要件を緩和する方向での改正が行われたことからすれば、それらの改正で触れられなかった現行の所在地国基準については、その適用について従来の税務の実務どおり、社会通念に即した客観的基準で解釈すべきとする立法者の基本的意図が推認されるところである。

　ところで、来料加工を利用する香港子会社が製造業に区分されるとした場合、当該製造活動が主として本店所在地国（香港）で行われているかが、次の論点となる。この点に関する判決の判断枠組は、まず製造業の本質的な行為である製造行為の要素（工場建物・機械設備の確保・管理、原材料・労働力の継続的確保、人事・労務・品質並びに財務の管理）を列記し、それらの状況を総合判断して、主として本店所在地で行われているかどうかを社会通念に照らして実質判断するとし、本件では、A社の自社工場の役割を果たしているB社の所在地において上記事業活動が行われていたことを、人件費、機械設備の財務データ等に基づき認定した。

　これに対しては、原告主張にもみられたとおり、最近の製造業の態様の多様性を前提に香港子会社が果たす付加価値機能に着目して、製造活動の場所を個別に判定すべきとする解釈も存在する。最近のグローバルな製造業においては、ロケーションセービングの観点から部品・完成品のみならず研究開発についてもアウトソーシングが拡大しており、かつアウトソーシング先との契約関係もリスク負担などにおいて多様な契約条件が見いだせるので、社会通念に即した実質判断といっても、要はケースバイケースで行わざるを得ないと考えられる。

　このような場合に行われる機能・リスク分析は、移転価格税制やPE帰属所得の算定過程で試みられる比較可能性分析と近似する可能性があると思われる。しかし、移転価格やPE課税のための機能・リスク分析は法定化された独立企業原則の適用下で行われるのに対し、タックスヘイブン対策税制の適用

───────────

（注134）　この点について原告は、①所在地国基準の適用には製造業としての積極的認定は必要ではなく、措法の文言どおり「卸売業等以外」に該当するかどうかの認定のみで足り、②卸売業以外と認定されれば、本件は新たなビジネスモデルである来料加工業として独自に所在地国基準を適用すればよいとする反対論を主張した。

除外基準は、あくまでも客観的に定型化された規範の範囲内で解釈適用されるものである。したがって、付加価値をベースとする機能判断については、判決が指摘するように立法措置が必要と考えられた。

　　エ　各基準を通算した課題

　法人税法69条の外国税額控除の適用に関する最高裁平成17年12月19日判決（判タ1199・174（りそな外税控除否認事件））は、外国税額控除制度の濫用に当たると判示したが、これを課税減免規定の限定解釈を許容する趣旨の判決であるとの理解をベースに、租税特別措置法が定める課税規定についても同様の立法趣旨に基づく限定解釈を行うべきであるとする有力学説が主張されている（注135）。すなわち、最後の判例に即して言えば、A社を香港に設立し事業を行うことには経済的合理性があり、租税回避行為を行わない法人に対しては、「適用対象留保金額を有する場合」という文言を限定解釈すべきとするものである。目下のところ、適用除外要件を巡る各種判決において、かかる趣旨の原告主張については、タックスヘイブン対策税制の適用除外要件の規定の具体性を前提に、法的安定性の観点や課税の公平性の観点から「租税回避を行った」等の書かれていない要件を付加する解釈として排斥されている。現行法の解釈論としては、本節で分析した立法趣旨を踏まえても正しい判断であると考える。

　なお、所在国の立法例の中には、いわゆる動機基準を追加して、租税回避目的外の取引へのタックスヘイブン対策税制の適用を制限しようとする試み（注136）もあり、また、これを含めたタックスヘイブン税制の仕組については、BEPSプロジェクトで各国間の政策調整のための緩やかなガイダンスが提示されている（注137）。我が国の適用除外基準に関する立法及び解釈も、今後この影響を受ける可能性があることには留意すべきである。

（注135）　中里実「タックスヘイブン対策税制改正の必要性」中里実ほか『タックスヘイブン対策税制のフロンティア』（有斐閣、2013）P.2
（注136）　英国の2011年改正前のCFC税制。青山慶二「英国の法人税改正の動向」租税研究743号P.173
（注137）　2015.10BEPS最終報告書"Strengthening CFC rules"　OECD

第5章　外国子会社合算税制（タックスヘイブン税制）　　121

第3節　BEPS勧告を踏まえた平成29年度改正

1　経　緯

　平成29年度税制改正では外国子会社合算税制が、BEPSにおける外国子会社合算税制に関する勧告（行動3）を踏まえた大規模な改正対象になると期待されていた[注138]。

　BEPS報告書では、最終的には事業体別アプローチと所得区分別アプローチのいずれの選択も許容する結論となったものの、その検討過程では後者のアプローチをより好ましいものとする立場に軸足が置かれていたため、我が国も前者に軸足を置いた従来制度から離脱し、所得区分別アプローチを主体とする新制度に移行するのではと予測する向きも多かった。これに対して、我が国ビジネス界からは、経済産業省や経団連を中心に、①従来の制度は、適用対象となる外国子会社を一定の実効税率（トリガー税率）以下のものに限定することにより予測可能性を確保する一方、適用除外基準のタイムリーな微修正等により本邦企業の海外での真正な事業活動に不当に介入しない措置を適切に追加してきたこと、②そのような改正により、一見すると制度の複雑化により立法趣旨が不明確になりつつあるとの批判があったものの、執行レベルでは、安定した課税事績[注139]やビジネスにとってのコンプライアンス負担感が相対的に少ないこと等を理由として、所得区分別の新制度に全面的に衣替えすることに対して批判的なコメントが示されていた[注140]。

　改正後の新制度は、子会社所得合算の判断基準となる租税回避リスクを、外国子会社の税負担率により把握する現行制度から、所得や事業の内容によって把握する方式に改めた点で、従来の事業体別アプローチから所得区分別アプローチへ軸足を移したと理論的に整理しつつ、実務面（納税者のコンプ

（注138）　本改正については、前年の税制改正大綱ですでに抜本的改革が予告されていた。
（注139）　国税庁の記者発表資料によれば、平成22～27事務年度のタックスヘイブン税制の調査事績は、年平均87件の調査事案で114億円の申告漏れ金額となっており、移転価格税制の事績（196件で560億円の申告漏れ金額）に比べて、小規模である。
（注140）　2016.3「経済産業省委託調査報告書（BEPSを踏まえた我が国のCFC税制等の在り方に関する調査）」PwC税理士法人　P.74

ライアンスコスト）からみると、従来のトリガー税率が果たしてきた適用法人限定機能を、言わば出口段階での申告手続緩和要件に振り替えて温存したものとなっている。すなわち、今回から新たに「部分合算課税制度」の対象として拡充された受動的所得（従来合算対象とされていた「資産性所得」を大きく拡大したもの）を別途管理するための過大な事務負担を、20％以上の実効税率の下にある外国子会社については免除する（結果として、それらについては当該受動的所得の合算を不要とする）という点で、従来の事業体別アプローチの持っていたメリットを実質的に残存させた巧妙な調整策と評価できよう。

　この背景には、本改正案の作成・審議過程で、本税制の利害関係者である本邦多国籍企業への情報開示や意見徴収が財務省により前広に行われた点が特徴的である。経済産業省及び経団連は、日本の産業競争力を損なうことがなく、また、正当な経済活動へ悪影響も及ぼさないとの観点から、多くのインプットを行ったようである。この点は、BEPS報告書の勧告で規範性の高いミニマムスタンダードの提言が行われたことを反映した他の税制改正（平成28年改正の国別報告書などの多国籍企業のグループ管理情報の申告義務の法制化）と異なった環境にあった(注141)。

　本節では、平成29年度改正を概観するものであるが、その考察に当たっては、改正のベースとなったBEPS最終報告書勧告の内容を再確認するとともに、それが具体的にどのように改正に反映されたかに焦点を当てつつ、各国のCFC税制への取組状況との比較も行って改正内容の特徴を描写する。

2　BEPS最終報告書（行動3）(注142)における勧告

(1)　最終報告書が確認したCFC税制の基本理念

　最終報告書の勧告が求めるCFC税制のあるべき姿は、「価値の創造される

（注141）　国別報告書（行動13関係）は移転価格等を利用した租税回避リスクを測定するフォーマットとして世界共通基準が合意されたため、各国はその国内法制化に当たっては、裁量の余地は残されていなかった。

（注142）　2015.10.5公表「効果的なCFC税制の設計（Designing Effective Controlled Foreign Company Rules）」（邦訳は、日本租税研究協会「BEPSプロジェクト2015最終報告書」（H.29.11）による。）

場所と納税地の一致」を担保する合算税制であり、経済活動の実態のある子会社所得（能動的所得）は源泉地課税を優先しつつ、可動性が高く経済活動の実態を伴わなくても得られる子会社所得（受動的所得）を居住地の親法人に合算すべきとする理念に立脚している。そして具体的な勧告の特徴は、①上記のようなCFC税制の対応すべき課税リスク及び対象となる所得を明らかにすることにより国際税制の中での本税制の位置付けを再確認したことと、②全世界所得課税方式を採る国とテリトリアル課税方式の国との間での制度設計の相違に配慮し、単一モデルの勧告ではなく、当該税制の6つの構成要素について個別的に複数の選択肢を含む勧告（いわゆるベストプラクティス）の提示を行った点であった。

(2) 移転価格税制との関連の整理

　BEPS防止の観点から、低課税国の関連会社に移転される商業上の合理性のない所得を親会社に合算する制度であるCFC税制は、従来、関連者取引を通じた租税計画への対抗手段として「移転価格税制のバックストップ」の役割を担っていると表現されることが多かった[注143]。最終報告書では、この点につきその意義を再確認して、BEPS対策上のCFC税制の独自性・重要性を明らかにした点がまず注目される。

　すなわち、従来のバックストップ論では、関連者間取引を利用した租税計画は、移転価格税制の適正な執行により基本的に阻止できるものであるとの認識の下、それを潜り抜けた関連者間取引を投網でまとめてからめ捕るようにCFC税制が機能するとの理解があったように思われる。すなわち、関連者間の利害関係によってゆがめられた損益取引（P/Lベース）は移転価格ルールによって基本的に修正されるが、そこを巧妙に潜り抜けてきた租税計画をラストリゾートとして事業体単位（B/Sベース）で捕捉するという理解である。このような一応の理解は、CFC税制のラストリゾート性を強調する方向へ向かいがちであり、特にEUにおいては、自由に人、モノ、金の移動を保障する共通市場の確立にチャレンジする税制と受け止められ、欧州裁判所により「完全に人為的なアレンジメント」を対象に設計されていなければ、同税制

(注143)　前掲(注142)行動3最終報告書　第1章パラ8

はEC条約違反となるとの厳しい制約が付されることとなった(注144)。そのような状況下で、各国におけるCFC税制の設計には、合算対象とする所得の範囲についてかなりのバラツキがあり、かつ、他方で、健全な企業活動を阻害しないとの共通理念の確保措置(適用除外基準)の設計においても、自国企業の競争力維持への配慮の温度差等により多様性が見られてきたのである(注145)。

BEPS最終報告では、行動3でCFC税制に期待される機能を明確化するとともに、行動8〜10で移転価格税制の射程範囲も明確化(納税者の選択した商行為形式の引直しルールや所得相応性基準の導入の勧告及びガイダンス提示を含む。)が図られたことにより、両制度がそれぞれ独立した理念の下、BEPS防止上どのように役割分担をしているかが次のとおり明らかにされた。

　ア　CFC法制に期待される分野

移転価格税制の適用とは別にCFC税制固有の対応を求めねばならない代表的な領域として、特段の経済活動を行わないものの資金は豊富であるグループ内の事業体(「キャッシュボックス法人」と呼ぶ。)への対応を挙げている(注146)。すなわち正当な手続を経て設立した軽機能あるいは無機能の法人が、能動的な人的機能なしに稼得できる所得類型（受動的所得）を第三者との取引を通じて独立企業間価格で稼得するケースのように、法人設立という資本取引そのものが不当な租税回避の要因となるプランニング（過大資本で設立された資産運用会社が典型的）が、CFC税制の固有領域として明確に認識されている(注147)。

　イ　移転価格税制のカバー領域の確認

BEPS行動8-10では、関連者間の商業上又は資金上の関係の特定に際して、当事者間の契約を出発点としながら、機能・リスクに焦点を当てた移転価格

（注144）　Cadbury Schweppes plc, Cadbury Schweppes Overseas Ltd v Commissioners of Inland Revenue, Case C-196/04; judgment of the Grand Chamber of ECJ, on 12 September 2006.ただし、その後ECJは、各国の租税回避防止規定に対する厳しい判決を一部緩和しつつあり、それを受けてEC委員会は、2016.7発表の「租税回避対策指令」において、低課税（親会社の実効税率の40%未満）の事業体で、その所得の50%超が特定種類（一般的に受動的所得）である場合に対処するCFC税制を勧告している（CFCがEU/EEAの居住者である場合、その事業体の設立が完全に人為的か、主目的が税恩典取得である真正でない取決めに従事する事業体のときだけに適用されるとするものである。）。

（注145）　各国のCFC税制の制度設計のバラツキについては、Brian J. Arnold, "International Tax Primer(third ed.)"　P.118

（注146）　前掲(注142)第1章パラ8-9

（注147）　キャッシュボックス法人のリスクは、米国の「外国同族持株会社所得」税制における立法趣旨を彷彿させる。

第5章　外国子会社合算税制（タックスヘイブン税制）　　125

分析のためには、事実に基づく実質関係に沿った「取引の正確な描写」が必要であることを多くの事例を参照しながら強調している（注148）。さらに、正確に描写された取引が、商業上の合理性を欠く場合には例外的に当該取引を税務上否認する基準をも事例を挙げて紹介した（注149）。また、取引時に評価が困難な無形資産取引については、事後に実現した結果所得に基づき課税調整をする所得相応性基準の適用も承認された（注150）。

　これらのガイドラインにおける移転価格税制のカバー領域の確認（実質的には拡大方向）は、いずれも従来は、私的自治の領域に対するチャレンジとして例外的に認めるという、やや保守的に叙述されてきた領域にかかるものであった。この領域を積極的に定義したことは、CFC税制側のキャッシュボックス法人型対応方針とも相まって、両制度の適用領域間の線引きを明確化したものと評価できる。

(3)　CFC税制における6つの構成要素

　最終報告では、CFCの定義、適用除外及び足切要件、CFC所得の定義、所得算定ルール、所得合算ルール、二重課税調整の6要素をCFC税制の必須課税要件として、それぞれベストプラクティスの提示を行った。中でも制度設計の根幹に関わるのは、CFC所得の定義である。

　CFC所得の定義では、類型分析・実質分析・超過利得分析の三種のオプションを認めた。類型分析（所得類型別に合算所得を定義するもの）と超過利得分析（通常のポートフォリオ投資対価を超える所得を合算対象と定義するもの）はいわゆる所得区分別アプローチと親和性があり、実質分析（実質的な経済活動が伴っているかどうかで合算所得を定義するもの。その判定には事業体単位での認定の併用も許容している）は事業体別アプローチとも親和性があるといえる。両アプローチの間に優先順位はつけていないので、過大合算（オーバーインクルージョン）や過小合算（アンダーインクルージョン）のリスクを残す事業体アプローチの採用も排除されていないが、CFC所得の規定の選択いかんにかかわらず、キャッシュボックス法人の資金提供リターンは合算対象とすべきと明言している（注151）。

　また、親会社所在地国の課税ベース浸食のみならず、第三国の課税ベース浸食をも対象とするCFC税制がBEPS防止の観点からより好ましいとしていた。

（注148）　移転価格ガイドライン（BEPS改訂版）　パラ1.42-50
（注149）　同上　パラ1.119-128
（注150）　同上　パラ6.186-195
（注151）　前掲（注142）第4章　パラ75

3　平成29年度改正法の制度設計

　改正法（租税特別措置法66条の6）は、事業体別アプローチを主体としつつ一定の資産性所得の合算を常に求める従来のハイブリッド方式を改め、外国子会社の個々の所得内容に応じて合算対象を規定する所得区分別アプローチを基本理念とするものである。特に、最終報告書が勧告するキャッシュボックス法人対応については100％反映しており、BEPS対応の税制改正としては、国際協調に配慮したモデル立法例の一つと位置付けられよう。ここでは、改正法の構造的な特色についてBEPS報告書との比較検証を行う。

(1)　改正法のBEPS対応ぶり

　我が国のCFC税制改正は、他の先進国に比べて早いタイミングで行われた。もちろん他国のゆったりした対応の背景には、国別報告書などのミニマムスタンダードに比べて、CFC税制の勧告はベストプラクティスに区分されるものであり、強制度が低いことが原因の一つと考えられる。しかし、CFC税制は、租税条約9条に支えられた移転価格税制とは異なり、クロスボーダー取引に依存する国の交易環境いかんによっては政策的にあえて未導入のまま放置してきたと推測される先進国（オランダ、スイス等）も散見される状況にある（最終報告書では既導入国は30か国程度との由）^(注152)。例えば、CFC税制の整備ガイダンスを含むEUの租税回避対策指令（2016.8）は、11条で3年以内に実施状況を審査するとしているが、オランダを含めCFC税制はEU単位の合意が得られて初めて導入すると主張してきた加盟国の取組はまだこれからのようである。

　そんな中で今回のBEPS勧告に基づく我が国改正は、立法趣旨を明らかにしつつ、所得別に制度設計を整理し直し、かつ、発動基準に性格変換した「経済活動基準」（従来の適用除外基準に相当）のビジネスモデル変更への適応も併せて実施するという意欲的なものである。ただし、新制度に基づき要請されるコンプライアンス義務を手続面から観察すると、課税要件の各パーツの配置を所得区分別に整理し直す形で再構成されたものであり、旧制度との連続性が実質的に保障されたものになっている。制度簡素化の面で格段の躍進があったとはいいがたいものの、最新のビジネスニーズに答えながら新たな

（注152）　途上国は、一部の新興国を除き、自国の多国籍企業による海外進出が一般的に多くなく、法人税率の競争の下で、むしろ源泉地国としての関心から、投資家居住地国が設定するCFC税制の対内投資への影響を観察している場合が多いと思われる。ただし、行動13の国別報告書の実施やパナマ文書問題を契機とした受益者の法人関与情報開示などに伴って、自国にとってもCFC税制の必要性を認識する国は増加するものと期待される。

第5章　外国子会社合算税制（タックスヘイブン税制）

コンプライアンスコストの発生を最小限に抑えたという意味では、日本の実情に合った適切な改正であると評価したい。

（参考）　改正内容の概要図

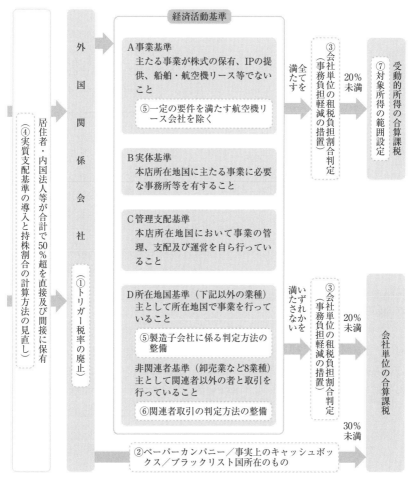

（筆者注）　上図中の①～⑦が今回の改正事項である。
　　　　　改正前の4種類の通称「適用除外基準」は、改正法の下では、「経済活動基準」と呼称され、その一部について改善が行われている。
（出典：財務省ウェブサイト「平成29年度税制改正パンフレット」より抜粋）

128 第5章 外国子会社合算税制(タックスヘイブン税制)

(2) 外国関係会社の定義

　改正法も、税制の適用対象となるCFC（「外国関係会社」と呼ぶ。）を、BEPS勧告が推奨するように、居住者・内国法人株主の支配下にある法人と位置付け、その判定基準として、法的な支配基準（株式の50％超の直接・間接支配）に加えて、実質支配基準を追加した。外国関係会社の定義に当たっては、所在地国における実効税率要件（改正前は20％未満のトリガー税率を設定）を付していない。実質支配基準の採用により、持株割合の計算方法を含めて支配の判断基準は移転価格税制の「国外関連者」要件の同一となった(注153)。なお、外国関係会社のうち、従来の適用除外基準に相当する「経済活動基準」の重要部分（実体基準、管理支配基準）を充たさないペーパーカンパニーやキャッシュボックス法人(注154)及び情報交換に協力的でない法人(注155)を「特定外国関係会社」と定義し、経済活動基準のいずれかを満たすもので特定外国関係会社以外のものを「対象外国関係会社」と区分定義して、これらをいずれも会社単位の合算課税の対象として規定している。

　さらに、BEPS勧告に沿った所得区分別のCFC所得の把握が外国関係会社の定義に表れているのは、「部分対象外国関係会社」という3つ目のカテゴリーである。このカテゴリーは、外国関係会社で全ての経済活動基準を満たしたものであり、「特定所得」と呼ぶ一定の受動的所得（改正前の資産性所得の範囲をBEPSリスクを勘案して拡大したもの）のみを合算課税の対象とする外国関係会社である。

　以上の、3タイプに分けた定義は、合算対象となるCFC所得を所得の類型的に捉え直したことによる整理と考えられるが、会社単位のふるい分けを残した前2者の外国関係会社については、経済活動基準の適用を通じて実質分析を併用していることの反映とも評価される。ただし、経済活動基準につい

（注153）　間接保有を例にとれば、親子間70％保有、子孫間70％保有の関係がある場合に孫が親会社にとって特定外国関係会社になるほか、資本関係以外の実質支配関係も考慮している。

（注154）　キャッシュボックス法人は、改正法においては、総資産に占める一定の受動所得の割合が30％（ただし総資産に占める金融資産等の割合が50％を超えるものに限る。）を超える外国関係会社と定義されている（措法66の6②二）。

（注155）　財務大臣が情報交換に関する国際的な取組への協力が著しく不十分な国として指定する国に本店等がある法人（OECDが認証するブラックリスト掲載国所在の法人が該当）を指す。

ては、真正な事業活動によるものを適正に除外する機能を果たさせるために、従来の適用除外基準に後述するいくつかの重要な見直しを行っている。

(3) 経済活動基準によるCFC所得のふるい分け

従来の適用除外基準に相当する4つの基準は、外国関係会社が「対象外国関係会社」及び「部分対象外国関係会社」に該当するかどうかのスクリーニング機能を果たす役割を与えられ、新たに経済活動基準と改称された。

経済活動基準の議論は、BEPS勧告では、CFC所得のとらえ方の実質分析のところで論じられている。そこでは、外国関係会社が実質的な活動を行ったかどうかを判定して、閾値テストあるいは比例分析テストとして活用する実例が紹介されている。その際には、外国関係会社の活動が根底にある実体から切り離されているかどうかを実質的に判定することになり、これを厳密に行えば、コンプライアンスコストが許容限度を超える懸念があった。そこで、外国関係会社自身が所得を取得する能力があるかどうかを問う上では、実質分析は所得類型別分析と併用されたり、より機械的なルールとともに用いられるのが通常であったと紹介されている。

我が国の経済活動基準は、従来、適用除外基準の呼称の下、事業基準・実体基準・管理支配基準・所在地国基準（又は非関連者基準）の4種のテストをコンプライアンスコストを軽減できるより機械的な閾値テストとして運用されてきた。ただし、外形標準に従いオールオアナッシングで振り分けるがゆえに、新しいビジネスモデルが登場するたびごとに解釈での対応が困難となり、追加的ガイダンスを立法で付加せねばならない宿命にあった。

今回の改正は、名称を変更して、①これを全て満たすグループ、②一部満たすグループ、さらには③この審査に及ぶ必要もないほど実質がないグループの3種に区分して、合算所得の範囲を質的に区分する（②と③については会社単位での所得合算、①については受動的所得合算）という方式を明確にした。勧告が示す比例分析テストとしての性格を付加したと評価される。ただし、そのままではコンプライアンスコストが改正前に比べて膨大なものとなるので、従来はトリガー税率が果たしてきた事務負担軽減の特例を別途、適用手続の最終段階で持ち込み、納税者の救済を図っている。

BEPS報告が勧告するコンプライアンスコスト問題への対応は、平成28年大綱が指摘した「租税回避の防止と日本企業の競争力のバランスの確保」という制度設計の趣旨とも整合的であり、改正内容は、適用除外基準の執行に

130　　第5章　外国子会社合算税制（タックスヘイブン税制）

習熟した本邦多国籍企業の要望にも沿った適切な選択肢であったと判断される。

(4)　キャッシュボックス法人等に対する手当

改正により、キャッシュボックス法人等は、「特定外国関連会社」として、4種の経済活動基準を個別適用する前で別途ふるいにかけ、最大級の合算対象範囲を持つ外国関係会社として位置付けられた。改正法における質的管理で最もBEPSリスクの高い領域との位置付けであるが、これはBEPS勧告が随所でキャッシュボックス法人に言及し、これへの対応をCFC税制にとってのBEPS防止の重要課題としていることに応えたものといえる。

ここで、キャッシュボックス法人等は、次の3種類のものと定義された。

・　経済活動基準のうちの実体基準と管理支配基準の双方を満たさない外国関係会社（ペーパーカンパニー）

・　その総資産額に対する受動的所得金額の比率が30％を超える外国関係会社であって、総資産に占める有価証券・貸付金等の資産の合計額の割合が50％を超えるもの（狭義のキャッシュボックス法人）

・　情報交換に関する国際的な取組みへの協力が著しく不十分な国・地域(注156)として財務大臣が指定する国・地域に本店を有する法人（ブラックリスト国所在法人）

これらのグループについては、会社単位の合算課税対象とし、さらに、事務負担軽減特例の適用の閾値も、他の2グループの閾値（実効税率20％）と異なり、実効税率が30％と高く設定されている（すなわち実効税率30％以上でなければ事業体単位での合算を免れないとの扱い）。

なお、キャッシュボックス法人等の指定において、英国が採用するホワイトリスト方式とは別のブラックリスト方式が、部分的ではあるが我が国CFC税制で25年ぶりに復活した(注157)。法人税実効税率が最も高い水準にある国

（注156）　G20では、税の透明性確保の国際協調に協力的でない国への対抗措置として、2017年の時点で非協力国としてブラックリストに載った国にある子会社の所得についてキャッシュボックス法人相当の取り扱いをするという制裁色の濃い政治的判断を公表している。

（注157）　1992年改正で、それまではタックスヘイブン税制の適用子会社所在地につき財務大臣告示で公表していた制度（いわゆる旧ブラックリスト方式）を、25％以下のトリガー税率による閾値設定に取り換えている。

の一つである我が国にとって、法人税引下げ競争の中にある諸国をCFC税制対象国としてブラックリスト方式により抽出することは、技術的にも外交面でも困難であり、国際協調の後ろ盾のある今回のブラックリスト方式は、唯一可能な個別指定方式と考えられる。

追って、ホワイトリスト方式に関しては、英国のように日、米、独、仏など6か国に限って指定する限定的リスト方式から、租税条約締結国全体を対象とする緩やかなものまで多様なものが考えられるが、後者を採用することについては、租税条約締結の判断とBEPS防止の必要性の判断にはギャップがあると考えられるので、BEPS勧告の趣旨に沿ったものとは考えられない。また限定的なリストアップも、各国の法人税税率競争が進行しつつある環境下（注158）では適切なポリシーと考えられず、今回の改正で触れなかったことは賢明であったと考える。

(5)　事務負担軽減の仕組み

改正法は、子会社所在地国の実効税率を、従来、制度適用の入り口で外国関係会社認定の条件と位置付けていたものを、言わば制度適用の出口で事務負担軽減の観点から援用し、一定のグループにかかるコンプライアンスコストを軽減するものである。従来の制度の下で過大合算や過小合算をもたらす原因とされた事業体別の制度適用入口要件（トリガー税率）の廃止により、子会社の活動内容を踏まえた合算対象所得の特定（受動的所得）が可能になった。当該改革により、実効税率の参照を入口で行う意義は失われたが、多国籍企業にとっては、実効税率によるコンプライアンスコストの軽減が行われる限り、入口でも出口でもその効果に有意な差はなく、改正に向けた要望の重要部分が充足されたと感じているのではと思料される。

ただし、部分対象外国関係法人にとっては、今回の改正が受動的所得として網羅的な整理を図り、従来の限定的な資産性所得概念を拡大していることから、一定の追加的な事務負担が発生する。しかし、それらについても実効税率20％未満に限るとされており、かつ少額免除措置が拡充された（1000万円以下から2000万円以下へ）ことによって、適用対象は合理的な範囲内にと

（注158）　2017.4のトランプ政権の法人税改革案では、米国の法人税率を15％（昨年の共和党案では20％）まで引き下げるとしており、米国も法人税率引下げ競争の先頭に立っているとみられる。

どまるものと見込まれる。

この措置も、BEPS勧告が主張する事務負担とのバランスの趣旨に即した処方箋であり(注159)、いわゆる比例原則に配意した措置である。

4　改正法のその他留意点

(1)　外国関係会社の定義における持株割合

居住者・内国法人等が合計で50%超を直接・間接に保有するとの要件について、移転価格税制と同様な実質支配基準を追加導入したが、孫法人以下の持株割合の計算方法も掛け算方式から50%超による支配継続方式へと変更された。さらに50対50の持分比率の場合に、相手国法人の少数株主中に一人でも本邦株主がいると50%超になるという問題に対処するため、当該少数株主は計算から除外することとされている。前者は、形式的な従来の50%超基準をすり抜ける租税計画に対応する当局のニーズに答えるものであり、後者の措置は、実質的に支配力を行使しえない状況を適用対象から外すもので納税者の要望を組み入れたものである。

(2)　経済活動基準のビジネスモデルに即した改善

ア　位置付けの修正

従来はトリガー税率で絞り込まれた合算対象の「特定外国子会社」について適用されてきた4種類の適用除外基準は、前述したとおり、基本的構造を維持したまま、新たに「経済活動基準」の名称の下で外国関係会社の会社単位での合算対象となるか所得別の合算対象となるかの審査基準に変質した。すなわち、経済活動と一致しないタックスヘイブン子会社帰属所得を合算対象としてカテゴリカルに絞り込むうえで「経済活動基準」の働きが強化されたとも理解できる（4基準の全てを満たす場合は、主たるターゲットである一定の受動的所得の部分合算のみを行い、いずれかを満たさない場合は、例外的に会社単位の合算課税制度へ進むという交通整理）。

ただし、BEPS報告書がターゲットとしてきたペーパーカンパニー、事実上のキャッシュボックス法人及び前述のブラックリスト国に所在する法人については、「特定外国関係会社」として経済活動基準の4要件全部の審査を待つまでもなく即会社単位の合算課税へと進むこととされている。

（注159）　前掲（注142）第1章パラ10

第5章　外国子会社合算税制（タックスヘイブン税制）　　133

　　イ　懸案であった実体ある企業の経済活動への配慮等

　改正前に過大合算の懸念があると産業界から批判されてきた以下のケース
について、経済活動基準の改正の形で、救済措置がとられた。すなわち、①
香港法人の華南での来料加工にかかる製造業は所在地国基準を満たすことと
されたこと、②アイルランド等で実体のある航空機リースを行うリース会社
は事業基準を満たすものとされたこと、③外国の法令に準拠して銀行業等を
行う外国関係会社で、事務所等を有し一定の要件を充足する金融機関が得る
一定の所得については合算対象外とすること、等である。

　また、租税回避防止の観点からは、非関連者間において取引対象となるも
のが、その後関連者に移転等されることがあらかじめ定まっている場合には、
関連者との間で直接行われたものとして、非関連者基準を適用するとの改正
も追加されている。

　　ウ　コンプライアンスコストに配慮したde-minimis基準等

　経済活動基準により受動的所得の部分合算を行うこととされる外国関係会
社のうち、①一定の受動的所得が2000万円以下（改正前法では1000万円以下）
又は税引前利益の5％以下である場合と、②それを超えていても実効税率が
20％以上である関係会社については、部分合算課税の制度適用免除を認める
こととしている。この仕組みは、BEPS勧告がベストプラクティスとして指
摘するカテゴリカルアプローチと実質アプローチのハイブリッド構造とも整
合的であるが、同時に、我が国においては、改正前の20％トリガー税率が果
たしていたコンプライアンスコスト削減効果を事実上引き継ぐものとして、
産業界からは評価されている。

　なお、キャッシュボックス法人等の会社単位の合算へと進む関係会社につ
いても、税負担30％以上であれば我が国との実効税率差が少なく租税回避リ
スクを懸念する必要がないものとして制度適用を免除するとの特則が設けら
れた。

　　エ　一定の受動的所得の拡大

　改正前には、適用除外法人についても特定所得と呼ばれる一定の資産運用
的な所得について合算対象とされてきた。これに対して、カテゴリカルアプ
ローチを採る改正法は、部分合算対象とする受動的所得につきBEPS防止の
観点から明確な拡充を図っている。その主なものは以下のとおりである。

134　第5章　外国子会社合算税制（タックスヘイブン税制）

・　配当（保有割合25％未満の配当。ただし一定の資源投資法人について
　　は10％未満に引下げ）
・　利子（通常の業務過程で得る預金利子、一定のグループファイナンス
　　にかかる貸付金利子を除く。）
・　有価証券の譲渡益（株式については保有割合25％未満のものに限る。）
・　外国為替差損益（事業にかかる業務の通常の過程で生ずるものを除
　　く。）
・　無形資産・有形資産の使用料・貸付対価等（自己開発無形資産にかか
　　るものを除く。）
・　外国子会社に発生する根拠のない異常な利益

　なお、最後の「根拠のない異常な利益」は、デフォルト・バスケット条項
のような表現となっており、BEPS報告書における超過利益分析(注160)との近
似性をうかがわせる。しかし、その制度設計においては、資産・人件費・減
価償却費の裏付けのない所得という枠組みで審査することとしており、裁量
的な運用ができない立法的工夫が施されている。

5　改正内容の評価と今後の課題

　今回の改正は、理念的には受動的所得に焦点を当てたBEPSリスク対応の
理念に沿った構造的改革であり、租税回避リスクを外国子会社の個々の活動
内容により把握するといういわゆるインカムアプローチを明確化した点で、
租税回避防止規定としての外国子会社合算税制の精緻化が進んだものと評価
される。また、理念的には明確なものの執行コスト負担が大きい所得の種類
別アプローチにつき、従来トリガー税率が制度適用の入口で果たしてきた機
能を制度適用免除の出口処理基準に変更した点は、実務への配慮として評価
されよう。タックスヘイブン税制に常に求められる二つのニーズ（的確な租
税回避防止機能の発揮と健全な事業競争力のサポート機能の維持）をめぐる
我が国の歴史的努力の延長線上での改革としては、内外の利害関係者を納得
させ得る内容と思われる。ただし、改正に当たって目指してきた「複雑化し

（注160）　超過利益分析は、現在まだどの国のCFC税制でも採用されていないが、他の2分
　　析とともに勧告で取り上げられた。米国で改正案として提起されたことがあり、CFCが
　　軽課税国で取得した所得のうち、通常利益を超える部分を合算対象のCFC所得とみなす
　　方法である。

すぎてきたタックスヘイブン税制の簡素化」の掛け声は当面背後に退き、今後の課題として残された。

また、各論面では、グローバルベースで拡大するM&Aに伴い偶発的にグループ内に取り込まれた低課税国関連会社について、本税制適用の時間的猶予が与えられていない現行法等、未解決の課題も残っている。

第6章

利子控除制限税制（過少
資本税制及び過大支払利
子税制）

138

第1節　制度の趣旨

　BEPSプロジェクトにおいて、多国籍企業のアグレッシブな節税を図る租税計画に対する国内税法上の対抗策として焦点を当てられている処方箋の項目は、移転価格税制、外国子会社合算税制、及び利子控除制限税制の三者である。

　本章ではそのうち我が国も平成24年度改正で導入した利子控除制限税制を取り上げる。これはグループで稼得した資金を低税率国に組成した関連会社に集中させ、そこから必要な資金をグループ内の稼働法人に貸し付け、稼働法人の課税所得を損金算入となる利払費用で圧縮するとともに、当該圧縮された所得を低税率国関連会社で利子収入として収受するというような租税計画に有効に対抗し得る税制としてBEPS行動4で取り上げられたものであり、2015年10月に各国が連携して取り組むべき同税制のモデルがOECD租税委員会の最終報告書により公表されて国際ビジネスの注目を浴びることとなった(注161)。

　この税制は、資本取引である出資の対価の配当は法人税納付後に払い出す（損金不算入）が、他方で、損益取引である金銭貸借の対価の利子は法人税の課税所得計算において費用控除項目として払い出す（損金算入）ことを認めるという伝統的な法人税計算のルールを修正するものである。したがって、外国法人と内国法人の課税所得計算方法について差別的取扱いを禁ずる租税条約の無差別取扱条項（OECDモデル条約24条）の適用を考慮すると、税制の性質上は、国境を越えた利子支払にとどまらず国内納税者間で授受される支払利子の控除可能性も検討の対象とせざるを得ない環境にある。

　まず、BEPS最終報告書の問題提起を紹介した上で、法人税の課税ベースの確定に際しては利子控除を認容することに強固な理論的根拠が必ずしもあるわけではないことを各国法制選択の状況や理論的研究成果に照らして確認

(注161)　BEPS最終報告書"Limiting Base Erosion involving Interest Deductions and other Financial Payments（2015.10）"。なお、行動4は、グループ間金融取引に適用される移転価格ルールも検討課題に設定しているが、これは別途取りまとめることとされている。

し、次いで、各国において自国の課税ベースを守る観点から立法されている
利子控除制限諸規定を参照しつつ、最後に我が国の過少資本税制と過大支払
利子税制の概要を、BEPS防止のための処方箋としての有効性の検証を行い
ながら紹介するものである。

第2節　BEPS最終報告書による問題提起

1　利子控除を利用した租税計画の事例[注162]

　最終報告書は、多国籍企業による利子控除を利用した不当な租税計画の事
例として、対外投資と対内投資に分けて事例を解説しており、その事例は本
章が目的とする2つの国内法制が対象とする納税者の状況を的確に示したも
のであるので、まずその紹介から始めよう。

　2つの事例とも、異なる課税管轄に存在する親子会社A、Bの下で、子会社
Bが100の事業用の資金を用いて15の利得を稼得するビジネスモデルを前提
としている。行動4の報告書では、流動性と価値を表象する性格ゆえの金銭
の個別識別困難性（fungibility）という特徴のため、国境を越えたグループ企
業における利子控除の利用は深刻なBEPSをもたらしている最もシンプルな
類型であり、特に国内でのみ事業を行うグループとの間の競争中立を害して
「資本保有中立性」の要請に悪影響を及ぼすとして、ベストプラクティスに
よる政策協調の必要性を指摘している[注163]。

（注162）　この事例は、Michael Graetz教授の論文（A Multilateral Solution for the Income
　　Tax Treatment of Interest Expenses）から引用されているが、当該論文の邦訳について
　　は、青山慶二「所得課税における利子費用の取扱いの多国間解決方法」租税研究2009年
　　11月号P.172参照。
（注163）　前掲（注161）P.15

第6章 利子控除制限税制（過少資本税制及び過大支払利子税制） 141

(1) 対外投資のケース

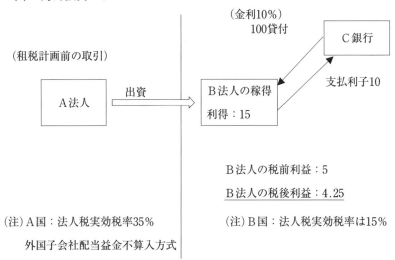

➤ A法人・B法人のトータル税後利益：4.25

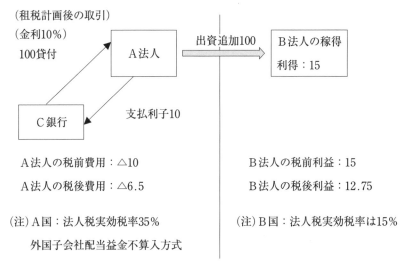

➤ A法人・B法人のトータル税後利益：12.75－6.5＝6.25 ＞ 4.25（租税計画前の利益）

(注) この対外投資のケースは、A国を我が国とみた場合の過大支払利子税制が適用されるケースに相当

(2) 対内投資のケース

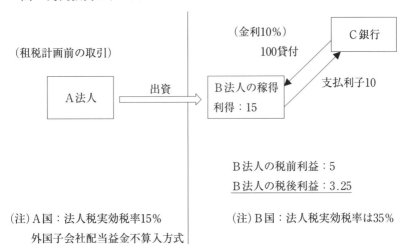

➤ A法人・B法人のトータル税後利益：3.25

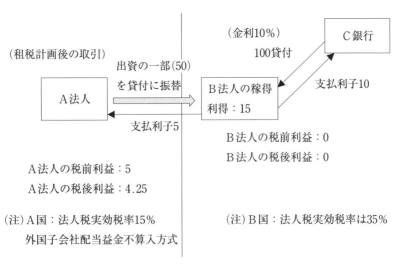

➤ A法人・B法人のトータル税後利益：4.25＞3.25（租税計画前の利益）

第6章　利子控除制限税制（過少資本税制及び過大支払利子税制）　143

　なお、上記事例では、A法人による貸付振替を100まで引き上げた場合には、B法人による超過の支払利子控除はB法人のその他の所得から控除できることとなり、結果としてマイナスの実効税率を享受し得ることになるとしている。
（注）　この対内投資のケースはB国を我が国とみた場合の過小資本税制が適用されるケースに相当。

2　BEPSを引き起こすデットファイナンスの問題点

(1)　借入調達した資金運用がもたらす内・外投資の差別的取扱い

　上記の事例でも明らかなように、グループ内の必要資金を親会社が集中的に借入調達した場合には、①親会社所得からの利子費用の控除による租税計画が可能であり、②子会社の利子所得がその後親会社に回収される際の親会社所在地国での優遇税制（我が国の外国子会社配当益金不算入制度など資本参加免税の享受、配当減免税率の適用、又は配当までの課税繰延）の利用も可能となる。他方、子会社が過大な借入調達をした場合には、子会社所在地国（所得源泉地国）の課税ベースを縮減する租税計画が可能になる。

　国内で完結するグループ間金銭貸借では、利子の支払者と受領者のいずれもが同一課税管轄に属するため、所得の移転は行われるものの国境内のグループ総所得金額に変わりはないため、上記のような課税上の弊害は大きくはないが、利払者の課税扱いが異なる国境越えの状況下では、明らかな競争条件のかく乱が認められる。BEPS最終報告書は、まずこの点の是正の必要性を利子控除制限税制の立法趣旨としている。

(2)　各国が採用している対抗策の多様性と多国間協調の必要性

　最終報告書が指摘するところによれば(注164)、国内法での対応は、①事業体が控除可能な利子について包括的な限度額を設ける方式と、②特定の租税計画を防止する目的で利子控除制限を個別否認規定で規定する方法の2通りがあるとされている。それらは個々に見れば目的を達成しているものも認められるが、全体的な評価とすれば、金銭の個別識別困難性や金融資産の柔軟性ゆえに規制の回避がグループ企業によって容易に行われている状況が認められるとしている。また、しっかりした利子控除規制を行う国に立地する企業

（注164）　前掲（注161）P.8パラ5

が、それを行わない国の企業と比較して、競争上不利をこうむることも懸念されている。

したがって、求められる解決方法は、利子控除制限についてのベストプラクティスを各国税制の経験の中から特定し、各国がその制度のもとに国内法制を統一するしかないというのが、最終報告書のスタンスである。そしてその際のベストプラクティス選択に当たっての判断要素は、新たな二重課税の発生を防止し得るか、執行当局と納税者にとってのコンプライアンスコストを最小化できるか、経営の安定性を促進し予測可能性を確保できるかにかかっているとしている[注165]。

第3節　法人税法における利子費用の取扱い

1　シャウプ勧告による制度の立てつけ

我が国の法人税は、シャウプ勧告に基づき株主の所得税の前取りの位置付けで構成されたという経緯もあり、受取配当に関する二重課税排除措置を備える他、配当可能利益を計算する制度会計を出発点として課税所得の計算を行う構造を有している（法人税法22条及び74条に基づく確定決算主義）。そのような現行法の仕組みからは、別段の定めによる膨大な修正が行われることを留保するとしても、借入資本の対価である支払利子は損金算入とし、株主出資の対価である配当は法人税納付後の税後所得からの払出しとして損金不算入とする枠組みが、長い間当然の前提とされてきたと考えられる。

ただし、そのような前提の下でも、会社からの株主への払出しが配当を構成するのかどうかについては、必ずしも、法的外形にのみ依存した判断が行われてきたわけではなかった（株主優待金事件最高裁昭和35年10月7日判決（判時238・2））。ただ、借入か出資かの区分で訴訟になった事例が小規模閉鎖会社に係る限定的なものであったためか、欧米のように実質主義による資本と借入との区分の法理が成長していたとは言い難いと思われる[注166]。

（注165）　前掲（注161）パラ10—12　P.18-19
（注166）　吉村雅穂「法人税という課税方式(1)」法学協会雑誌120巻1号P.25

2 我が国での税制改正によるアプローチ

我が国で上記のような法人税の常識に実定法上の修正が加えられた第1歩目は、平成4年改正で導入された過少資本税制であった。しかし、過少資本税制は、その構造上、①外国親会社に対する過大な支払利子等に限定して、②限度超過支払額を言わば子会社の利益処分とみなして否認する一方、③親会社の所得計算には全く影響を与えることはないものとされており、その意味では、国際課税の特定の環境下でとられた個別の租税回避否認規定であり、法人税法の準則に対する修正とまでは評価できないものであった。

これに対して、平成24年度改正で導入された過大支払利子税制は、①利子受領者の課税状況とも連動し、②かつ過大利子として控除が否認された額については、将来年度において繰越控除を認め、③親会社等において受取が法人税の課税対象とされている場合の免除措置を講じている点で、法人課税一般に当てはまる準則の性格を有しているとも評価されるものである。

3 各国の対応

(1) 主要国の利子控除税制

平成24年度改正に関する財務省資料等によれば、主要国における利子の損金算入制限制度は大要次の3類型に分類されるとされている。

① 調整所得の一定割合を超える関連者等からの過大借入にかかる支払利子の損金不算入

このカテゴリーに属するのは米国（1989年のアーニング・ストリッピング・ルール）、及びフランス（1991年過小資本税制）の制度であり、その代表である米国制度（内国歳入法163j）条）の概要は以下のとおりである[注167]。

・控除制限の対象となる利子の支払先

国境の内外を問わず、関連会社（親、子、兄弟の全て）と個人株主が対象となる。なお、当該債務につき関連者による保証がある場合等では、非関連者に対する利子支払も対象とされている。

・損金不算入額

非適格利子（関連者等への支払利子で米国で課税対象とならないもの）と、

（注167）　国際租税学会（IFA）年次報告書（2012）中のDiane Ring報告（Cahiers, Vol. 97b）P.771

調整所得金額の50％を超えるネット支払利子のいずれか少ない金額。ただし、負債・資本比率が1.5：1以下の場合には、控除制限の適用なしとしている。

　全体的にみると、受領者の手元においては米国の課税対象とならない支払利子（外国法人向け又は国内の非課税法人向け等の支払利子）と支払法人の課税ベースを著しく浸食する支払利子をターゲットとしつつ、過少資本税制で閾値として用いられる負債・資本比率を一種のセーフハーバー（適用除外基準）として制度設計したものといえる。

（注）　フランスの過少資本税制では、調整所得金額の25％を超える支払利子を対象としている点で、米国以上に厳しい閾値を置いている。

　　　　なお、米国財務省は、2015年2月に発表した2016年度税制改正案において、BEPSの討議文書がオプションの一つとして提示しているグループワイドテストの導入を提案している[注168]。

②　利子の支払先いかんにかかわらず一般的に調整所得の一定割合を超える過大借入にかかる支払利子の損金不算入

　このカテゴリーに該当するのはドイツ（2008年利子控除制限制度）であり、利子支払先の要件を外し調整所得の30％を超える支払利子につき一般的に控除を否認するものであり、法人所得計算の準則ともいえる措置である点に特徴が認められる[注169]。すなわち、30％の閾値は、我が国の外国税額控除の限度額管理と同様、限度超過額の将来年度（無制限）における控除可能性の保証とともに当年度の未使用枠の将来年度における活用（5年間）も保障されている。

　ただし、当制度の下においても以下のセーフハーバーが認められている。

　a　ネット利子費用が300万ユーロ未満である場合

　b　利子支払法人がグループ法人の一員でない単独法人の場合

（注168）　米国財務省"General Explanations of the Administration's Fiscal Year 2016 Revenue Proposal"P.10。なお、同提案においては、現行のアーニング・ストリッピング・ルールが設定する利子控除の量的制限のみでは、グループ全体に比べて借入レバレッジを相対的に利かした米国子会社による税源浸食に対抗できないためであると指摘している。2016税制改正案では、このほか19％の国外所得に対するミニマムタックスも提案されており、国際課税に関する限りBEPS対応策を網羅したパッケージとなっている。

（注169）　前掲（注167）中のFischer Lohbeck報告P.319

c　利子支払法人の直前事業年度の負債・資本比率が、自己の所属するグ
ループ法人全体の負債・資本比率以下である場合
(注)　上記 b 及び c のセーフハーバーについては、利子の支払先が当該法人
の株式を25％超保有する場合を除くとされている。
③　利子の支払先いかんにかかわらず一般的にワールドワイドの外部借入に
かかるグロス支払利子を超える場合の損金算入制限
　　この方式を採用したのはイギリス（2010World-wide Debt Cap）であり、
支払先についてはドイツ同様限定していないものの、金融立国であるイギ
リスが当該産業に配意しつつBEPS防止の観点から制度設計を行ったもの
として注目される。なお、英国は早い段階から過少資本税制を廃止し移転
価格税制に統合しており、課税ベース浸食に対する本制度の重要性は高い。
　　その仕組みは、グループ法人の一員である英国法人のネット支払利子に
着目し、これがグループ全体の外部借入にかかるグロス支払利子を超過す
る場合、当該超過額の損金算入を制限するというものである。全世界の外
部借入コストを超える利子の損金算入を認めないとの方法は、BEPS討議
文書の提起するオプションの一つであるグループワイドテスト（グループ
の全世界ベースでのネット第三者借入利子を利得や資産に応じて配分する
方法）の執行困難性に着目した一種の変形とも考えられる。
　　以上の3類型の観察により、課税ベース浸食から法人税収を守る観点か
ら、既に各種の利子控除制限措置が制定法上拡大しつつあることが確認で
きた。
(2)　新しい法人税制の模索と利子控除の議論
　更に最近の税制改革論議の中では、株主資本と借入資本の法人税法上の取
扱バイアスを解消する方式として、包括的事業所得税構想（CBIT）と資本控
除税制構想（ACE）が提起され、その制度設計において、以下のとおり利子
控除の問題が検討されている。
①　包括的事業所得税構想（CBIT）
　　1992年米国財務省が提唱したもので、法人税制において利子損金算入を
廃止することによって、支払利子を配当とともに法人税の課税ベースに含
めて課税する方式である。すなわち、利子・配当は法人段階での課税で終
了させてしまおうという考えであり、当制度の下では、利子・配当は受領
する個人納税者段階では課税する必要がなくなる。法人税・所得税の統合

や直接金融と間接金融の取扱いの中立化など、経済学者の問題意識を反映した抜本的な改革案であり、いわゆる二元的所得税の発想につながるものとも評価されている(注170)。ただし、本制度を実行に移している国は現在のところみられず、また、この制度の下では、受領者の段階で適用されるべき累進税率は適用されることはないので、所得課税の公平性の問題が解決されないと指摘されてもいる(注171)。

② 資本控除税制構想(ACE)

1991年英国の税制諮問機関であるIFSが提示したもので、CBITとは対照的に、株主資本についても借入金と同様みなしの支払利子の損金算入を認めようとするものである。この制度の導入は、クロアチアやベルギーに始まり、その後イタリア、ブラジルにまで拡大している。現実に支払われる配当金額をそのまま損金算入させるのではなく、概念上の金利である帰属利子率(株式投資に対するリスクプレミアムを除いた利子率)を正確に計算するという技術的困難性はあるものの、投資形態の中立性を確保するとともに、源泉地国にとっては自国への投資インセンティブにもなるということで導入が拡大したものと思われる。

一方、株主段階での個人課税の徹底が求められることとなり、グローバル化した環境の下では個人所得捕捉のための強固な仕組みが必須とされよう。

③ 2017トランプ税制改革で検討された利子控除制限案

2016年下院共和党改正案(Brady案)では、法人税改革の一環としてキャッシュフロー課税方式が提案された。そこでは資産取得に際し即時償却を認める一方、そのファイナンスコストである純支払利子(支払利子マイナス受取利子)について一切損金算入を認めないとされている。2017年4月のトランプ政権の改正リストでは言及されておらず、今後の動向が着目されている。

以上最近の投資中立性確保を目指した法人課税改正案においても、いずれも利子控除の制限は有力な制度設計の一部となっており、利子控除の制限が租税回避行為防止の観点のみならず、法人税の制度設計においても決

(注170) 森信茂樹「グローバル経済下での租税政策」フィナンシャルレビュー102号P.16
(注171) 浅妻章如「利子控除について」グローバル時代における新たな国際租税制度の在り方2015.4 21世紀政策研究所報告P.15

第6章　利子控除制限税制（過少資本税制及び過大支払利子税制）　149

してタブーではなくなっていることが観察できた。次節においては、上記のような環境下で設計された我が国の2つの利子控除制限税制の詳細を解説する。

4　過少資本税制

　租税特別措置法66条の5は国外支配株主等にかかる負債の利子等の課税の特例として、過少資本税制を規定している。その構造は以下のとおりである。

(1)　適用対象法人

　法人税の納税義務のある内国法人で、国外支配株主等（資金供与者等も含む。）に対して負債の利子等を支払う法人とされている。したがって、日本に設立された子会社・孫会社等の外資系法人（内国法人）だけではなく、海外に姉妹会社がありそこからの借り入れが大きい本邦法人も適用対象とされる。なお、国内において事業を行う外国法人が支払う負債の利子についても過少資本税制が準用することとされてきたが（措法旧66の5⑩）、平成26年改正で導入された外国法人についての帰属主義原則により、恒久的施設に帰せられるべき資本に対応する負債利子の損金不算入制度が設けられたため、準用規定は削除されている。

(注)1　「国外支配株主等」とは、我が国の法人と50％以上の出資その他特別の関係にある非居住者又は外国法人を指す。なお「その他特別の関係」の内容は、取引や資金調達の依存関係、役員の兼務等、移転価格税制上のそれとほぼパラレルに規定されており（措令39の13⑫）、この点も過少資本税制が移転価格税制の姉妹税制と位置付けられるゆえんである。

　　　2　「資金供与者等」とは、国外支配株主等が第三者を通じて資金供与する場合や、第三者に対する債務保証や債券の担保提供により第三者が資金供与する場合など、第三者を通じた間接的な資金供与が行われた場合の資金提供者である。

(2)　適用要件

　この制度の適用対象となる内国法人等は、各事業年度の下記の比率のいずれもが、3倍を超える場合に原則として限られることとされている。

①　国外支配株主等に係る利付負債・自己資本持分比率

$$= \frac{\text{当該事業年度の国外支配株主等に対する利付負債に係る平均負債残高}}{\text{当該事業年度の国外支配株主等の当該内国法人に係る自己資本持分}}$$

② 内国法人等の総利付負債・自己資本比率

$$= \frac{当該事業年度の総利付負債に係る平均負債残高}{当該事業年度の自己資本の額}$$

ただし、3倍の閾値に関しては、独立企業原則に基づき類似法人の負債・資本比率に置き換えることが許容されている（措法66の5③）。この場合に置き換えるのは、業種・業態、規模、自己資本の額など諸々の状況が類似する法人の比率でなければならない。

我が国が締結する租税条約には、9条に独立企業原則が掲げられており、かつ同24条には内外資間の無差別取扱原則が規定されている。もし3倍の定率のみを閾値として国外支配株主等からの借入のみを対象とした過少資本税制を国内法として設計した場合には、条約違反の非難を受ける可能性が高いというのが独立企業原則による修正を許容した立法趣旨と考えられる[注172]。

(3) 損金不算入額の取扱い

損金不算入額は、上記倍率を超える借入に対応する部分の借入にかかる利子である。これにより、損金不算入とされた利子は、支払者に対する法人税課税に当たっては、申告書上所得加算され社外流出となる。一方で、受取者に対する課税については、配当とみなすこととはされておらず、利子扱いのままなので所得税の源泉徴収は配当ではなく利子として行えばよい。

(4) 制度の運用状況と評価

制度導入時の税制調査会答申[注173]によれば、過少資本税制は、対内直接投資が着実に増加しつつある状況の下で、既に発生している課税ベースの浸食への対応というより、むしろ将来予測される当該リスクへの予防策としての立法であったと推測される。この点については、先行した移転価格税制の立法（昭和61年度）が、米国での本邦企業に対する移転価格課税（トヨタ、日産等を対象とした大型事案等）が本格化し、相互協議の経験の機会等を通じて我が国でも移転価格の適正課税の必要性が痛感された状況の下で立法されたものであったのと、好対照をなしているといえる。

事実、過少資本税制の立法後も、国税庁レポートなど記者発表資料に課税

（注172） OECDモデル条約のガイダンスをみると、24条に関し1986年の"Thin Capitalization Report"が9条との整合性を要求しており、また、9条コメンタリーでも、パラ3において過少資本税制の独立企業原則適合性についての要請事項を取りまとめており、我が国制度設計もこれに配意したものと考えられる。

（注173） 政府税制調査会「平成4年度税制改正答申」P.6

第6章　利子控除制限税制（過少資本税制
　　　　及び過大支払利子税制）　　　　　　　151

内訳として調査事績が報告されていないことなどからみて、現在に至るまで適用事例はごく限られたもののようである。この背後には、確かに過少資本状況下での借入利子を利用した租税計画のリスクは抽象的には認められるものの、①支払利子については、租税条約で減免規定がない限り我が国が支払時にグロスベースで源泉徴収義務を課しており、租税計画上のうまみは過少資本のみでは達成されそうにないこと、②3：1という負債・資本比率の閾値は、諸外国に比べて高めに設定されており、納税者にとって柔軟性があると評価されたこと(注174)、③投資収益の受領者側の課税に関しては、利子がそのまま課税収入金額に計上されるのに対して、配当の場合には二重課税廃止の観点から、外国子会社配当益金不算入制度又は間接外国税額控除が適用され税負担の軽減が見込まれることから、配当を利子に振り替えるうま味は限られていること、④我が国で子会社形態等で事業運営をする外国多国籍企業の本拠地は、（タックスヘイブンなど軽課税国に本社を移転した場合を除き）通常高税率国であり、我が国との法人税の実効税率において大差はなく過少資本を利用した租税計画のうま味はあまりなかったことなどの事情があったと推察される。

　ただし、前掲したBEPS討議文書や米国税制改正文書に見られるとおり、租税競争の本格化の下法人税率の引下げが活発に行われ、また、「ダブルアイリッシュ・ウィズダッチサンドイッチ」(注175)のスキームにみられるように多国籍企業の租税回避策が複雑・巧妙化している現状の下では、容易に現行の過少資本税制の規制を潜り抜けて所得移転が行われていると見ざるを得ず、伝統的な過少資本税制のみでは利子控除を利用した所得移転に対して有効な施策とは言えないことが明らかになっているものと判断せざるを得ない。

5　過大支払利子税制

(1)　導入の経緯

　我が国が平成24年改正で導入した過大支払利子税制は、上記の問題意識の

(注174)　羽床正秀「過少資本税制の問題点」水野忠恒編著『国際課税の理論と課題〔二訂版〕』（税務経理協会、2005）P.157
(注175)　このスキームでは負債・利子支払に代えて無形資産の供与・ロイヤルティ支払が租税計画の中心を占めているが、その租税回避の構造は負債と利子の利用の場合と共通している。

下で制度設計されたものである。すなわち、支払利子を利用して所得移転を実現させる租税計画に対する諸方策のうち、①過大な利率を設定する方法に対処する移転価格税制、②資本に対して過大な負債構造の下での利払いに対処する過少資本税制、という既存の税制が制御できなかった領域に対応する最後の切り札とも言える③所得金額に比して過大な利子支払に対処する利子控除制限措置である(注176)。すなわち、関連者純支払利子等の額が調整所得金額の50％を超える場合には、その超える部分の金額を当期の損金に算入しない制度として設計された。

　なお、導入の背景には、我が国を含めた先進国の最近の租税条約ポリシーとして、国際的な投資促進を図るために利子の源泉地国免税条項を改定条約に盛り込むことが一般化している事情（我が国は日米条約において利子の原則免税化を2013.1議定書署名により実現）があることも指摘しなければならない。利子の原則免税化は、前記4の(4)で過少資本税制の利用が少ない理由の一つとして挙げた③の事情（利子支払には源泉徴収が付随すること）を変更し、支払利子による税源浸食の懸念を増幅するからである。

(2)　関連者純支払利子の控除制限という基本構造

　本税制を規定する租税特別措置法66条の5の2は、関連者等にかかる支払利子等の損金不算入として紹介されているが、相前後して規定している移転価格税制（措法66の4）、過少資本税制（措法66の5）、外国子会社合算税制（措法66の6）とは異なり、適用対象法人を特定することはなく（すなわち全法人が潜在的な適用対象者である。）、関連者支払利子の額がある場合に法人全体に一般的に適用される規定ぶりとなっている。すなわち、支払者につき内国法人と外国法人の別を問わず、かつ、関連者支払利子の相手先についても内外無差別で規定されている。

　ただし、対象債務を関連者間債務に限っている点で、前記3でみた諸外国の利子控除制限規定の中では、①の米国アーニングストリッピングルールに類似した制度といえよう。以下にその概要を紹介する。

(3)　調整所得金額を参照した損金算入限度額の計算

　財務省の税制改正の解説では、次の図で損金不算入となる過大支払利子が算定されると解説されている。

(注176)　財務省「平成24年度税制改正の解説」（財務省ウェブサイト掲載）P.558

第6章　利子控除制限税制（過少資本税制及び過大支払利子税制）

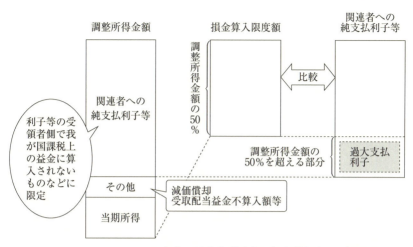

出典：財務省「平成24年度税制改正の解説」P.559

ア　関連者への純支払利子等

関連者間の利子を特定する場合の関連者の定義は、移転価格や過少資本税制のように「国外関連者」や「国外支配株主」という「国外」の限定がついていない以外は、関連性についての定義は、過少資本税制と同様移転価格税制の定義を借用している。すなわち、50％以上の直接・間接の持株割合と、取引・資金の依存関係や役員兼任等の実質支配関係を含む概念である（措法66の5の2②）。

「純支払利子」とは、関連者等への支払利子等の額の合計額から、これに対応する受取利子等の額を控除した残額である。なお、租税回避防止の趣旨から、関連者間の支払利子であっても受領者の手元で当該受領額に対して我が国で課税対象とされるものは除かれることになっている。また、特定債権現先取引等にかかる支払利子等は、貸付と借入との間に対応関係があり、対象となる債券を通じて支払利子と受取利子の対応関係を特定できること、及び、現在の金融市場において同取引が果たす金融仲介機能の重要性にも着目して、本制度の対象外とされている。

イ　調整所得金額

調整所得金額は、税務上の課税所得に関連者純支払利子等の額を加えたものをベースとして、受取配当等の益金不算入額や繰越欠損金の当期控除額その他既存の税務上の特別取扱いにより益金・損金の額に加減算されるものに

つき、当該加減算額を繰り戻す形で、かかる税務上の特別扱いを捨象した金額を計算したものである（通常EBITDAと略称される。）。また、減価償却費は、積極的な設備投資をした企業が不利を被らないようにとの政策的な理由で調整所得金額の計算上加算することとされている。そのほか資産の評価損や貸倒損失も同様の趣旨で加算されることになっている。

ただし、市場や景気の変動等の所得水準に及ぼす変動要素は、損金不算入額の7年間の繰越制度によって吸収することとし、加算対象から除かれている。

なお、調整所得金額の50％を超える部分につき利子控除を否認する考え方は、ドイツのように30％の閾値で一般的な利子控除を制限するいわゆる法人税の課税ベースの在り方の再構成的な措置ではなく、米国と同様あくまで税源浸食へ対応するという租税回避防止の特別措置という特色が現れた設計といえよう。

　　ウ　適用除外

諸外国の利子控除制限規則を参照して、過大利子支払税制においても、いわゆるデミニマス基準（純支払利子の額が1000万円以下の場合の少額事案不適用基準や関連者支払利子比率の小ささ（50％以下）による適用除外など）が用意され、納税者にとってはセーフハーバーとして機能しコンプライアンスコストの引き下げ効果を持つ措置も付加されている（措法66の5の2④）。

　　エ　超過利子額の繰越控除等

上記の調整所得金額を参照した利子の損金不算入措置は、事業年度ベースの法人税の性格を反映して、他の法人税の控除制限と同様、単年度ごとに適用されることになっている。しかし、調整所得金額は単年度の企業を取り巻く要因の変動により大きくぶれることが予測され、繰越を伴わない単年度主義の決済は、納税者に不当な負担を求めることになると考えられる。超過利子額の7年間の繰越損金算入は、そのような問題に対応する制度であり、この点も先行している各国の実践を参照したものといえよう。

最後に、本制度と過少資本税制の両者が適用になる場合には、その計算された損金不算入額のうち、いずれか多い金額を損金不算入とすると整理している（措法66の5の2⑦）。

(4)　制度の比較法的位置付けの確認

諸外国の利子控除制限制度は、我が国に先行してダイナミックな変遷をた

どりつつある。ここではドイツと英国の改正過程と米国の改正動向を参照しつつ我が国の現行法パッケージについて概説する。

ドイツは2008年、元々内外無差別の過少資本税制を廃止し、特別措置でない一般所得税法ベースで、内外無差別の一般的利子控除制限規定を導入した。この課税ベース浸食に対する新しい処方箋は、ドイツの法人税改正の全体の方向性（課税ベースを広げて税率を引き下げるという方向）と整合的であり、EU法との整合性にも配慮した統一的な解決策と評価できる。

また、英国では、EU法との整合性の観点から、まず過少資本税制を移転価格税制に統合するとともに、金融センターであるロンドンを抱える管轄地として自国の金融子会社等が被りやすい金融活動に伴う課税ベース浸食に配意して、ワールドワイドデットキャップ制度を考案した。BEPS討議文書のグループワイドテストの実践的な応用例と評価できる。

ドイツ、イギリスともこれらの改正の中で従来の過少資本税制は、いわゆるデミニミス基準に形を変えて他の制度の中に吸収され整理されたといえる。

一方、アーニングストリッピングルールを中心に利子については耐久力のある租税回避否認体制が備わっていると目されてきた米国は、BEPSの最先端の洗礼を受け、BEPS討議文書にあるグループワイドテストの新規導入をオバマ政権は提案し、更には、国外所得に対するミニマムタックスという、いわゆる非支配外国会社の所得に対するフルインクルージョン方式の課税に近似する施策までバックストップとして提案した（未成立）。

我が国の改正は、上記の欧米の改正動向の良いところを取り入れ全体として耐久力を増そうとしていると一応の評価はできるものの、いまや単独税制としては遺物化しつつあるともいえる過少資本税制を残存したまま、パッチワーク的に規制対象を拡大しつつあるようにも見える。相互の適用関係を整理したパッチワークにはそれなりの臨機応変性や弾力性があり必ずしも否定するものではないが、非支配外国法人税制全体の中での重複排除や政策の優先順位に基づく政策間の整理統合もこれからは要求されると考える。BEPSプロジェクトにおいても、例えば移転価格税制と外国子会社合算制度の関係について如何にあるべきかの課題を我々にぶつけている。納税者のコンプライアンスコストにも十分考慮しながら、中期的課題として取り込むべきと考える。

(5) 我が国における今後の改正見通し

2016年12月発表の平成29年度税制改正大綱には、補論として「今後の国際課税のあり方についての基本的考え方」という文書[注177]が付加されている。同文書は、平成29年改正にとどまらず、グローバル経済・日本経済の構造的変化を踏まえた我が国の国際課税のあり方を見直す3つの中期的課題の一つとして、過大支払利子税制のBEPS勧告を踏まえた改正が必要とした。BEPS行動4では、過大支払利子税制の基本構造として調整所得（EBITDA）に比較して過大な利子の損金算入を防止するため「固定比率ルール」を共通アプローチとすることが合意された。ただし固定比率の閾値は、10～30％と我が国に比して低く設定されており[注178]、我が国の対応いかんが問われる状況にある。

ただしBEPS勧告では、固定比率ルールを補完するものとして、「グループ比率ルール」の採用がオプションとして認められている。企業のグループ全体の比率を超えた分だけ損金算入を制限するとするもので、企業ごとの外部ファイナンス事情を斟酌して柔軟性を保証するものである。このオプションは、独立企業原則との整合性も担保するとともに、M.Graetz教授が提唱する資産保有額に応じた全世界利子費用配賦方式[注179]とも親和性があり、学問的にも制度の正当性を強化するものと考えられる。

したがって、仮に国際協調の立場からより厳しい固定比率ルールを検討するとしても、その際のグループ比率ルールのオプション装備は、我が国では必須となると思われる。

(注177)　2016.12.8「平成29年度税制改正大綱」P.134-139
(注178)　30％基準については先行したドイツの控除制限の影響力がうかがえる。
(注179)　その詳細については、青山慶二「所得課税における利子費用の取扱いの多国間解決方法」租税研究2009年11月号P.172

第7章

移転価格税制

158

第1節　移転価格税制の趣旨・目的

　国境を越えた取引の価格を操作することによって、高税率の管轄地で計上すべき所得を削減する一方、低税率あるいは無税の管轄地で計上する所得をかさ上げし、結果的に全世界でのグループの税負担を縮減する租税計画は、古くから多国籍企業グループによっていろいろな方法で企画されてきた。これに対抗する立法として米国を起点として整備されてきたのが、独立企業原則（関連者間取引で形成された価格等を、同様の状況下で非関連者間取引を想定した場合に成立する価格等に引き直して所得計算を行う課税原則）を基幹とする移転価格税制である。

　独立企業原則を基幹とする移転価格税制の立法例は、大きく分けて2通りの方法[注180]に集約される。すなわち、①国外関連者との間の取引については、全て独立企業間価格で行われたものとみなして法人税法を適用する旨規定する方法（法人税の申告納税義務のある企業に独立企業間価格に基づく一次的な調整義務を課す立法。例として後述する我が国租税特別措置法66条の4）と、②納税者の申告所得等が独立企業間の条件を反映していないと課税当局が判断した場合に、課税当局に独立企業原則に基づく取引価格等の是正権を認める規定を置く方法（例として、米国の内国歳入法482条[注181]）の2通りである。①の法制下では、納税者の申告内容には独立企業間価格に基づいているとの一応の推定が働くので、これにチャレンジしようとする課税当局は調査による更正処分のプロセスで、当初申告が独立企業間価格からかい離していることについての立証責任が課される。他方で、②の法制下では、独立企業間の条件下と異なる環境にあることを立証しつつ当局が規則に基づいて算定しなおした独立企業間価格等が紛争の出発点となるので、これに不服申

（注180）　"Practical Mannal on Transfer Pricing for Developing Countries" 国連（移転価格に関する実務マニュアル）（2012.10公表）第3章　P.59
（注181）　米国歳入法482条では、独立企業間と異なる条件下で行われた関連者間取引について、脱税を防止し、又はそれらの事業所得の正確な算定のために、総所得、経費控除、税額控除、その他控除を配分し直す権限を直接課税当局に授与すると規定している。

160 第7章 移転価格税制

立て・訴訟によってチャレンジする納税者の方に、当初申告内容が独立企業原則に即したものであることの立証責任が課されることになる。

ところで、米国内国歳入法482条が規定する関連者間取引条項は、国内・国際両取引を区別なく適用対象としているが、我が国を含めたOECD加盟国のほとんどは、関連企業間取引について国家間の課税権調整規定を定めた租税条約9条（「特殊関連企業条項」と呼ばれる）と関連付けて、移転価格税制の適用対象を国際関連者間取引に限定して立法している。ただし、国際取引に限定適用する移転価格税制の採用国においても、国内の関連者間取引による不当な租税計画に対しては、国内法の法人所得算定の通則（無償・低額取引に対する時価評価を要請）や一般的租税回避否認条項（GAAR）(注182)などによって別途対応することとされており、その実効性には有意な相違はないとみられる。

以上のとおり、関連者間の取引を独立企業間の取引に置き換えて課税する移転価格税制は、適用対象取引の包括性（財貨・サービス・ファイナンスなどあらゆる種類の取引が対象とされ得ること）及び是正内容の包括性（価格・利得・費用等の配分の是正のみならず、場合によっては当事者間の契約内容の再構成までの可能性を有していること(注183)）に鑑みると、グループで活動する多国籍企業の国境を越えた租税計画のほとんどを是正するだけの潜在能力を有していると評価されるものである。そのため、OECDのBEPSプロジェクトにおいても、15の行動項目のうち少なくとも4つは移転価格税制に直接関連する項目となっており（行動8〜10及び13）、国際的租税回避事案に対する切り札的役割が期待されている。したがって、国際的租税回避に対抗する国内法課税制度として並立される外国子会社合算税制（タックスヘイブン税制）との間の役割分担についても、移転価格税制での対応を原則とすべきであり、タックスヘイブン税制（CFC税制とも呼称）は移転価格税制の適用か

(注182)　OECDの「税源浸食・利益移転（BEPS）プロジェクト」においては、各国国内法がGAARを採用していることを前提にして、その間隙を埋める国内法制としてCFC税制や利子控除の制限措置等を論じている。G7国でGAARを装備していないのは現在我が国のみの状況となっている。

(注183)　「OECD移転価格ガイドライン（2010）」パラグラフ1.65

第7章　移転価格税制　　161

らこぼれおちた領域をカバーする役割（バックストップ機能）に限定すべき
との考え方が有力になってきている(注184)。

　本章では、そのような状況を斟酌し、まず我が国国内法の移転価格税制の
仕組みと課題を概観し、続けてBEPS環境下での無形資産取引への独立企業
原則の適用やリスク評価及び取引の再構築など最先端の移転価格課税テーマ
を、我が国判例等も含めて考察する。

第2節　我が国移転価格税制の基本構造

1　租税特別措置法66条の4の構成

　我が国が昭和61年度に制定した移転価格税制の骨格を規定する租税特別措
置法66条の4第1項は、そのエッセンスを抽出すると概要以下のようにまとめ
られる。

　「法人が、―――当該法人に係る国外関連者との間で（①）―――取引を
行った場合に（②）、―――当該取引につき支払を受ける対価の額が独立企業
間価格に満たないとき、又は支払う対価の額が独立企業間価格を超えるとき
（③）は、法人税の規定の適用については、当該取引は独立企業間価格で行
われたものとみなす（④）」

　上記①から④までに至る4つの移転価格税制を構成する基礎概念について、
まず定義を確認しておこう。

(1)　国外関連者

　①の「国外関連者」とは、基本的には資本関係が50％以上の親子・兄弟関
係にある海外企業を指すが、取引や資金調達面での依存や役員派遣などによ
る実質的な支配関係のある企業も対象としている（措令39の12①三）。このた
め、我が国の海外進出中小企業にとっては、資本関係はないものの専属的な

―――――――――――

(注184)　EU諸国では、英国CFC税制のEU条約違反問題を扱った欧州裁判所のCadbury
　　Schweppes判決（2006.9.12）で、「CFC税制は国内法を回避する意図でのwholly artifi-
　　cial arrangementsに対して適用される場合に限り、EU条約の設立の自由（43条、48条）
　　に違反しない」と判示され、これがEU圏内のCFC税制の基本構造と解釈されるに至って
　　いる。

下請関係にある納入先との間の取引が、移転価格税制の適用対象とされ得ることに留意が必要である。

(2)　関連者間の多様な取引

②の「取引」は具体的には「資産の販売、資産の購入、役務の提供その他の取引」と規定されており、財貨・サービスの提供等を対象としたあらゆる取引が含まれる。したがって、財貨の交換や役務の相互提供、更には無形資産のクロスライセンス契約など現実のキャッシュ対価の授受を伴わないものも対象とされる。また、納税者が選択した私法取引が、経済的実質から見てその法形式とマッチングしない場合などに、例外的に契約内容の再構成が認められていることから、納税者が選択した資本取引（株式保有）が損益取引（金銭貸付）に再構成される余地も一般的にはあると解釈されている。

(3)　我が国課税権を阻害するとの要件

③では独立企業原則の適用が、「過大な支払対価」と「過少な受取対価」のケースに限定される旨の選択的適用の趣旨が規定されている。これは我が国課税権が侵害される方向で現実の価格設定や利益配分が独立企業原則に反して行われたときのみ、移転価格税制は発動される、すなわち、「過少な支払対価」と「過大な受取対価」の状況にある場合にのみ、納税者に是正義務が発生するとともに課税庁に更正権限が発生するというものである。

したがって、企業にとって所得移転の結果が実現している客観的事実のみを適用要件としたものであり、租税回避の意図を要件に追加しているわけではない（過失によるミスプライシングも結果として所得移転を引き起こしていれば是正対象とされる。）。

一方、本邦関連者が「過少支払」あるいは「過大受取」状況にある場合は、海外子会社等は逆に「過少受取」及び「過大支払」状況にあるので、当該管轄地で移転価格課税が行われる蓋然性は高くなる。外国で課税を受けた場合は、当該国との間に締結されている租税条約9条に基づく独立企業原則に基づく対応的調整義務が、我が国課税当局に国内法を凌駕する条約上の法的義務として発生するため、租税条約上の合意に基づく是正（我が国で納付税額の還付）が行われることになる（租税条約の実施特例法7条）。

(4)　法人税法適用に当たっての「独立企業間価格」みなし規定

④では、「過大支払」と「過少受取」が行われた場合には当該取引を独立企業原則を適用した「適正支払」と「適正受取」が行われたとみなして、法人税法を適用すると宣言している。このみなし規定は課税要件事実を確定する

みなし規定であり、その結果、法人税の所得金額を算定した後の子会社所得を合算するタックスヘイブン税制よりも先に租税特別措置法66条の4が適用される仕組みであることが論理的にも帰結されている。また、この規定ぶりから課税庁の独立企業間価格に関する立証責任も、導き出される。

2 独立企業間価格の算定方法

「過大支払」と「過少受取」に対して独立企業間価格の算定が求められる取引範囲は、下記の(図1)で実線で記した取引例である（破線で示した国内完結取引の場合は、法人税法22条2項及び同法37条、あるいは同法132条の同族会社行為計算否認規定で時価ベースに是正される。）。

(図1) 移転価格税制が適用される多国籍企業の取引

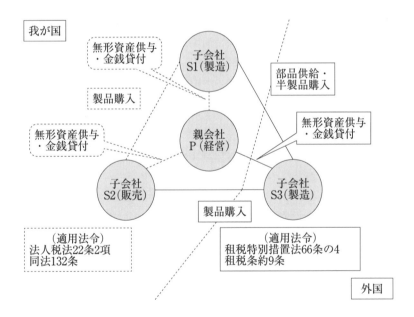

(1) 最適手法ルールの採用

上記の取引に適用される独立企業間価格の算定方法については、2011年に、基本3法（独立価格基準法、再販売価格基準法、原価基準法の3法）を優先適用すべきとする伝統的課税理論が支配する時代が終わりを告げ、ようやく各算定方法間に優先順位が存在しない「最適手法ルール」へと変換された。

（表1）　基本3法の概要

区分	内容
独立価格比準法 （CUP法）	国外関連取引に係る棚卸資産と同種の棚卸資産を当該国外関連取引と同様の状況の下で売買した取引の対価を参照するもの
再販売価格基準法 （RP法）	国外関連取引に係る棚卸資産の買手が特殊の関係にない者に対して当該棚卸資産を販売した対価の額から、通常のグロスマージンの額を控除して計算した金額を参照するもの
原価基準法 （CP法）	国外関連取引に係る棚卸資産の売手の購入・製造その他の行為による取得原価の額に通常のグロスマージンの額を加算した金額を参照するもの

　その背景としては、多国籍企業のグローバルビジネスが、①グループ内で開発された無形資産を、第三者に利用させることなくグループ内の関連者間で有効に利用して超過収益を享受するいわゆる「グローバル・バリューチェーン」体制が確立されつつある環境下では、同種・類似の第三者間棚卸資産等との比較検証に深く依存する伝統的基本3法のみでは独立企業間での所得配分を算定することが無理な状況になったこと、②理論的に精緻だが比較対象の発見が困難な基本3法に優先的な地位を与えたままでは、特に算定方法につき立証責任を負う当事者（我が国では、課税庁）は、基本3法の適用可能性を常に先行してチェックしなければならないという意味で、過大なコンプライアンスコストを負うという弊害、さらには、下記アドビ事件判決にみられるように、紛争になった場合の敗訴リスクが高い点が指摘されてきたことが挙げられる[注185]。

──────────

(注185)　OECD移転価格ガイドラインも2010年改正版で最適手法ルールを採択している（パラグラフ2.2）。

第7章　移転価格税制　　165

（参考）　最適手法ルール導入前の立法下で、基本3法の優先適用が争点と
された裁判例（アドビ事件東京高裁平成20年10月30日判決（税資258・
11061））

① 事案の概要

アドビグループの日本子会社が、従来の仕入・再販売を担当する販売子会
社からプリンシパルであるアイルランド法人のために委任された役務を提供
するコミッショネアに衣替えした事業再編に係る移転価格事案である。課税
庁は、日本子会社の果たす機能について法的性格の変更はあるものの、経済
実質に変更はないとして、受注販売方式の下にある再販売業者を比較対象取
引に選定し、RP法で独立企業間価格を算定した。

② 判旨

RP法は再販売業者が実現するマージンに着目する方法であり、その取引
に係る機能とリスクが同様であることが要件となる。本件国外関連取引は、
業務委託契約に基づき、本件国外関連者に対する債務の履行として、卸売業
者等に対して、販売促進等のサービスを行うことを内容とするものであって、
法的にも経済的実質においても役務提供取引と解することができる。一方、
比較対象取引については、対象製品を仕入れてこれを販売するという再販売
取引を中核とし、その販売促進のために顧客サポートを行うものであるから、
原告と比較対象法人の果たす機能との間には看過しがたい差異がみとめられ
る。また、原告の取引は、業務委託契約上日本における売上高の1.5％並びに
発生した費用の全額の報酬を受け取るものであり、報酬額が必要経費を割り
込むリスクを負担していないのに対し、比較対象取引は、売上高が損益分岐
点を超えるかどうかで損失を被り得るリスクを負っているので、本件算定方
法は、取引類型に応じ本件国外関連取引の内容に適合し、かつ、基本3法の考
え方からかい離しない合理的な手法とは言えない。

(2)　最適手法ルールの構造

2011年改正で導入された租税特別措置法66条の4第2項は、最適手法ルール
の趣旨を次のとおり規定している。

「独立企業間価格とは、―――当該国外関連取引の内容及び当該国外関連
取引の当事者が果たす機能その他の事情を勘案して（①）、当該国外関連取引
が独立の事業者の間で通常の取引の条件に従って行われるとした場合に
―――支払われるべき対価の額を算定するための（②）最も適切な方法によ

166　　第 7 章　移転価格税制

り算定した金額（③）をいう」

　すなわち、算定手法の選択に当たっては、まず、国外関連取引の内容と当事者の果たす機能等の事情を勘案して、もっとも適切に独立企業間価格を算定し得る手法を選択することができ、各手法間には優先順位の差はないという建付けである。新制度の下では、2010年OECD移転価格ガイドラインが指摘するとおり、「個々の事案において、もっとも適切な方法の選択にたどり着くのに、全ての移転価格算定方法の詳細な分析又は検証を行うべきであるということを意味するものではない（パラグラフ2.8）」ので、果たす機能と引き受けるリスクに着目してピンポイントの最適手法に絞り込むことが可能になったといい得る。

　なお、最適手法ルールの下でも、独立企業間価格算定方法のラインアップは従来と変化はなく、基本3法に加え、それに準ずる方法及び政令で定める以下の方法（3種の利益分割法及び3種の取引単位営業利益法^(注186)）が選択肢として提示されている。そのうち、利益分割法については透明性に欠け法的安定性を阻害するとの納税者からの批判にこたえる形で、現在BEPSプロジェクトで詳しい適用ガイダンスが提案されているところである^(注187)。

（表2）　政令で定める方法

方法	区分	内容
利益分割法（PS法）	比較利益分割法	国外関連取引にかかる棚卸資産と同種又は類似の棚卸資産の非関連者による販売等に係る所得の配分に関する割合で利益を分割する方法

（注186）　取引単位営業利益法のうちの3番目の算定手法は、考案者の名前をとって「ベリー比法」と呼ばれているもので、2013年改正で追加されたものである。販売費・一般管理費に対する売上総利益の比率を、再販売業者の機能を反映した指標として採用したものであり、相互協議などで既に実績を上げている。

（注187）　国税庁発表「平成25事務年度の相互協議状況」によれば、移転価格の相互協議事案に占める政令で定める方法のシェアはすでに70％に達している一方（うち取引単位営業利益法63％、利益分割法7％）、基本3法の利用は12％にとどまっている。

	寄与度利益分割法	国外関連取引にかかる棚卸資産の法人及びその国外関連者による所得の発生に寄与した程度を推測するに足りるこれらの者が支出した費用の額、使用した固定資産の価額等の要因に応じて分割する方法
	残余利益分割法	まず国外関連者それぞれの製造・販売等の機能に係る基礎的収益を比較対象取引に基づき算定し、次に、残った超過収益である残余利益をそれへの寄与度に応じて分割する方法
取引単位営業利益法（TNNM法）	売上高営業利益率法	再販売価格基準法の営業利益バージョンといえる算定方法であり、国外関連取引にかかる買手の非関連者に対する販売価格から比較対象取引の営業利益率（ネットマージン率）を乗じた額を控除した額を独立企業間対価とする方法
	総費用営業利益率法	原価基準法の営業利益バージョンといえる算定方法であり、国外関連取引にかかる売手の総費用に比較対象取引の営業利益率（ネットマージン率）を乗じた額を加算した額を独立企業間対価とする方法
	営業費用売上総利益率法（ベリー比法）	遂行された昨日の価値が営業費用に比例しており、かつ売上高に比例しておらず、また、製造等の他の重要な機能を果たしていない場合に、営業費用の売上総利益に対する比率を用いて独立企業間対価を算定する方法

168　　第7章　移転価格税制

(3)　帳簿書類等提出義務と推定課税

独立企業間価格の算定に当たっては、関連者間取引に関する資料のみならず比較対象となる独立企業間取引に関する資料の収集も必要であり、租税特別措置法66条の4第6項は、「独立企業間価格を算定するために必要と認められる書類として財務省令で定めるもの」又はその写しの提示を求める権限を規定している。そして、納税者がその要請に対し遅滞なくこれらを提示又は提出しなかった場合には、独立企業間価格につき一定の推定課税による更正又は決定を行う権限も与えられている。

　（参考）　租税特別措置法施行規則22条の10で定める備付書類は次のとおりである。

① 　国外関連取引の内容を記載した以下の書類
　・　当該国外関連取引に係る資産の明細及び役務の内容を記載した書類
　・　国外関連者が果たす機能、負担するリスクに係る事項を記載した書類
　・　国外関連者が使用した無形資産の内容を記載した書類
　・　国外取引に係る契約書
　・　国外関連取引の対価の設定の方法及びその交渉内容を期した書類　　等
② 　国外関連取引に係る独立企業間価格を算定するための以下の書類
　・　法人が選定した算定方法及びその選定理由を記載した書類
　・　比較対象取引の選定にかかる事項及び当該比較対象取引等の明細を記載した書類
　・　複数の国外関連取引を一の取引として独立企業間価格を算定した場合の理由と各取引の明細
　・　比較対象取引について行った差異調整の理由及び具体的な方法　　等

税務署長による推定課税の方法は、同種の事業を営む法人で事業規模等の事業内容が類似するものを比較対象として当該事業に係る売上総利益率等を基準としたRP法やCP法によるものとされている。この場合資料収集のためには、通常の反面調査の範囲を超えた第三者への質問検査が不可避となるので、同種の事業等を営む者に対する特別の質問検査権が認められている（措法66の4⑧）。さらに、調査に際して必要があるときは、国外関連者が保有する書類・帳簿等の提出を求めることができ、要請を受けた当該法人には、入手努力義務が課されている（措法66の4⑦）。

第7章　移転価格税制　　　169

　ただし、我が国の移転価格税制には、米国のように特別のペナルティを伴うような文書提出義務(注188)は課されておらず、今後の立法上の重要な課題であると考えられる。なお、移転価格に係る文書化の内容が国ごとに異なっていたのでは、納税者のコンプライアンスコストが高くなるばかりか、二重課税のリスクも高まるおそれがあることから、OECD租税委員会で標準化の合意が得られている。国税庁の移転価格事務運営要領2—4（調査時に検査を行う書類）もそれを反映したものとなっている。

3　租税条約の特殊関連企業条項との関係

　租税条約の特殊関連者条項（9条）は、「両締約国に存在する関連企業間で独立企業間とは異なる条件で取引が行われた場合には、正常な条件で取引が行われた場合に算出された利益に課税する」原則を宣言するものであって、租税条約には古くから標準的に取り込まれている条項である。我が国の昭和61年の移転価格税制導入前に締結された条約においても、当該条項は取り込まれていた。すなわち、条約上は関連会社間取引について独立企業原則に従った課税所得配分が締約国間で認められていたわけであるが、移転価格税制の国内法立法が行われる前に、同条項を直接の根拠として国内において移転価格課税を行い得るかどうかについては否定的な見解が通説であり、我が国当局もそのように解していた(注189)。

　なお、国内法による移転価格税制が各国において整備された現在においても、特殊関連者条項は各国の移転価格税制の具体的適用に関し、それが特殊

（注188）　米国の文書化義務は、更正処分の規模に応じた徹底したペナルティ・システムを採用している。
　　　　a)　価格の修正幅が200％以上又は50％以下の場合　　追徴税額の20％
　　　　　　同上が　　　　400％以上又は25％以下の場合　　　同上の　40％
　　　　b)　更正金額が500万ドル又は総収入の10％の小さい額を超える場合　　追徴税額の20％
　　　　　　同上が　2000万ドル又は総収入の20％の小さい額を超える場合　　同上の40％
（注189）　谷口勢津夫『租税条約論』（清文社、1999）P.29～。なお、締約相手国が自国の国内法に基づき行った移転価格課税については、特殊関連条項に従った課税であるかどうかを、二重課税排除の観点から相互協議により確認し、合意した限りにおいて我が国課税の減額更正（還付）を行う対応的調整を行っている。旧日米条約の下での対応的調整を認めたものとして、東京高裁平成8年3月28日判決（判時1574・57）参照。

170   第7章　移転価格税制

関連者条項に謳う「独立企業原則」に即したものかどうかを検証する法的基準として機能している。すなわち、条約に基づき二重課税を排除するためには、まず相互協議で両国の権限ある当局が独立企業間価格につき合意する必要があるが、その際の「独立企業間価格に即した課税かどうか」の判断は、国内法に適合しているかどうかではなく、条約の「独立企業原則」に則しているかどうかが問題とされるのである。OECD移転価格ガイドラインはこの目的に対応すべく加盟国が合意した解釈基準である[注190]。

　（参考）　国連モデル条約9条の下での独立企業原則のガイダンス（国連「移転価格に関する実務マニュアル」第10章[注191]）

　国連モデル条約の9条に規定される独立企業原則は、その条文の規定ぶりからみてもOECDガイドラインと差別化された規定となっておらず、その解釈も同様に行うべきというのが途上国の多数説とされている。しかし、BRICSなど新興国では、独自の解釈で独立企業原則を適用する向きもあり、それらは国連マニュアルに「コンセンサスベースではない」との留保付きで第10章に「一部加盟国の実施例」として紹介されており（ブラジル、中国、インド、南アフリカの4か国分が掲載）、先進国の多国籍企業からは解消されない二重課税のリスクの原因として、強い警戒感を持って受け止められている[注192]。

　なお、相互協議での合意内容は、国内法の期間制限にかかわらず実施されることとなるので、租税条約等の実施に伴う所得税法、法人税法及び地方税法の特例等に関する法律（以下「実特法」という。）7条では、合意があった場合に国税通則法23条2項の事後の事情変更による更正の請求を認める手続細則を定め、納税者に対する還付を可能としている。

（注190）　OECD加盟国間では、相互協議においてガイドラインに従うことが当然の前提とされているが、日米条約のように調査や事前確認における適用を含めてその旨を交換公文で明記する個別条約もある。
（注191）　前掲（注180）第10章 "Countries Practices" P.357
（注192）　その内容の詳細については、拙稿「国連モデル条約に基づく2012年移転価格マニュアルについて」租税研究2013年7月号P.275

第7章　移転価格税制　　171

（図2）　国内移転価格税制と租税条約の概念図

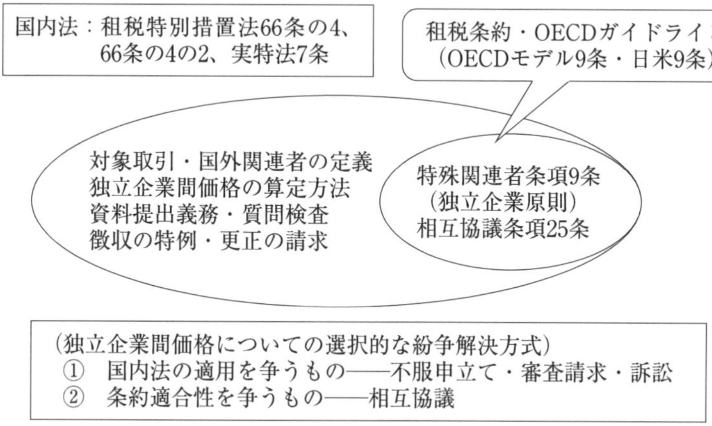

国内法：租税特別措置法66条の4、
　　　　66条の4の2、実特法7条

租税条約・OECDガイドライン
（OECDモデル9条・日米9条）

対象取引・国外関連者の定義
独立企業間価格の算定方法
資料提出義務・質問検査
徴収の特例・更正の請求

特殊関連者条項9条
（独立企業原則）
相互協議条項25条

（独立企業間価格についての選択的な紛争解決方式）
　①　国内法の適用を争うもの──不服申立て・審査請求・訴訟
　②　条約適合性を争うもの──相互協議

第3節　我が国移転価格税制の課題

1　タックスヘイブン税制との関係

　移転価格税制が対象とする取引は、特殊の関係にある外国法人（「国外関連者」と呼ぶ）と法人との間の取引一般である。この場合国外関連者となるのは、一方の法人が他方の法人の発行済株式の50％以上を直接・間接に保有する関係、その他政令で定める関係をいい、資本関係にとどまらず取引、資金、人事の支配など実質支配関係の連鎖によるものを含む広範囲のものとなっているため、間接所有の資本関係を厳格に求めてきたタックスヘイブン税制（我が国居住者・内国法人による50％超の保有が要件）とは、一線を画してきた。しかし、平成29年度改正によりタックスヘイブン税制にも実質支配関係が導入され、下記参考表にまとめられた差はなくなっている（第5章第3節）。

　なお、国外関連者が低課税国法人であって「特定外国子会社」にも該当する場合は、移転価格税制とタックスヘイブン税制の競合が生じるが、適用の優先関係は前述したとおり、次図のとおり、移転価格税制を先行させた後、タックスヘイブン税制を適用することとなる。

第7章　移転価格税制

（図3）　移転価格税制とタックスヘイブン税制

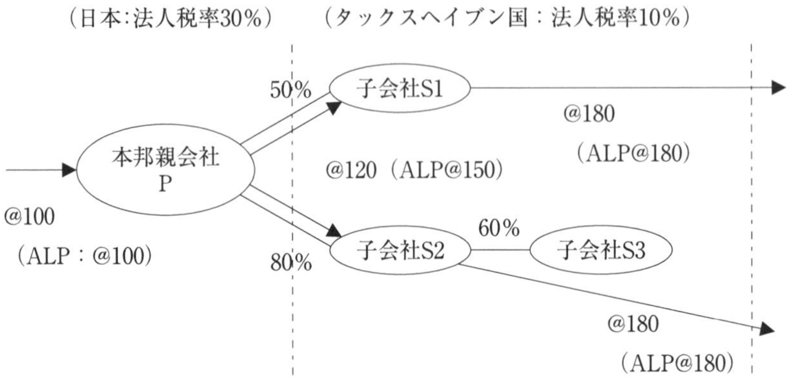

（日本：法人税率30％）　　（タックスヘイブン国：法人税率10％）

```
                          50%   子会社S1 ───────────────────→
                       ┌──────→              @180
        本邦親会社                           （ALP@180）
           P          @120（ALP@150）
  @100                │
（ALP：@100）          └──────→  子会社S2 ──60%── 子会社S3
                        80%
                                              @180 ─────────→
                                           （ALP@180）
```

（注）　％は株式保有割合、矢印は譲渡（@は対価、ALPは独立企業間対価）

（参考）　平成29年度改正前の両税制間の適用

会社区分	P	S1	S2	S3
国外関連者該当性	―	○	○	○
特定外国子会社該当性	―	×→○	○	×→○
移転価格課税対象所得	60	（△30）	（△30）	―
タックスヘイブン課税対象所得	24	―	（△24）	―

（注）　1　Pの移転価格課税対象所得
　　　　　　（150－120）×2＝60
　　　　2　Pのタックスヘイブン課税合算対象所得
　　　　　　（180－150）×80％＝24
　　　　3　×→○は平成29年度改正による修正

2　外国法人に対するPE帰属所得課税との関係

　租税特別措置法66条の4は移転価格税制が適用される法人に特段の限定を

第7章 移転価格税制

付しておらず、外国法人も適用対象となる。したがって、国内にPEを保有するか否かにかかわらず適用対象法人となりうるのであるが（下図ケースA参照）、外国法人は通常本税制の下では、主として国外関連者として重要な役割を担う。ただし、当該外国法人が我が国にPEを保有するか否かで、移転価格税制の適用には差異が生じ得る。

我が国にPEを有する外国法人が当該PEとして国内法人と関連者取引を行う場合には、国外関連者としての外国法人の関連者間取引について発生する所得につき、PEに帰属するものとして我が国課税権に服している場合には、移転価格による所得の国外流出のおそれがないので、適用対象から除外すると整理されているのである（措法66の4①、下図ケースB参照）。

(図4) 外国法人と移転価格税制

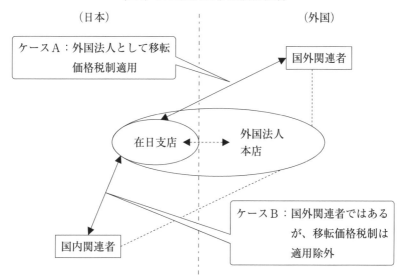

(注) 1 外国本店・在日支店間の取引は同一法人内取引であり、外国法人税制・租税条約7条（事業所得課税）の適用対象となる。
   2 外国法人が我が国にPEを有さずに移転価格税制の適用対象となるのは、法人税法141条2号のケースである。

なお、我が国で移転価格税制が適用されるのは法人に限られているが、これは個人については課税上大きな問題とはならないとの判断に基づくものである。ただし、法人間取引に個人を介在させて、本税制の適用を回避する可

174 第7章 移転価格税制

能性も想定されるので、この場合には第三者を介在させた回避行為否認の規定の適用対象となる（措法66の4⑤）。

3 棚卸取引以外への算定方法の適用ぶり

租税特別措置法66条の4は、IT化が進み役務取引や無形資産取引の役割が高まっている現在^(注193)に至るも、相変わらず棚卸資産取引に集約した算定方法の法令規定ぶりとなっている。

(1) 法令改正の必要性

一方で、役務・無形資産取引等については、高額事案も多いほか、無形資産の法的所有権の帰属自体よりもむしろその生成に向けた貢献度が所得配分の重要要素になると議論されているように^(注194)、独立企業原則の個別事案への適用に際して具体的なガイダンスを必要とする度合いが高い。国税庁の事務運営要領の別添参考事例集でも、大多数が無形資産を含む取引事例となっているが、本邦多国籍企業からは、いまだ十分ではないとの声も聞こえる。

現在BEPSプロジェクトでOECD移転価格ガイドラインの改定が進んでおり、これを踏まえてこの分野の法令内容の充実化を図るべきと考える。

(2) 所得相応性基準を見据えて

第三者間のM＆Aにおいて、買収価額の決定に際し通常用いられる手法は、ディスカウントキャッシュフロー法（DCF）であるといわれている。被買収会社が将来生み出すキャッシュフローを適正に見積もって取引価額を決定する方法であるが、関連者間の価値の高い無形資産取引の独立企業間対価を導き出すうえでも、大いに有望な算定方法との声も高い。

この手法は、BEPS問題に悩む課税当局からも大きな期待がかけられている。そして、この算定方法は、比較対象取引が見いだせず不確かな情報下で、事後的に検証された収益実績に基づき遡及的に移転価格を調整するいわゆる所得相応性基準の理論とも親和性が高いとされている。本件も最終報告書の勧告を基礎として追加されるガイダンスの合意が得られれば、近い将来の国

（注193） 前掲（注187）によれば、相互協議事案の内訳ではすでに「無形資産取引及び役務取引」が「棚卸取引」を件数で凌駕している状況にある。

（注194） 米国費用分担契約に関する財務省規則では、「基盤貢献（Platform Contribution）」の概念の下で、無形資産のオリジナルな考案者に超過収益のほとんどを帰属させる改正が行われている。

内法改正の重要テーマとなるであろう。ただし、後知恵による更正は納税者の予測可能性を阻害するリスクを伴っていることから、所得相応性基準の立法化は、ラストリゾートとして厳格な要件の下でコントロールする必要があると考える。

第4節　移転価格税制の中長期的課題

1　問題の所在

「移転価格税制は厳格な科学ではない（Transfer Pricing is not an exact science）」という警句は、移転価格税制の具体的適用に当たってよく引用される表現である。OECDのガイドラインでは、独立企業間価格は単一の価格に集約されるとは限らず、一定の幅（レンジ）が認められるという文脈のところでこの表現が用いられている[注195]。移転価格税制に関わる実務家の間で一般的な支持を受けているこの慣用句の実務的な意義は大きい。

すなわち、移転価格は独立企業間で成立する比較対象取引を参照して決定されるという理屈に立脚しているが、比較対象取引は現実に存在するとは限らずまた存在しても単一のものとは限らないという実情の下では、独立企業間価格の算定は常に個々の機能・リスク分析に依存する弾力性あるいは個別性の強い相対的判断とならざるを得ないという宿命である。客観的な個々の課税要件の積み重ねの上に納税義務を認定する所得課税法規の中においてこのような移転価格税制の特徴は、税制の枠組みを超えて相続税の「時価」算定のプロセスとより近似すると考えられる。

ところで、検証対象となる取引（関連者間取引）において納税者の果たす機能・引き受けるリスクを分析して、それとの対比で比較対象取引の有無を確認し、その後、最適手法ルールの下で最も算定に適した移転価格算定方法に従って独立企業間価格を算定するという現行の手順には、次の2つの課題が示されている。第1には、個々の取引の事実分析に基づくがゆえに、外形的かつ一義的に独立企業間価格が算定され得る状況はまれであることであり、

（注195）　OECD移転価格ガイドライン第4章パラ4.8。なお、2012年10月12日のカナダ最高裁判決（グラクソスミスクライン事件）でもこの警句は判決文に引用されている。

第2には、手続面でも、機能・リスク分析は作成義務を課された文書に表示された納税者の商業的判断を基礎に行うことになるが、関連者間の商業的判断には、グループ内に限った高付加価値の無形資産供与や役務提供に見られるように、シナジー効果の獲得など独立企業間では通常考慮されない経営判断要素が含まれており、それらの要素を所得配分に反映する科学的な理論についてのコンセンサスがいまだ不十分とみられていることである。

本節では、第2節で概観した我が国の移転価格税制の骨格をベースにしつつ、上記の移転価格独自の複雑困難な状況に対応する際の現行法の課題を確認しつつ、それに対する処方箋をBEPSプロジェクトの最終報告書等を参照しながら検討する(注196)。

2 契約の引直し(否認・再構築)

移転価格の比較対象外部取引との参照プロセスは、まず契約書等の法律文書で明らかにされる関連者間での機能・リスク配分の確認からスタートする。日本の多国籍企業のように親会社による中央管理が厳格に行われるサプライチェーンの下のグループ法人を例にとると、親会社と製造子会社及び販売子会社との間には、製造委託契約や販売委託契約が締結され、その中で親会社からの無形資産や資金及び役務の提供内容及びその条件が定められている。日系企業は無形資産開発を親会社主導で行い、子会社が必要とする無形資産・資金・役務等も親会社の管理の下で提供される形態が多いといわれており、その結果親会社が引き受ける重要な機能・リスクは広範となり、それらが文書化を通じて申告に反映されている限り、独立企業原則の適用により親会社に配分される所得は大きくなりがちである。ただし、その状況については2つの留保が付される。

(1) 契約と実態の一致

まず第1は、契約で定めた条件が親・子会社がそれぞれ実際に果たす機能・引き受けるリスクを反映したものであるという前提である。第三者間では、

(注196) BEPSプロジェクトは、居住地国と源泉地国の間の所得配分に関する基本原則には手をつけないこととされており、「独立企業原則」と対峙する課税手法である「定式配分法」(売上、資産額、人件費で書くグループ法人間にグループ利益を配分する方法で、米国州間の配分で適用)を検討対象にはしていない。OECD事務局による2015年8月のIFA年次総会での発表でその旨が確認されている。

当事者が実際に果たす機能及びリスクとかけ離れた契約を締結することは、脱税ほう助など通謀した違法行為等の例外的場合を除きありえない。しかし、関連者間での契約が作り出す法律関係の目的は、法人格独立によるリスク遮断・有限責任のメリットの他には、共通利益追求のための役割分担内容のグループ内での確認にすぎないといってもよく、第三者間での契約作成の主目的とされる契約上の権利・義務の強制履行担保は大きな意味を持たない。

　ア　問題状況

　したがって関連者間で締結された契約の下では、①リスク・機能に基づく利益回収が正確な「取引単位」で契約上計上されず、そのためリスク・機能に基づく利益回収を黙示的に行う（無形資産や役務提供の事実やその対価を契約上明記せず、棚卸資産取引の価格に含めて決済する）場合やファイナンスのリターンの形に変えて（利払い、配当）行う場合、さらには、適正な対価項目で計上されても計上対価額が過少である場合、さらには、②機能・リスクの分担の事実が契約書に記載されず所得計算にも反映されない状況（不注意又は逋脱の意図）が発生し得る。

　移転価格税制は、上記2ケースに適用され得るが、①のケースでは契約を独立企業間で締結されると想定されるものに引き直して、独立企業原則（比較対象取引との参照）を適用する余地を現行OECD移転価格ガイドラインは承認している（ガイドライン　パラ1.65）。

　イ　BEPSプロジェクトでの契約の引直し

　BEPSプロジェクトでは、契約の引き直しについて以下の具体的な処方箋を提示している[注197]。

　まず、「行動8〜10リスク・再構築」討議文書では、取引の引き直しに関する従来のOECDガイドラインの基本的枠組みを踏襲して、契約を尊重したリスク・機能分析をベースに行うこととしつつ、契約の不認識・再構築を例外的なケースに限定しながら認めるとの立場を維持している。

　ただし、次の2点で重要な改正が提起されている。

　まず、従来引直し対象につき「商業上の取引」と包括的に言及されていたものが、いわゆる過大資本状況も対象にするとの趣旨から、「商業上又は資本

（注197）　OECD "Discussion Draft on Revisions of Chapter 1 of the Transfer Pricing Guidelines (Including Risk, Recharacterization, and Special Measures)" (2015.12)

上の取引」と区分表示された。これは、グループ間で過大資本で創設された関連会社（低税率国に所在するペーパー持株会社^(注198)等を想定）に、不適切な投資対価が配賦される状況に対応しようというBEPS環境下での処方箋で、従来の「損益取引がもたらす価格・利益の再分配」という移転価格税制のカバー領域を実質的に拡大する機能を持つものである。

次に、従来の引き直し発動のメルクマールであった「商業上の合理性の欠如基準」を改め「非関連者間取極における基礎的経済属性の欠如基準」に改定している。従来の商業上の合理性の欠如基準は、①取引の形式と経済的な実質が異なる場合、又は②形式と経済的実質は同じだが全体として商業上合理的ではなく、税務当局が適切な移転価格を判定できない場合、とされてきた。この基準の下では、「商業上の合理性」について第三者間の取引を見つけてきた場合には否認が困難という難点が指摘されていた。これに対し、改定基準は、実際の取決めが両当事者にポジション向上の機会を提供しないか又は、片方の当事者にのみ当該機会を提供する場合には取引は認識されないとするもので、BEPSの懸念を払しょくすることができるとされている。なお、その基準の適用に当たっては、取引に入らないことも含めて、当事者の商業上又は資金上のポジションを向上又は保護する機会を提供する代替的選択肢が当事者に存在したか否かを検討することが重要としている。また、多国籍企業グループが、税引き前の状況で、全体としてポジションが悪化しているかどうかに注目している。

　ウ　BEPSプロジェクトでの引直し後の配賦所得算定オプション

以上の新たな閾値を設けた上で、関連者間での過大資本状況を引き直しの上での独立企業間価格算定方法として、①過大資本法人が所有資産からの所得を関連者からの利得に依存している場合に、当該投資のリターンを独立投資家の稼得所得に限定する「独立投資家アプローチ」、②モデル条約7条の下での本支店間の資本配賦に関するAOAアプローチで資本配賦を行う方法、③利益に比し機能が過小なものとして一定の基準を満たすものを最低機能事業体と呼び、これには利益を機能分析に基づき再配分する方法、④行動3のCFCルールの改正オプションでも指摘されている超過収益を親法人に帰属

（注198）　BEPSプロジェクトでは、このような法人を「キャッシュボックス（現金保管箱）法人」と呼んで、各行動項目で対応の必要性のある典型事例と解説されている。

させる方法等、が提案されている。これらは、いずれも他のBEPS行動項目の処方箋とオーバーラップするものであり、具体的にベストプラクティスを集約する方向での議論が熟しているとは、目下のところ考えられない。特に、本支店間に適用されるAOAによる資本再配賦は、7条の下での帰属主義の普及が進んでおらず、実施に当たっては更なる具体的ガイダンスの合意がない下では、途上国でのアグレッシブな執行を含め二重課税リスクを増幅することになるとのビジネスからの懸念が想定される。

(2) アウトソーシングの認容

利益獲得に必要な機能・リスク管理は、一部その実行過程を契約でアウトソーシングすることも可能とされている。この点については、情報技術産業におけるソフトウェア開発や金融業のバックオフィス機能のインド等へのアウトソーシングが顕著な事例である。この場合は、アウトソーシングの実態に応じて（特に利益帰属権主張の根拠とされるリスク管理機能の移転の程度に応じて）当該機能を果たす部署への独立企業間対価の支払も求められることになるが、BEPSプロジェクトでは、この場合を念頭に次のとおりリスク管理に帰属する独立企業間原則の適用方針をまとめている。

ア 問題状況

BEPSプロジェクトでは、現行移転価格ガイドライン1章でのリスク負担者への所得帰属の基本原則（リスク引受者に対し相応する所得を配分する原則）を基本的には踏襲している。ただし、現行ガイドラインでは契約により定められる法的なリスク引受者と事業としてリスクのコントロールをする者が異なる場合について、リスクをコントロールする者により利益を配分すべきとしているだけで、リスク種類ごとの具体的な利得配分のガイダンスは提示されていない。現在のように、グループ内ファイナンス会社やコミッショネア契約を利用したプリンシパル企業（統括製造会社や、統括販売会社等）への多様な引受けリスクの法的集中状況が見られる中では、現行ガイドラインの不十分さは以前から指摘されていた。特に、過大資本状況の関連会社を利用した租税回避（キャッシュボックス法人の利用による利益移転スキーム）がリスク移転を伴って行われた場合への現行ガイドラインの対応力不足は深刻であると認識されていた。

イ BEPSプロジェクトでのリスクへの帰属所得の明確化

上記の問題状況に対応するため、討議文書では以下のガイドライン改定を

提案している。まず、キャッシュボックス法人対応を念頭に、従来の単なる「リスク」という表現から「商業上又は資金上のリスク」という表現に修正している。併せて、所得配分の要件としては、「リスクの引受け」を基本要件とし、リスク引受けに法的に関与する者が複数いる場合にはリスクを「コントロールしている者」に利益を配賦するという従来の枠組みを修正し、「リスクを現実に引受けかつ管理する者」という新たな枠組みを提起している。リスク管理とは、事業機会に関連してリスクを評価し、最適なリスク軽減戦略を決定することであると定義されているが、そのための能力として以下の3点を要求している点で、従来のリスクコントロールよりも厳しい要件となっている。

① リスクを伴う事業機会を利用するかしないかを決定する能力の具備と、そのための実際の意思決定機能の行使

② 事業機会に関連したリスクにどのように対応するかしないかを決定する能力の具備と、そのための意思決定機能の行使

③ リスク結果に影響を与える手段を行使しリスクを軽減させる能力の具備

事業リスクを引き受ける者が、そのための能力を有し、かつ実際に管理機能を果たしている場合に初めて、ポートフォリオ投資者（リスク管理に携わらない資金提供者等）が享受しえない超過利得の配分にあずかるというルールの確認は、グループメンバー間でのリスク管理機能の契約上の配分が多様化している多国籍企業のサプライチェーンに適正な所得配分を実現するうえで不可欠のものと意識されているのである。なお、上記③の能力については、従来のリスクコントロール機能要件の下では、明示的な要件とされてはいなかった。

　　ウ　アウトソーシングへの適用

上記の要件をリスクに関連する機能のグループ内アウトソーシングに適用すれば、BEPSをもたらす不当な租税計画には対抗できると考えられている。すなわち、毎日の各種リスクのモニタリング機能を各関連会社にアウトソーシングする場合の所得配分については、そのような情報提供に基づくリスク管理能力を有し実際に行使しているかどうかで、法的なリスク引受者に対する利益配分が決定され、アウトソーシングの受託メンバーは果たした役務提供機能に即した適正報酬を受け取ればよいということになる。

事実分析の結果、法的リスク引受者に上記の能力や実際の意思決定行使実

績が認められない場合は、「リスク管理」の実態に関与したアウトソーシング先に焦点を当てた契約の引直しによる所得再配分が認められることになるのである。

(3)　我が国税制への影響の予備的考察

今回のBEPSにおける契約の引直しルールが、国際的合意となった場合の我が国移転価格税制への影響はいかがなものとなるか。これについては、次のような手順で慎重な検討が必要になると考えられる。

　ア　OECD移転価格ガイドラインの改定としての受容

OECD移転価格ガイドラインは、原則として租税条約の関連者条項（9条）の独立企業原則の解釈適用に当たってのOECD加盟国間のコンセンサス内容を示した文献とされている(注199)。したがって、直接的には移転価格税制を締約国の一方が発動してその結果二重課税状況が発生した場合には、条約解釈基準として紛争解決に当たる権限ある当局を拘束するガイダンスとなることは否定できない。したがって、相手国が新ガイドラインに基づく取引引き直しを行って所得調整を行った場合には、紛争解決のための相互協議において二重課税解消に向けた努力義務を当方が負うことになる。

　イ　国内法解釈への影響

我が国の移転価格税制を規定する租税特別措置法66条の4は、関連者間で行われた損益に関係する取引を独立企業間価格で行われたものとみなして、法人税法を適用すると規定していることからは、現金出資等の資本取引は損益取引を構成しないので、現行法制上討議文書が指摘するキャッシュボックス法人を対象としたAOAに基づく適正資本への引き直しは法律改正なしに解釈で行うことは不可能と考えられる。また、損益取引についての基礎的経済属性の欠如による引き直しも、法的に有効に成立している取引を別の取引に引き直す根拠となる移転価格に関する一般的否認規定を設けていない現行法の下では、同様に解釈で否認することは困難であり、立法措置を必要とす

（注199）　OECDモデル条約が、条文ごとに国別の留保や所見を記載している（条文自体に対する国ごとの反対の意思表示が認められている）のに対し、移転価格ガイドラインは異論を許容しない単一の合意内容ベースで書き記されている。

るものと考えられる（注200）。

3 評価困難な無形資産取引

　既に何度も触れてきたように、多国籍企業は、差別化された無形資産（特許権、著作権、商標権などの法的に保護された無体財産権のみならず、ノウハウ、一定の人的資源、のれんなど事実上超過収益創出の原因となる広義の無形資産を含む。）の活用により競合企業との間でマーケットでの競争優位性を確保し、超過利得の独占という果実を確保している。そのような超過利得の原動力のもととなる無形資産については、開発段階から実施許諾段階にわたる費用負担から回収利益の分配に至るまで、グループ法人のトップマネジメントが行使する経営戦略の重要判断事項と位置付けられてきた。ただし、そのようなものであるがゆえに、独立企業間の比較対象取引を探すことが不可能な場合も多く、関連者間の適正な所得配分を目指す移転価格税制においては、独立企業原則の典型的な適用困難事例として、ガイドライン上ガイダンスの不断の改善が求められてきた領域である。

　今回のBEPSプロジェクトは、OECDが継続して行ってきた無形資産に関するガイドライン（第6章）の改定と並行して行われたため、パッケージとしてまとまった討議文書が提示された（注201）。

　以下においては、ガイドライン無形資産の章の改定の枠組みを概観するとともに、現在もっとも必要とされている評価困難な無形資産についての移転価格算定方法に関する提言を討議文書をベースに詳細に検討することとしたい。

(1) 無形資産に関する討議文書の経緯

　OECDが無形資産の章の改定に着手した背景には、移転価格に関する紛争の大部分が無形資産に関するものでありながら、従来のガイドラインは棚卸資産の独立企業間価格算定方式に軸足を置いた編集であり、無形資産の章はAnnexとして簡潔に言及されており、複雑事案に対するガイダンス機能を十

（注200）　この場合の一般的否認規定を立法する場合には、外国法人課税に適用される行為計算の否認規定（法法147の2）が参考になるものと思われる。
（注201）　OECD"Discussion Draft on BEPS Action 8:Hard-to-value Intangibles"（2015.6）

分に果たしているとは言えないとの不満が、当局及びビジネスの双方から出されていたという経緯がある。

　これまでのOECD租税委員会での検討の過程では、①無形資産は非常に個別性の高い資産であり、比較対象取引に頼る伝統的移転価格算定方法の下では、取引対価の算定に困難があること、②納税者と課税当局の間に情報の非対称性が顕著に存在すると思われること、③無形資産は、その移転が容易であり、リスクや所得の移転目的で取引対象とされる事例が多くみられるようになったこと、④無形資産の人為的移転による租税回避に対しては一部の国で特別の対応策が国内立法で用意されているが、其れについてのOECDの評価が明らかでなく納税者にとって、不確実性が払しょくされていないこと等が、ガイドライン見直しの必要性との関係で指摘されてきた。

　BEPS行動計画の中では、無形資産に関する章の検討は、次のような観点から焦点が当てられている。

　ア　行動8としての問題提起

　2013年7月のBEPSアクションプランにおいて、無形資産の移転によるBEPS防止のためのルール策定が行動8として独立提起され、それまでOECD限りで実施されてきた移転価格ガイドライン無形資産の章の改定作業（2010年に開始。2012年には2回にわたり中間報告となる討議文書を公表）をBEPSプロジェクトの作業の中で引き継ぎ検討することとされた。

　2014年9月のBEPSプロジェクト中間報告として公表された討議文書の中に、無形資産の章に関するフェーズ1の取りまとめが公表された。その主たる内容は、①無形資産の定義、②無形資産の価格算定方法として割引キャッシュフロー法の導入の提案、③無形資産に適用される事例ガイダンス原案の提示であった。これらのうち、①と②は基本的合意に達していたが、③については課税原則との関係でビジネスから多くのコメントが提起され、ほとんどが最終報告書の確定まで検討繰延とされていた。

　イ　行動13における配慮

　BEPS行動13（移転価格文書化提案）では、情報の偏在化による課税当局にとっての移転価格リスク評価の困難性に鑑み、2014.9討議文書で多国籍企業に対し国別の所得、経済活動、納税額の配分に関する情報を親会社を通じて共通様式に従って提供させる「国別報告書」システムを含む移転価格文書化義務のパッケージが提案され、2015年2月BEPS15項目の中で最初の具体的合

意項目として公表された(注202)。

　このパッケージの中には、関連取引情報の他、移転価格の算定方法の基礎となる比較対象取引情報を含んだローカルファイル（従来ベースのもので我が国では租税特別措置法施行令22条の10が詳細に規定）の他に、無形資産管理やグループ内金融活動、財務・税務ポジションを示す文書を含むグループ全体の国際経営戦略を開示するマスターファイル（以上2つについては、子会社がそれぞれ対応する課税当局の求めに応じて提出）が、上記国別報告書（親会社が作成し、親会社所在地国の税務当局を通じて租税条約の情報交換ルートで、子会社所在国に提供）とともに提出することとされた。

　この結果、多国籍企業の子会社所在地国課税当局は、経済活動が行われて付加価値が創設される場所と納税の場所の間にミスマッチがないかどうかについて判断する材料（1次的なリスク評価データ）を公平に入手できることになった。

　しかし一方でビジネスサイドからは、新たな文書化義務のパッケージは、①比例原則に反する過大なコンプライアンスの事務負担を納税者に求めかねないこと、②機能・リスク分析による評価が必須となる帰属主義課税手法に関し国際間のコンセンサスのない状況の下で、リスク評価の文書化義務だけを先行させると、アグレッシブな国内法制で移転価格等の執行に取り組んでいる途上国などから、新たな二重課税を受けるリスクが高まるのではないか等の懸念が伝えられている。

　　ウ　国別報告書等の提出を義務付ける法制化の進展

　我が国では平成28年度改正で国別報告書等の提出義務が法定化された。3種類の文書化は次のとおりである。

- ・国別報告書　多国籍企業グループの各国ごとの所得、納税額等多国籍企業グループの活動の全体像に関する定量的情報（措法66の4の4）
- ・マスターファイル　多国籍企業グループの組織・財務・事業の概要等（無形資産情報を含む。）多国籍企業グループの活動の全体像に関する定性的情報（措法66の4の5）
- ・ローカルファイル　独立企業間価格を算定する上での詳細な情報（既存

（注202）　合意により、2016.1以降開始する事業年度の報告書から各国は文書化を実施に移し、課税当局への提出は2018年中とするスケジュールが決定された。連絡ベースで年間総収入が7.6億ユーロ以上の企業グループが対象とされる。なお、報告書の提出方式は親会社から提出されたものを条約の自動的情報交換のスキームで交換することが原則とされている。

法制を整理）
(2) 評価困難な無形資産についての提言内容
　ア　問題状況
　評価困難な無形資産が低課税国のグループ法人に移転され、BEPSを発生させるメカニズムは、一般的に下図のとおり解説されている。

（図5）　無形資産移転による租税計画

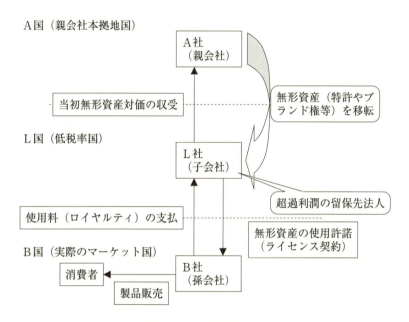

　上図の中で取引される無形資産が評価困難な無形資産である場合には、A社・L社間の当初取引時点で、L社から支払われる無形資産対価の独立企業間価格算定が十分にできない状況（課税庁によるチャレンジが困難な状況）が想定される。
　そのような事態は、討議文書によれば、①十分に信頼できる比較対象取引が存在しない状況であること、②移転された無形資産から生じる将来のキャッシュフロー又は収益について、信頼できる予測がない、又は、無形資産の評価で使用した前提がきわめて不確実という状況で発生することが予測されている。その結果、仮にBEPSが発生しているとしてもそれを是正する手段が伝統的な算定手法の中からは見出しにくいといえよう。

なお、そのような評価困難な無形資産の特徴については討議文書は次の4つの特色を上げている。

a　移転時に部分的にのみ開発された無形資産

b　取引後数年経過しないと商業的に利用可能か予測できない無形資産

c　評価困難な無形資産のカテゴリーに当てはまる他の無形資産の開発・強化に関係する無形資産

d　移転時点にはない方法で利用されると予測される無形資産

上記特色からも明らかなとおり、「評価困難な無形資産」については、納税者と課税当局との間の情報の非対称性が深刻であり、税務当局が独立企業間価格かどうかを確認する際の困難さをより悪化させ、結果的に、移転後に事後的な結果が分かるまで課税当局が、納税者によって価格設定に使用された情報の信頼性を確認することや、又は、無形資産が過小・過大評価されて移転しているかどうかを検討することが困難となっている。

　　イ　処方箋としての「所得相応性基準」の適用

討議文書では、上記のような評価困難な無形資産の評価に際しては、例外的に、所得相応性基準の適用（事後的に独立企業間価格であることが判明した証拠である結果データの利用）が認められるべきとしている。

これが独立企業原則の下で許される根拠としては（言い方を変えれば、所得相応性基準の適用が独立企業原則に反していないと主張できる根拠としては）、課税当局が、事前の価格設定取決めを評価する際に、無形資産移転時に独立企業間であれば作成したであろう価格設定取極（条件付き価格設定取極を含む。）の決定に関する情報として、財務上の結果に関する事後的な証拠を用いることができるからであると、討議文書は解説している。

なお、本基準は、①事後的な結果と事前の予測との間の相違が重大である場合、及び②その相違が取引時点において予見可能な進展や出来事によるものである場合にのみ、適用されるべき例外的措置と位置付けており、そのことを保障するための仕組みとして、以下の場合が適用除外ケースに当たる旨解説している。

a　価格設定取極を決定するために、移転時に用いられた事前の予測（価格を決定するためにリスクがどのように説明されていたか（例えば、確率でウェイト付された計算等）、合理的に予測可能な出来事、その他のリスクの考慮の包括性を含む。）について、全ての情報を納税者が開示し、かつ、

b 財務上の予測と実際の結果の重大なかい離が、取引時点では関連者が通常は予測することが不可能であった価格決定後に生じた予見できない又は異常な進展や出来事によるものであるという、十分な証拠を納税者が提供する場合

そこで、「予測不可能性」の認定が重要な判断要素となるのであるが、この点に関し討議文書は、所得相応性基準の適用による調整が正当化されないケース（納税者が取引時点で予測されたことを価格に反映していることを十分に明らかにし、かつ、予想と結果の間のかい離を導くその後の進展が、予測不可能な事象から生じたことを十分明らかにすることができる場合）の具体例を次のとおり引用して解説している。

（事例）

移転された無形資産を利用した製品の売上が1年で1000になったが、事前の価格設定取極は、1年に最大100にしか到達しないとの予測に基づいていたことが明らかになった場合

上記のケースで、仮に、より多くの売上げが、例えば、自然災害や取引時点で明らかに予測不可能であった競争相手企業の倒産によって生じた無形資産を含む製品に対する飛躍的に上昇した需要によるものである場合には、独立企業原則ベースでは生じなかったであろうということを示唆する事後的な財務上の結果以外に証拠がないのであれば、事前の価格設定は、独立企業原則を満たすものであるとみなされるべき

ウ　米・独が採用している所得相応性基準の概要

討議文書の提言は、既に所得相応性基準を国内法上導入している米・独両国の実践例に触発されたものであると思料されるので、以下にその代表として先発国である米国制度を概観する。

（米国内国歳入法482条第2文（スーパーロイヤルティ条項及びそれを受けた財務省規則1.482－4の概要）

・　482条が規定する所得相応性基準の原則（Commensurate with Income）

実際に支払われる無形資産対価（ロイヤルティ）をオーバーライドすることから「スーパーロイヤルティ条項」とも別称されている

188　　第7章　移転価格税制

・　財務省規則のエッセンスは以下のとおり
　　——実際の所得が、当初支払われた価格の事前に決定されたレンジを
　　　超えない限り適用せず（レンジは、無形資産については20％、費
　　　用分担契約の基盤的貢献取引の場合、50％）。また、レンジを超え
　　　たとしても必ずしも調整がされるわけではない
　　——実際の所得と当初支払われた価格の差の要因が、自然なリスクの
　　　発現にあるのなら、実際に支払われた価格は独立企業原則に即し
　　　ており、調整対象とはならず
　　——次のケースでは、調整を行わない
　　　　価格付けが合理的に信頼できる独立価格比準法（CUP）により
　　　なされた場合実際の所得と当初支払われた価格の差異が、予測で
　　　きないほど異常な事象により生じた場合（地震の発生、競合相手
　　　の製薬製品に副作用問題が発生したケース等）
（注）　米国では本条項が適用されたケースで訴訟になった事例は報告され
　　　ていない。
　　　　見方によっては、伝家の宝刀の役割を果たし、評価困難な無形資産
　　　を利用した租税回避行為に対し一定の効果を発揮しているとみること
　　　も可能と思われる。
　　エ　我が国法制化の見通し
　移転価格税制では、法令上、比較対象取引の有無にかかわらず独立企業間
価格の算定義務が課されている。我が国は国内法上比較対象取引が見いだせ
ない状況下では、利益分割法に頼らざるを得ない。しかし、利益分割法にお
いては、何を分割ファクターとするかについて決め手のない状況下にある。
例えば寄与度分割法では、定式配分方式に向けられる批判が同様に当てはま
り、納税者から見てとても予見可能性が保障された算定方法とは評価されて
いない。そうしてみると、BEPS対応の位置付けを正面に出した上で（異常
なかい離に対応するというラストリゾート性を明記した上で）所得相応性基
準を導入することは、言わば利用要件が限定された個別否認規定という性格
を帯びることになる。適用除外基準のガイダンスを備えた例外措置との設計
がうまくできれば、ビジネスの予測可能性を大きく損なうことなくBEPS防
止効果を発揮するというメリットも期待できよう。
　従来から独立企業原則との整合性が問題にされてきた後知恵に頼る所得相

応性基準の働き場としては、欧米多国籍企業に比べBEPSをもたらす租税計画への積極的参加が少ないと評されている本邦企業を対象に、限定的な枠組みで導入する限りにおいて独立企業原則と共存できる立法化が可能ではないかと考える。

4　検討の方向性

　以上、移転価格の主要な個別課題である契約の引き直しの問題と、評価困難な無形資産への独立企業原則の適用につき、BEPS討議文書の処方箋提案を基に検証を行った。

　所得相応性基準を念頭においたPS法の適用ガイダンス等継続審議になっている移転価格のテーマは2017年においても作業は継続している。今後は国内法改正も視野に具体的な詰めが行われるが、同時に留意すべきは、行動14が設定する二重課税排除を目指した紛争解決策である。仲裁を備えた強化された相互協議システムのメカニズムにつき、少なくとも移転価格の分野に限ってでも多国間条約により合意することができれば（行動15）、ビジネスの立場からは、課税手法がオーバーキルになる（BEPS防止効果を超えて健全な多国籍企業のグローバルビジネスに過大なストレスを与え国際投資の阻害要因になる）ことでもたらされるかもしれない不利益が一定程度解消される。

　幸い2017年に署名がスタートした多国間協定にはオプションではあるが仲裁条項が盛込まれた。新興国を巻き込んだ仲裁条項の普及は不可欠と考えられる。

第8章

国境を越える利得配分に
関するその他の国内法制

192

第1節　その他の法制が必要とされる背景

　グローバル経済が拡大するに伴い、個人・法人の国境を越える取引を利用した租税回避も多様化してきている。既に概観してきた移転価格税制、過少資本税制、タックスヘイブン税制、利子控除制限税制は、いずれも居住者、内国法人に関する適用局面では、国境を越えるアウトバウンド取引が生み出す所得についての納税義務回避行動の規制を目的とするものである。しかし、居住者・内国法人にとっては、究極の租税計画として、居住者から非居住者への転換、あるいは内国法人から外国法人への転換によって、無制限納税義務（全世界所得について納税義務を負う）から制限納税義務（国内源泉所得についてのみ納税義務を負う）に移行する租税計画の余地が残されている。ところで、我が国では、個人・法人を通じてそのような抜本的な租税計画を図る納税者は少なく本格的な税制対応を必要とするには至ってないとの認識から、これまでそのような節税策に対しては最小限の国内法制対応で済ませてきた。

　もちろんその背景には、我が国のように無制限納税義務の対象として「居住者・内国法人主義」を採用する国（注203）では、制限納税義務者への転換は納税者の合法的節税策の一つであり、出国後の経済活動にまで我が国課税権を及ぼすことはできないという基本的制約があったといえる。すなわち、個人、法人を問わず所在地を国境を越えて移転することは、憲法が移転の自由・国籍離脱の自由として保障しているので（憲法22）、そのような場合の国家主権に基づく課税権行使は、あくまで移転前の経済的活動等に起因する所得に限られるからである。すなわち、租税法は、領域との経済的関連（economic allegiance）がある所得については当該領域に課税権を付与することを原則としており、移転までの間の営業の成果や資産の値上がり益など管轄地と経済的関連のある利得についてのみ、納税義務を果たさず移転する租税回避行為に対抗する法制を用意することが認められるのである。これまで我が国は、国内源泉所得を定める所得税法・法人税法のソースルールを実体法上の

（注203）　居住者・内国法人主義とは別に国籍主義を採る一部の国（米国、エリトリア等）もあり、そこでは出国という事実は納税義務の範囲を大きく変更するものではない。

194 第8章 国境を越える利得配分に関するその他の国内法制

根拠とし(注204)、国税通則法117条の定める納税管理人制度を手続法上の根拠として、それらの租税回避行為に対応してきた。ただし、含み益のある株式等を保有したままの居住者の海外移転に関しては、未実現利益に対する課税となることもあってほぼ手つかずのまま近年に至っていた。

ところで、高額資産家が出国により居住地を移動して事後の本邦課税当局からの所得課税や資産課税を免れるという節税スキームのみならず、最近では、妊婦がアメリカで出産し子どもに米国籍を持たせて我が国の相続・贈与税の回避を図るスキームや、米国企業が法人税率の低い英国等の企業と逆さ合併してグローバルな法人税負担の引下げ効果を享受しようとする事例も報道されている(注205)。

本章では、まず我が国が平成27年度改正で導入した個人についての出国税、及び平成19年度改正で導入済みの法人についての納税地変換（コーポレート・インバージョン）対策税制を取り上げ、加えて上記のような国境を越える取引に対する課税を適切に行うために要請している情報提供義務を規定した手続法を概観する。

第2節　出国税(注206)

1　創設の経緯

(1)　問題とされた租税回避スキーム

平成27年度改正で個人が居住地の国外移転をする場合の譲渡所得課税の特例が創設された。その背景には以下の租税回避スキームの横行があったとされている。

（注204）　当該ソースルールでは、譲渡所得を含めた不動産の生み出す所得は不動産所在地に課税権があるとされ、また、事業活動がもたらす所得は恒久的施設という閾値があるものの、事業活動地に課税権を認めているため、納税義務者の出国という事実のみによって課税対象が全面的に狭まる心配はない。

（注205）　日経新聞2015.10.30朝刊など。製薬会社ファイザー社は、2015年に英国法人アストラゼネカ、2016年にはアイルランド法人アラガンとのM＆Aを企画したと報道されている。

（注206）　財務省の『改正税法の解説』によれば同制度は「国外転出時の特例」と表示されているが、本稿では通称である「出国税」と表記する。

第8章　国境を越える利得配分に関するその他の国内法制

(図1)　財務省資料による回避事例(注207)

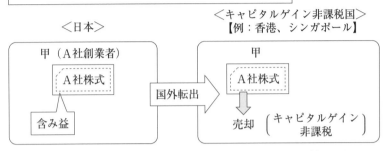

⇒日本でも国外転出先の国でもキャピタルゲインに対して課税されない。

　既に非居住者課税制度で見てきたとおり、非居住者による国内にある資産の保有・運用・譲渡による所得は原則として国内源泉所得とされるが、内国法人の発行する株式の譲渡による所得については、非居住者が国内に恒久的施設を持たない限り、買占めによる譲渡、不動産化体株式の譲渡、事業譲渡類似株式の譲渡等の例外を除き、国内法上課税対象とされていない(所令291)。なお、我が国が締結している租税条約でも、内国法人の株式を相手国居住者が譲渡した場合、不動産化体株式などの条約で合意した例外ケースを除きその譲渡益に対する課税権は居住地国にのみ認めるというOECDモデル条約（13条）を踏襲している(注208)。

　そこで、創業者株式など含み益のある内国法人株式を保有する高額所得者にとって、出国という究極の租税計画が潜在的に可能な状態であった。すなわち、居住者が我が国を出国して、条約相手国（しかも、当該国の国内法では株式譲渡益は非課税という国を選択）の居住者となり、出国後当該株式の譲渡を行って我が国での保有期間に対応する値上がり益を含んだキャピタルゲインを実現させた場合には、譲渡益全体について課税を免れ得るという不公平な結果をもたらす事例である。我が国では従来、近隣国と国境を接しか

(注207)　財務省「平成27年度税制改正について」P.26（財務省ウェブサイトより）
(注208)　我が国の条約例では、株式譲渡益についてOECDモデル条約の範囲（株式譲渡のうち不動産化体株式のみにつき源泉地国課税）を超えて源泉地国（株式発行法人所在国）に課税権を認めるものが約半数近くに上っている。

つ経済・通貨共同体を構成しているEU諸国と比べて、出国により自らの属する課税管轄を変更する租税計画は未発達とされてきた。しかし、グローバル化の進展の下で特にモーバイルな事業に従事する高額所得者や高額資産家を中心に、そのような租税計画が徐々にひろがりつつあるとされている。本税制改正はこれに対応するもので、諸外国の税制を参照して設計されている(注209)。なお、2015年10月にOECD/G20から公表された税源浸食・利益移転（BEPS）プロジェクト最終報告書においても、行動6「租税条約の濫用防止」の中で、国外転出時における未実現のキャピタルゲイン課税の必要性が承認されている。

(2)　それまでの国境を越える取引に対するキャピタルゲインのみなし実現課税

有名なオーブンシャホールディング最高裁判決（最高裁平成18年1月24日判決（判時1923・20））の事例は、簿価による現物出資が税務上も認められていた法人税制（法法51）の下で発生した。含み益のある本邦法人株式を現物出資してオランダにペーパーカンパニーを設立し、その後当該ペーパーカンパニーの新株を在外関連会社に有利発行して自己の持分を希釈化し、その後ペーパーカンパニーが含み益のある本邦法人株式を海外で譲渡する（オランダでは資本参加免税制度により譲渡益非課税）という租税計画であった。これに対して最高裁は、新株有利発行に伴う持株割合の移転を関連者間の「取引」と認定して、我が国親会社に対し、株式時価評価に基づく持分価値のみなし譲渡益に対する課税処分を承認した。その後、平成10年度税制改正により、海外子会社に対する一定の国内資産の現物出資を法人税法51条の圧縮記帳による課税繰延制度の対象外とすることにより、このような租税計画の余地はふさがれている(注210)。

なお、平成12年度改正では、金融商品に関する会計基準の発表に合わせた売買目的有価証券の期末時価評価制度、未決済デリバティブ取引のみなし決済制度など、未実現のキャピタルゲインに対する課税領域が拡大している。

(注209)　出国税の必要性を主張するものとして、原武彦「非居住者課税における居住性判定の在り方－出国税（Exit Tax）等の導入も視野に入れて－」税大論叢65号

(注210)　財務省「平成10年版改正税法のすべて」P.311。なお、その後、組織再編税制の創設で51条は廃止されたが、その中でこの取扱いは引き継がれている。

2 出国税制度の概要 (所法60の2〜60の4)

　上述した租税条約上の制約に配慮しつつ、居住者が出国の際に一定の株式等を保有する場合には、出国時にそれまでの間の株式等の値上り益についてみなし譲渡益の認定課税（転出直前に対象資産を時価で譲渡しその後同額で買い戻したものとみなして、事業所得、譲渡所得、又は雑所得を算定）を行うこととし、出国する居住者には申告納付が義務付けられた。時価評価対象となる保有資産については、株式等の他、信用取引等や、デリバティブ取引のポジションも含まれ、それらの時価評価の概要は以下のとおりである。

(図2)　財務省資料による制度の概念図[注211]

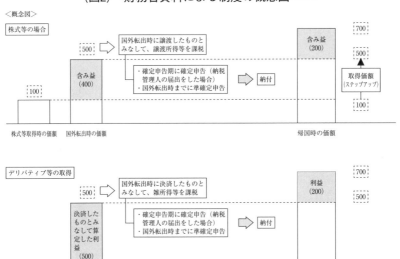

(1) 対象となる納税義務者・資産

ア　納税義務者

　国外転出時における保有有価証券等の合計額が1億円以上で、国外転出日前10年以内の国内居住期間の合計が5年超の要件を満たす者が納税義務者とされている。

イ　対象資産

　保有有価証券等には、国債、社債、株式等広範な有価証券に加えて匿名組

(注211)　財務省「改正税法の解説」P.81（財務省ウェブサイトより）

合契約の出資の持分を含められ、さらには未決済信用取引等若しくは未決済デリバティブ取引に係る契約も対象とされる。

有価証券等については、出国時における譲渡を擬制して損益を算出するとともに、未決済信用取引・デリバティブについては出国時に決済したものとして算出した損益を算定し、それらの合計で1億円以上であることが要件とされる。いずれも出国時点の譲渡・決済が、時価により行われたものとしてみなし譲渡益が認識され、所得の性格に応じて事業所得、譲渡所得又は雑所得として申告することが求められている。

これらの結果、当該課税対象資産の取得価額は、出国時の時価に引き上げられることになる。

(2)　一時的海外転出者に対する課税取消し

みなし譲渡による本件課税は、転出時が我が国課税権行使の最後の機会になるリスクに応えるものであるため、そのような懸念のない一定の一時的出国者に対しては、別途救済策が用意されている。すなわち、海外勤務等の事情で出国したが、国外転出時に有していた有価証券等を譲渡せずに転出時から5年（後述する転出時の10年納税猶予制度の適用を受けている場合は10年に延長）以内に帰国をした場合には、帰国日から4月以内の更正の請求により転出時の譲渡益課税を取り消し得るとする制度である。

(3)　譲渡等により対象資産の価額が転出時より下落した場合等の調整

これも、担税力の調整のための措置であり、納税猶予期間中に譲渡等を行いその結果出国時の課税対象含み益よりも当該譲渡等で実現した譲渡益が少なかった場合等に、課税を減免する措置である。また、併せて、納税猶予期間の満了日において、価格が下落していた場合の救済も同様に用意されている。

(4)　国外転出時の譲渡所得等の特例適用がある場合の納税猶予

上記の特例課税の対象者が、国外転出の時までに国税通則法に基づく納税代理人の届出をし、かつ、納税猶予分の所得税額に対する担保を供した場合には、転出日から5年を経過する日まで、納税の猶予を受けることができる。

(5)　贈与等により非居住者に資産が移転した場合の譲渡所得等の特例

上記(1)から(4)までは、含み益のある有価証券等がそれを保有する納税者の出国による居住形態の変更により我が国の課税権から離脱するリスクに備えるものであった。しかし同様のリスクは、贈与、相続を通じて含み益のある

第8章 国境を越える利得配分に関するその他の国内法制　　199

有価証券が居住者から非居住者（制限納税義務者）に移転され、その後含み益が非居住者の手元で実現する場合にも存在する。各国の税制もこれに対応しており、我が国でも出国税のカテゴリーの中で、そのような贈与、相続の際のみなし譲渡益課税の仕組みが導入された。納税義務者・対象資産・受贈者の帰国に伴う救済・納税猶予制度の概要は、上記の狭義の出国税と同一であるので、説明は省略する。

(6) 本制度により発生する二重課税の調整

（図3）　財務省資料による出国税で発生する二重課税調整の仕組み

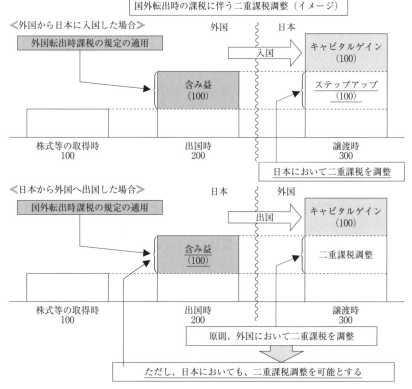

　ある国において国外転出の際に未実現のキャピタルゲインに課税され、国外転出先の国においても後にキャピタルゲインが実現した際に更に課税された場合には、同一のキャピタルゲインに対して国外転出元の国と国外転出先の国との間で二重課税が生じることとなる。このような国外転出時の課税に

伴う二重課税の調整の必要性については、BEPSプロジェクトの成果物の一つである行動6「条約の濫用防止」報告書が指摘する他、国際的な二重課税調整は最終的には居住地国で行うとの国際課税の基本的な考え方を踏まえると、原則として、実際に二重課税が生じる時点の居住地国である国外転出先の国において行うことが適当であると考えられた(注212)。

そこで、我が国は出国に伴う譲渡所得等の特例を創設したことを踏まえ、我が国への転入者（＝我が国の居住者）が国外転出元の国で国外転出時に未実現のキャピタルゲインに課税されていた場合には、我が国におけるその者の譲渡所得等の金額の計算上、当該国外転出元の国で課税された資産の取得価額をステップアップすることにより、国外転出元の国における国外転出時の課税に伴う二重課税を調整することとされた。なお、我が国への転入者が国外転出元の国で国外転出時に未実現のキャピタルロスを認識されていた場合には、国際的な二重非課税に対応する観点から、我が国におけるその者の譲渡所得等の金額の計算上、当該国外転出元の国で課税された資産の取得価額をステップダウンすることとされている（所法60の4①②）。

また、我が国からの転出の場合は、上記の逆の措置を新居住地国がとることが期待されるが、本税制の適用を受けた居住者で納税猶予を受けているものがその適用対象となった有価証券等を譲渡した場合において、国外転出先の国が国外転出をする場合の譲渡所得等の特例による課税に伴う二重課税を調整しない国であるときは、国外転出をする場合の譲渡所得等の特例により課された所得税から国外転出先の国で課された外国所得税を控除することにより、我が国において二重課税を調整することができることとされている（所法95の2①）。

3　新制度の評価

前述したとおり、節税目的での出国は究極の租税回避スキームと位置付けられる。もちろん移転地での居住の実態がない移転に対しては、居住者ステータスに変更はないものとして課税管轄の継続を正当に主張する余地がある

(注212)　BEPSプロジェクト行動6最終報告書P.89-90では、国外転出時の課税に伴う二重課税については、原則として、所得（未実現利益を含む）が生じた時点の居住地国に当該所得に対する課税権があり、新居住地国は旧居住地国が課したキャピタルゲインに対し2重課税とならない措置をとるべきとの考え方に基づき、両国の権限のある当局間の合意に基づいて解決すべき旨の記載がされている。

ものの、生活の本拠の移転というコストを実際に払った出国者に対しては、現行税法は基本的に無力である。武富士事件判決が示す通り、居住性の認定の焦点となる住居は、現行法上生活の本拠であることを支える客観的な法的関係（居住のための現地での法的ステータス、住居の所有・利用のための契約、実際の居住利益の享受等）を踏まえた事実認定により判断するほかないからである。

ただし、国際課税の基礎をなすソースルールでは、経済的関連の概念の下、居住の有無にかかわらず例えば不動産に係るキャピタルゲインの課税権（不動産化体株式を含む。）をその所在地に認めてきた他、2016年4月から施行された帰属主義改正法の下で明確化された恒久的施設の閉鎖に際してのキャピタルゲインの事業所得としての清算課税など、譲渡所得の課税権を当該資産の保有期間に対応して保有地に付与する方向が進行している。

国境を越えた納税者と課税物件の移動に対する平成27年度改正による出国税創設も、上記のようなキャピタルゲイン課税権の配分の適正化措置の一環であり、度を超えた国境越え租税回避スキームに対して有効に機能するものと評価される。なぜなら、①国境を越えるスキームにより我が国課税権から離脱して、その後課税権回復の見込みがなくなる2つのケース（納税主体の出国によるキャピタルゲイン実現者の非居住者への転換と、納税客体である資産の移転によるキャピタルゲイン帰属先の非居住者への転換）との双方をカバーしていること、②保有したままの再帰国や事後の値下がり状況の下での現実の譲渡において明らかになる当初の未実現利得に対する課税の過大効果を救済するために、まず、納税猶予制度を設けた上で、当初課税の過大部分につき適正な是正措置を講じていること、③BEPSプロジェクトが指摘する二重課税の解消手続を丹念に設計していることから、比較法的にみても最先端の出国税の制度設計と評価できるであろう。

第3節　納税地変換（コーポレートインバージョン）対策税制

1　創設の経緯

本制度創設のきっかけは、会社法制定により平成19年度から開始された合

併等対価の柔軟化措置（合併対価として親会社株式の交付を承認）とそれに伴い被合併法人等の株主に対する旧株譲渡益の課税繰延の承認（法法61の2②④⑨）であった。国際課税の観点からこの制度改正は、我が国課税権の侵害のリスクが高まったことを意味した。すなわち、海外親会社株式を交付する内国法人を対象とした三角合併により、従来日本法人の株主であった非居住者は、外国法人（海外親会社）の株主へと立場が変換されることになるが、その際旧株についてのキャピタルゲイン課税を行わないと（課税繰延を認めると）、従来は内国法人株式について事業譲渡類似株式の譲渡の枠組みで我が国が課税権を行使しえた課税のチャンスが失われることになるからである。

また、それに加えて、三角合併の当該親会社が低課税国に所在する場合には、組織再編後の課税環境が変わり、クロスボーダーの取引を通じた税源浸食に対する既存対抗税制（代表的にはタックスヘイブン税制）が機能しにくくなるといった問題も現実化した。

これらの懸念は、1990年代から始まった米国における多国籍企業の納税地変換スキーム利用拡大とそれに対抗する2004年の内国歳入法典へのコーポレートインバージョン対策税制創設の経緯で既に実証されており、我が国企業のグローバル化の下でもその必要性が強く意識されたという背景があった[注213]。なおその後、先進国・途上国を通じて激化する法人税率引下げ競争の下で、海外M＆Aを利用した納税地変換は積極的な租税計画としてより注目を浴び、多くの実例も観察されている[注214]

通常、納税地変換対策税制として解説されるのは、上記の2つの事例のうち後者のみを指す場合が多いが、本節では前者を含めた広義の概念で解説する。

2 制度の概要

(1) クロスボーダー組織再編時の非居住者株主に対する譲渡益課税

非居住者株主の株式含み益については、もし非居住者が国内にPEを有しており、当該株式が国内事業に供されているならば、我が国の課税権の行使

（注213）　財務省「平成19年度税制改正の解説」P.551
（注214）　前述した米国のファイザーのM＆Aと並んで我が国でも2013年9月に東京エレクトロンとアプライドマテリアル両社のオランダ持株会社の下での統合が発表され、話題となっている（日経新聞2015.4.28朝刊）。

について問題はない。しかし（図4）のようにPEを有しない場合については、事業譲渡類似株式等に該当して初めて我が国がキャピタルゲインに課税できるものの、前述したとおり三角合併で対価として親会社株式のみが交付された場合には、キャピタルゲイン課税を繰り延べることが可能となり、租税回避のチャンスを与えることになる。

平成19年改正法は、上記のケースにつき課税繰延べを認めず、親会社新株が発行された段階で内国法人株のキャピタルゲインが実現したものとし課税することとされた（措法37の14の2）。なお、併せてPEの財産を構成していた株式をPE事業の管理対象から外した時も、同様に時価による実現があったものとして課税することとされている。

その結果二重課税になってはいけないので、交付を受けた親会社株式の取得価額は交付時の時価とされている。

（図4） 三角合併による非居住者株主のステータス変更による課税上の弊害

（三角合併前）

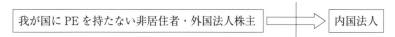

＊非居住者株主が事業譲渡類似株式の譲渡（25％以上保有で5％以上譲渡）等に該当する場合に、我が国がキャピタルゲイン課税可能。

（三角合併後）

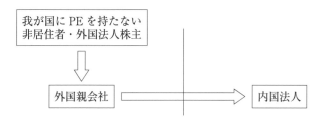

＊非居住者株主は外国親会社の株主となり、今後外国親会社株式を譲渡して実質内国法人株式のキャピタルゲインを実現させたとしても、日本では課税できず。

(2) 特定の三角合併等の適格性の否認に伴う課税

上記（図4）の三角合併後の資本関係図で、外国親会社が軽課税国にある実体のない法人である場合には、軽課税国関連会社が子会社の場合に発動でき

るタックスヘイブン税制の適用を免れることとなり、租税回避を助長することになる。そこで、そのようなケースについては、適格合併等に該当しないものとして取り扱うこととされた。適格性が否認される三角合併は①合併法人と被合併法人との間に特定支配関係（50％超の資本関係）があり対価として特定軽課税国外国法人の株式が交付されたものである。特定軽課税外国法人等の定義はトリガー税率などタックスヘイブン税制と同じ基準であるが、適用除外基準については、タックスヘイブン税制の事業基準、実体基準、管理支配基準・非関連者基準又は所在地国基準の他に、事業関連性、事業規模、役員要件を追加してより厳格なものとなっている。

　なお、これにより非適格とされた三角合併の下で親会社株式の交付を受けた非居住者・外国法人株主については、いずれも旧株の時価譲渡が行われたものとして課税が行われることにされている。

(3)　特殊関係株主等である内国法人に係る特定外国法人の課税の特例（狭義の納税地変換（コーポレートインバージョン）対策税制）

　この制度は、（図5）に示す通り、組織再編等により内国法人の株主とその内国法人との間に外国法人を介在させることにより、その株主が外国法人を通じて内国法人を間接保有する状況を前提としている。

　そして、5人以下の株主グループによって株式の80％以上を保有される法人を特定内国法人と規定し当該特定内国法人の株主が、組織再編成等により、軽課税国に所在する外国法人を通じてその内国法人の株式の80％以上を間接保有することとなった場合には、当該外国法人の各事業年度の適用対象金額をその持分割合に応じて、株主である居住者又は内国法人の所得に合算するというものである。80％については、共同事業を営むための合併の要件として被合併法人株主の継続保有要件を参照したと財務省は説明している[注215]。なお、本件措置の効果はタックスヘイブン税制と同様であり、適用除外要件もタックスヘイブン税制と同様である。ただし、本税制では適用される株主についてタックスヘイブン税制のような持分要件（10％以上）は課されていない。なお、特定関係株主において、本制度とタックスヘイブン税制が重畳的に適用される場合には、タックスヘイブン税制が優先適用されるべきとされている。

────────────

(注215)　財務省「平成19年度税制改正の解説」P.567

（図5） 特定外国法人を介した内国法人間接支配に対する合算税制

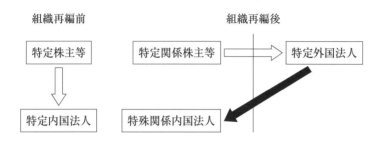

3 本制度の評価

　我が国企業は、欧米企業のように意図的な租税計画として納税地変換戦略を採っているものは少ないとされてきた。また、三番目の措置は株式保有の閾値も80%という高いものであるため、本制度の適用対象になる株主は目下のところ限定的であると考えられる。しかし、近年法人税率引下げ競争の中で優位に立つシンガポール、香港は、我が国からのアクセスも良く、アジアの統括会社立地国として発展している。そのような状況を背景にインバージョンを検討している法人も増えてきているとの報道もある。
　BEPSプロジェクト行動3の外国子会社合算税制の強化では、規範性の弱いベストプラクティスについてメニューが提示されたにとどまっているが、そのことは協調して一つの答えに集約することが難しいことを示しているに過ぎず、インバージョン対策税制と密接に関連するタックスヘイブン税制の重要性の認識を損なうものではない。納税者にとってバックストップである本税制の弾力化や強化は予測可能性を損なうという意味でうっとうしいものであるが、各国の国内法の動向と執行ぶりをしっかりモニタリングする必要があろう。

第4節　国外送金及び国外財産に関する情報
　　　　申告制度

1　沿　革

　グローバルな経済環境の下にある納税者は、自らの資産を国境を越えて自由に動かし多様な国外所得を稼得することができる。居住者・非居住者の区分により課税範囲の広狭はあるものの、そのようなグローバル利得に関する基礎となる取引情報が的確に把握できない限り、我が国にとっての税源浸食のリスクは消えない。取引情報収集のための基本的な法的インフラとして、国内法ベースでは本節で概説する納税者による情報申告制度があり、租税条約はこれと並んで権限ある当局間の情報交換制度（OECDモデル条約26条）を構築している。

　以下、我が国が国内法上備え付けた海外送金と国外財産についての情報申告制度を概観する。

2　制度の概要

(1)　国外送金等調書制度

　国外送金は、直接投資やポートフォリオ投資のための資金供給など国外所得を生み出す資金源となり得るものであり、国外所得把握のための原点ともいえる情報である。本制度は、平成9年の「内国税の適正な課税の確保を図るための国外送金等に係る調書の提出等に関する法律」に基づき制定された。

　制度設計はインバウンドの送金とアウトバウンドの送金の双方を対象としており、その概要は以下のとおりとなっている。

　すなわち、国外への送金をする個人又は法人及び国外からの送金等の受領をする個人又は法人は、その送金の際に自らの氏名・名称及び住所等を記載した告知書を金融機関又は郵便局に提出し、告知書の提出を受けた金融機関等は、告知書記載事項を確認の上、国外送金等のうち1回当たり100万円を超えるものについて、その顧客の氏名・名称、住所、送金額等の一定の事項を記載した「国外送金等調書」を送金の翌月末までに提出しなければならないとする制度である。

(2) 国外財産調書制度

　立法趣旨として平成24年度税制改正の解説（財務省資料）では、国外財産に係る所得や相続財産の申告漏れが近年増加傾向にあり、国外財産に関する課税の適正化が喫緊の課題であると述べている。

　本制度の下での情報申告義務者は、非永住者を除く居住者で、その年の12月末日において国外財産の価額の合計額が5000万円を超える者である。国外財産調書には、その財産の種類、数量及び価額等を記載し、その翌年の3月15日までに税務署長に提出する義務が課されている。本件提出義務違反には罰則（1年以下の懲役又は50万円以下の罰金）が付されているが、別途、国外財産に関する所得の申告漏れがあった場合に、適正な情報申告をしている者に対して過少申告加算税を5％軽減するとともに、未提出者等に対しては過少申告加算税を5％加重するといった、提出を促進するインセンティブが付加されている。

　具体的なイメージは（図6）のとおりである。

（図6）　財務省資料による制度の概要

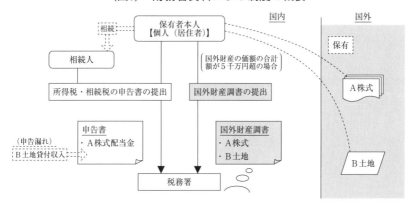

3　本制度の評価

　いずれの制度も、先進各国の情報申告制度と同等の内容であり、グローバル水準に合った基本的な情報申告内容と評価される。

　ただし、BEPSプロジェクトの下では、多国籍企業の租税回避行為を防止目的で、企業情報の透明化が更に1歩前へ進もうとしている。すなわち、①行動5の有害税制への対抗では、他国の税源に影響し得る課税当局のルーリン

グ（個別納税者の課税関係に関して税務当局が提供する助言、情報・取極等）を提供した当局に対し、自動的情報交換の制度に基づいて影響を受ける国の当局へ通知することを義務付けており、また、②行動12では租税回避スキームについてプロモーター及びその顧客から税務当局に義務的開示を求める方策をベストプラクティスとして推奨している。これらは税源浸食に関わる情報ではあるが、直接課税要件事実の判定に関わる事項ではないため、従来は質問検査権の下で必要に応じて収集されてきたものである[注216]。クロスボーダー取引に関する情報収集は、個人についても米国のFATCA（外国口座税務コンプライアンス法）に基づく外国金融機関からの情報収集策をきっかけに更に詳細な個別情報についての関心が高まっており、我が国においても、課税の適正化と国際協調の観点から、更に透明化に向けて国内法の整備が進むものと推測される。

（注216）　このほかBEPS行動13では、移転価格税制のコンプライアンスリスク測定の情報として、子会社進出先での利得配分状況等を明らかにする国別報告書やグループ法人の人・モノ・カネの配置等にかかる世界戦略を明らかにしたマスターファイルの提出も義務付けるよう提案された。これらも、課税要件の分析に直接関係する情報ではないため、従来は質問検査権で必要に応じて取得されてきたものである。

第9章

租税条約総論

210

第1節　近年の動向

　2015年12月、財務省のホームページに民間ベースでの日・台湾租税協定の締結を報じるニュースが掲載された。台湾との間には国交がなく租税条約の締結ができなかったため、投資・貿易規模で我が国と緊密な関係があるにもかかわらず、従来台湾投資に際しては、源泉徴収の軽減や二重課税の調整等、租税条約が提供する諸便益が適用されないままであった。しかし、外交上一つの中国を標榜する中国自身が、既に香港、台湾等を相手とした租税協定を結びビジネスのニーズに応えている状況下では、外交問題に配慮しつつ税制がビジネスの二重課税排除の要望に応えることは当然の要請と考えられる。ただし、政治上の理由で国家間の合意を締結するわけにはいかないので、台湾との間では実質的に租税条約に相当する枠組みを構築するために、公益財団法人交流協会（日本側）と亜東関係協会（台湾側）との間で「日台民間租税取決め」（日本では国際約束として効力なし）を取り結び、その内容を日本国内で実施するための国内法を整備する旨が、平成28年度税制改正大綱で謳われた(注217)。

　現在全世界で約3,600本の租税条約が締結されていると伝えられており(注218)、我が国は台湾協定を含めると66か国を相手とした租税条約ネットワークを確立している。課税権配分の確定による二重課税調整機能を主たる役目とし二国間の投資・貿易・人材交流等を促進する機能を果たしてきた租税条約は、グローバルビジネスの展開にとって不可欠のインフラと位置付けられており、特に新興国のネットワーク拡張スピードは著しい。

　しかし、グローバルビジネスの不可欠のインフラである租税条約は、その発展過程で2つの重要な課題と直面してきた。1つは、新興国を中心とする発展途上国からのより広範な課税権配分を求める要求の高まりであり、もう1つは、二重非課税をもたらす効果を狙った多国籍企業による租税条約濫用への国際協調の要請である。特に後者は、従来の租税条約が国際協調の対象として「脱税への対応」を標榜していたのを、「アグレッシブな租税回避」まで

(注217)　「平成28年度税制改正の大綱」P.75-78（財務省ウェブサイト）
(注218)　OECD, BEPSウェブサイト,租税委員会事務局長Pascal Saint Amans氏の説明より

広げて対象とする点で、従来の枠組みの実質的修正を意図している。本章では、まず租税条約の趣旨・目的を沿革を含めて概観するとともに、上記二課題を反映した国際機関におけるモデル租税条約改革への取組を紹介し、これから租税条約がどの方向に向かって改善されていくのかを取りまとめる。

第2節　租税条約の趣旨・目的及び歴史

1　税に関する国家間の合意

(1)　租税条約の種類

　税に関する国家間の合意を最も広義で租税条約と呼称するが、通常租税条約と呼ばれるものは、締約国間での所得別課税権の配分規定を中心にして、それを補足する無差別原則や情報交換・執行協力等の義務を付加したいわゆるフルバージョンのものである（以下本章以下で租税条約の表現を使用するときは、断りなき限りフルバージョンの条約を指す。我が国では台湾を含めた66条約中55条約がこれに相当する）。なお、この他、特にタックスヘイブンの国々を相手として目的を情報交換に限定・特化した合意を行ったものがあり、これは情報交換協定と呼称されている。後者は、OECDが主導する有害税制フォーラムでタックスヘイブン国にある納税者情報の開示を国際協調により促進した結果、近年拡大したものであり、10か国・地域が対象となっている。

　なお、以上は二国間条約であるが、我が国が参加する多国間条約として税務行政執行共助条約があり、我が国以外の同条約署名国56か国中に、21か国我が国と二国間条約を締結していない国があるので、我が国と何らかの条約ネットワーク内にある国は90か国近い規模に達している。また、BEPSに関する多国間協定署名に開放されており、今後その数は拡大が見込まれている。

(2)　条約という法形式

　租税条約の法的性格を概観するうえでまず確認しなければならないことは、それが条約という法形式を採っている点である。国家間で締結される条約の定義は、日本も批准しているウイーン条約法条約2条によれば、『国の間において文書の形式により締結され、国際法によって規律される国際的な合意をいう』とされている。したがって、租税条約も、合意は守られねばならない（ウイーン条約法条約26条）の遵守原則に基づき、締結する国（「締約国」

第9章　租税条約総論　　213

という）に対して権利及び義務を創設するものであって、納税者に対して権利及び義務を原始的に創設するものとは考えられていない。すなわち、居住者・非居住者を問わず、更には国内取引・国際取引を問わず、課税要件を定めて納税者に納税義務や還付申請の権利等を創設する役割は国内法に専属しており[注219]、租税条約はそれら国内法の定める納税義務の範囲等について、締約国間で一定の制限を行う義務ないしはそれを相手国に要求する権利を創設するにすぎないとされている。すなわち、租税条約の合意の主たる内容は、①非居住者・外国法人について国内法が定める課税権の範囲を、二重課税を縮小する観点から相互に制約し合う内容（事業所得についてのPEという閾値及びPE帰属要件の設定、投資所得についての源泉徴収税率の引下げ等）と、②脱税防止目的での執行協力（情報交換、執行共助等）であり、新たに国内法を超えた納税義務を課すことは予定されていない[注220]。

　また、このような租税条約の性格から、租税条約は居住者・内国法人に対する締約国の課税権行使を国内法レベル以下に引き下げるものではないとの原則（プリザベーション原則）も導き出される。

(3)　条約と国内法の優先関係

　租税条約締結後に条約に基づく課税権制約合意と抵触する内容の国内税法（例えば、条約上源泉徴収が免除されている取引に、新たに源泉徴収義務を付加する国内法の制定）が一方の締約国で立法された場合、どちらが優先適用されるかは両締約国にとって大きな関心事である。

　多くの国では上記ウイーン条約26条の精神を憲法に反映した国際法優先主義を採っているので、条約の軽減措置が影響を受けることはないとされているが、一部の国では条約・国内法を通じて後法優先主義を採っており、その場合には相手国にとって条約の合意が覆されるリスク（「トリーティ・オーバーライド」と呼ぶ）が残存する。このような事態を想定して、事後の国内税制改正内容の相互通知や条約改定交渉の開始を保障する条項が条約に追加される例[注221]がみられる。

（注219）　増井良啓＝宮崎裕子「国際租税法〔第3版〕」（有斐閣、2015）P.2では「経済はグローバル、課税はローカル」と表現されている。

（注220）　その例外として、フランス及び旧仏領アフリカの国々では、租税条約が国内法上課されない税を新たに課することを認めている。

（注221）　現行日米条約29条

2 二国間主義が原則

　関税・貿易に関しては、最近では二国間FTAやTPPのような地域別合意などでWTOの全世界統一枠組みが崩れつつあるが、基本はGATTからWTOに至る多国間協定の枠組みで関税及び貿易の自由化に向けた国際協調が長い間取り組まれてきた。多国間協定の枠組みを租税条約についても適用する可能性はOECDモデル条約起草段階では繰り返し検討されたが、国によって多様な租税条約ポリシーの下での多国間合意の困難性が認識されたため採用されるには至らず、租税条約については、一部の例外^(注222)があるものの、二国間主義を原則とするとの共通理解が成立している^(注223)。

3 趣旨・目的

　租税条約の趣旨・目的は、国際連盟下でのモデル条約起草段階から二重課税の排除と脱税の防止にあるとされ、現在に至っている^(注224)。

(1) 二重課税の排除

　租税条約は、二国間の貿易・投資などの経済活動に対して税が阻害要因になってはいけないとの観点から、同一の者の同一の課税対象に対し複数の国が同様の課税を行うことによって発生する二重課税（「法的二重課税」と呼ぶ）を排除することを主たる目的としてきた。これに対し、関連会社間の取引がもたらす所得の認識等について認識基準が二国間で異なることによって別個の課税主体に発生する経済的二重課税については、独立企業原則の適用を条約上保障する移転価格税制を除いては、二重課税排除の対象とされていない。

　なお、二重課税排除の目的は、次の諸条項によって達成されるよう設計されている。

・個人及び法人について発生する双方国での二重居住状況の解消条項（どちらか一方国の居住者と認定する振分けルール）

・所得項目別に源泉地国の課税権を制約する諸条項

・居住地国に国外所得免除方式又は外国税額控除方式による二重課税排除義

(注222)　北欧諸国が締結する多国間租税条約やOECD/EUが主導し我が国も批准した多国間執行共助条約等が、例外的な多国間協定である。

(注223)　OECDモデル条約（2010年版）序文パラグラフ37—40

(注224)　我が国も個別租税条約のタイトルとして、米、英、中国条約等多くの条約で「二重課税の回避及び脱税の防止のための条約」という表現を用いている。

務を課す条項

・条約の趣旨に反する課税が行われ、二重課税が発生した場合の紛争処理を
定める条項

(2) 脱税の防止

租税条約の目的として二重課税の排除とともに当初から重視されてきたの
が、国際取引を利用した脱税の防止である。二重課税の許容が国際取引にと
って不適切な障害であることと同様に、脱税の許容も国際取引にとって不適
切なインセンティブとなるという意味では、この二目的を並立させることに
よって租税条約のバランスが図られるという関係にあったと考えられ
る[注225]。ただし、脱税防止に言及する具体的条項は少なく、従来は納税者に
関する情報交換規定（OECDモデル条約26条）が注目されるのみであった。
この背景には、脱税防止の対象の範囲を、刑罰法規に触れる脱税に限るとす
るスイス等一部の国が存在したため、より広い租税回避を含むとする多数国
の意向が条約上十分に反映されなかったという沿革が指摘されよう。

この結果、条約漁り（有利な二国間条約の課税減免規定の恩典を享受する
ため、第三国納税者が当該締約国に名目的な法人等を設立しそれを通じた取
引を構築するスキーム。トリーティショッピングともいう）を含めて意図的
に二重非課税状況を作り出す租税回避行為に対して、租税条約がどこまで解
釈適用によって対応できるかにつき十分なコンセンサスが得られないまま、
2013年からG20/OECDベースでスタートした税源浸食・所得移転プロジェク
ト（以下「BEPSプロジェクト」と略す）を迎えることとなった[注226]。

(3) 二重非課税への対応

2015年10月に公表されたBEPS最終報告書は、多国籍企業が享受している
不適切な二重非課税状況に国内法・租税条約を通じて対抗する施策が盛り込

(注225) Brian J. Arnold & Michael J. McIntyre, "International Tax Primer"（2002,
Wolster Kluwer）P.106

(注226) この間、IFA（国際租税協会）では、インド・モーリシャス条約やカナダ・アメ
リカ条約を活用した二重非課税問題に関する判決を材料とする解釈評価が行われたほ
か、条約の不当な利用に関しては米国を中心とする特典制限条項やEU諸国の主要目的
テスト条項の採用が個別条約で進展していた。しかし、これらの内容については、モデ
ル条約1条（条約適用の人的範囲を「居住者である者」に限るとする規定）のオプション
として同条コメンタリーで例示されるにとどまり、二重非課税問題に対する統一的処方
箋とは位置づけられていなかった。

まれているが、その行動6では、租税条約の濫用防止に対して、新たにモデル条約に二重非課税対応の諸条項を新設することが提案されている。この勧告に基づく条約改定が実施されれば、租税回避行為による二重非課税状況の解消も租税条約の目的の一つとして公認されることになろう。

　その具体的勧告内容は、以下のとおりである。なお、この内容のBEPS行動15の下での多国間取極への取り込みについては、第12章で詳説する。

　　ア　租税条約前文に趣旨の追加明記
　前文に「租税条約は租税回避・脱税（条約漁りを含む）を通じた二重非課税又は税負担軽減の機会を創出することを意図したものではない」趣旨を明記する

　　イ　租税条約に一般的濫用防止規定として、次のいずれかの条項を規定
・主要目的テスト（以下「PPT」と略す。租税条約の濫用を主たる目的とする取引から生ずる所得に対する租税条約の特典を否認する規定）のみ
・特典制限条項（以下「LOB条項」と略す。租税条約の特典を受けることができる者を一定の適格者に限定する規定）及び導管取引防止規定（簡易版PPT）
・PPT及び簡易版LOB条項

　　ウ　租税条約上の特定要件の適用回避を防止するために必要な個別否認規定を新設
　例として、
　　──双方居住者の振分けルールを実質管理地基準から個別判定方式に変更
　　──配当に対する軽減税率適用のための持株保有期間要件を追加　等

　　エ　その他
　自国の居住者に対する国内法上の租税回避防止措置（タックスヘイブン税制、出国税等）が租税条約の規定と整合的であることの確認

第3節　租税条約の歴史

　租税条約の解釈適用に関しては、その理念的基盤を構成するモデル条約の

第9章　租税条約総論　　217

生成過程を検証することが有益であると考えられてきた。多くの先行研究が行われているが、以下では国際連盟当時の起草文書等を材料に沿革をたどってみる。

1　国際連盟下の業績

　租税条約は19世紀末から欧州でドイツ経済圏の拡大とともに利用が本格化していった[注227]。その後第一次大戦でその流れは途絶えたが、戦後の欧州復興に当たっては、米国からの援助や投資を中心とした国際協調システムが新たに設立された国際連盟により本格化していった。その中で国際連盟は、国境を越えた貿易・投資について二重課税の発生・放置を許すことにより税制が阻害要因になってはならないとのコンセンサスの下に、二重課税の発生を極小化する課税権配分と発生した二重課税の救済を保障することを主たる内容とする二国間租税条約のモデルとなる条約草案の作成に取り掛かった。モデル条約の主要目的が、二重課税の防止にあるとの共通理解がこの時点で確立されたといえる。

　国際連盟に参加しなかった米国からの委員も含めた4名の学者による専門家委員会が、連盟財政委員会の下で草案作成前の理論的整理を行い[注228]、それをベースとして主要国の政府職員をメンバーとするモデル条約起草のための専門家委員会の下で1928年に最初の国際連盟モデル条約草案が起草された。その後、モデル条約は継続的な見直しが行われ[注229]、1943年に中南米の途上国が中心になったメキシコモデル条約、1946年に復興に着手し始めた欧州諸国が中心になったロンドンモデル条約が起草された。以上3つのモデル条約案の課税権配分に関する規定ぶりを比較すると以下のとおり対象的である。

（注227）　歴史上最初の本格的租税条約は、1899年のプロシャ・オーストリー条約であるとされている。

（注228）　米国のSeligman（コロンビア大学）、蘭のBruins（ロッテルダム商業大学）、英国のStamp（ロンドン大学）、伊のEinaudi（トリノ大学）の4名の財政学者であり、1923年に『二重課税報告書』を財政委員会に提出している。そこでは「経済的帰属（economic allegiance）」の概念の下に各種財産の生み出す所得源泉を論じており、現在のOECDモデルの基礎理論が形作られている。

（注229）　それらの中では1935年に米国のキャロルを中心とする委員会が起草した事業所得配分に関する条約案が注目される。

第9章　租税条約総論

（表1）国際連盟下でのモデル条約の比較

区　分	1928モデル条約草案	1943メキシコモデル	1946ロンドンモデル
PE	PEの存在を源泉地国課税権の必須条件として規定（代理人PEを含む） ＊事業所得は「PEを保有する国で課税できる」との原則規定。両国にPEが存在する場合の所得配分は、領域内発生主義による	PEの存在は源泉地国課税のための1要素にすぎず ＊事業所得は、「事業活動が遂行された国で課税できる」との原則規定。PEを有さない遠隔地取引や一時取引は居住地のみ課税する旨を付加	PEを源泉地国課税のための必須条件と規定 ＊事業所得は「PEを保有する国で課税できる」との原則規定。1928年モデルに復帰
PEへの所得配分	PEへの所得配分については「領域内発生主義」による。具体的配分は二国間で決定できると留保	同左 ＊PEへの所得配分につき独立企業原則にのっとった分離会計主義による旨を明示	同左
投資所得への課税権	投資家所在地国と源泉地国に其々課税権を承認	源泉地国（投資資源の利用国）に広範な専属課税権を承認	源泉地国課税権を大幅に限定し居住地国課税権を回復

2　OECDでのモデル条約の発展と国連モデルの追加

　第二次大戦後、国際連盟が解体された後のモデル条約作成作業は、メキシコ・ロンドン両モデル条約間のかい離を先進国・途上国双方の専門家による検討で調整することが期待されていたが、新しく1945年に誕生した国際連合

の下では実現できないまま、戦後の欧州経済の復興を任務とするOECDに引き継がれ、1963年に戦後復興期の統一モデルとしてOECDモデル条約案が誕生した。租税条約は第二次大戦後の四半世紀において欧米の先進国を主たるユーザーとしてきたため、専らOECDモデルが参照されることが多かったが、1970年代に至り途上国のニーズに沿ったモデルを求める声が国連で高まり、1980年に新たに途上国・先進国間の租税条約のモデルとして国連モデル条約が起草・公表された。

以後、2つのモデル条約は、OECD・租税委員会と国連・税の専門家委員会の下でそれぞれ定期的な改定が繰り返され現在に至っている。

(1) 2つのモデル条約の併存と最近の動向

ア 両者の相違点

OECDモデル条約は、国際連盟の作業を引き継ぎ、各国税制当局の代表者による討議を経て先進国・途上国の区分を意識せず普遍的な租税条約のモデルとして作成され、更に閣僚理事会でOECD加盟各国への採用の勧告まで行った一定の法的拘束力を持った文書である。一方、国連モデル条約は、起草主体が国を代表しない専門家委員会であり、法的拘束力を持たない文書と受け止められている。かつ、国連モデルは「途上国・先進国間」という特別の環境下でのモデルであり、内容的にもOECDモデルを大部分参照しつつ限定的な改定を行ったという後発文書の性格を有している。内容面での主な相違点は表2のとおりである[注230]。なお、両モデルの事業所得に関するスタンスの違いを国際連盟時代のメキシコ・ロンドンモデル間の相違に照らしてみると、OECDモデルはロンドンモデルの系譜、国連モデルはメキシコモデルの系譜と整理することも可能と思われる。

(表2) OECDモデルと国連モデルの比較表

項　目	OECDモデル	国連モデル
PEの範囲 （5条）	建設PE成立の期間要件は12か月	建設PE成立の期間要件は6か月

（注230）　両モデル間の規定ぶりの詳細な比較に関しては、拙稿「OECDと国連のモデル租税条約の比較」租税研究2010年8月号P.242参照。

	サービスPE（企業による人的役務提供における滞在要件のみでのPE認定）はコメンタリーでオプションとして提示	サービスPEについては5条3項 b）でPEとして承認（滞在期間183日）
	物品・商品の引渡業務を行う施設はPE該当せず	物品・商品の引渡業務を行う施設はPE該当
PE帰属主義の解釈（7条）	独立企業原則に基づく新しい帰属主義（OECD承認アプローチ＊）の徹底 ＊本支店間での資本配賦や本支店間取引の認定等を行うもの	OECD承認アプローチの不受理 部分的なPE吸引力の残存＊ ＊PEと同種の取引を本店が直取引で行った場合の所得のPE所得への合算
移転価格課税	OECD移転価格ガイドラインに即した9条独立企業原則の解釈	基本的には同左。ただし国連移転価格マニュアルでの途上国独自事情への各種配慮
配当・利子	軽減税率の明示	軽減税率を明示せず、交渉に委ねる
使用料	居住地国のみに課税権付与	居住地国源泉地国双方に課税権付与
株式譲渡所得	居住地国のみに課税権を付与	一定の支配株主による譲渡について源泉地国にも課税権付与

自由職業所得（弁護士・会計士・税理士等の所得）	14条（自由職業条項）の廃止と、事業所得条項（5条のPE認定、7条のPE帰属主義ルール）を適用した課税	14条（自由職業所得条項）の維持（固定的施設に基づく課税と滞在日数（183日超）による課税の並列）
紛争処理（25条）	相互協議が2年以内に解決しない場合の仲裁移行を規定	仲裁移行条項はオプション

なお、OECDモデル条約は、1992年以降常時必要に応じた改定を行うためにルーズリーフ方式で編集されることとなり、21世紀に入って頻繁にコメンタリーの改定が行われている。その中で、モデル条約へのOECD非加盟国の影響力が強くなったことを考慮して、多くの非加盟国のOECDモデルに対する立場が1997年改定以降収録されている[注231]。

また、OECDモデルの頻繁な改定は、それを多く参照している国連モデルの見直しスケジュールをも迅速化した。国連モデルは1980年に初版が公表された後2001年に第2版が公表されたが、その後は、4年ごとに改選される専門家委員会のタームごとにまとまった改定が行われ改定作業の迅速化が進んでいる。なお、上記表1で参照した国連モデルは、最新版である2011年バージョン[注232]である。

　イ　BEPSプロジェクトでの新たな展開

表2で明らかなように、2つのモデル間には居住地国（投資主所在地国）と源泉地国（企業活動実行国）間での課税権配分に際して大きなギャップが認められる。

その中で、BEPSプロジェクトはOECD/G20の枠組みで取り組まれ、国連モデルの改定に際し発言力を有する新興国も正規のメンバーとして多国籍企業の二重非課税問題への対処策の議論に参加した。しかも、BEPSプロジェクトのベクトルは、付加価値が創造される場所（経済活動が行われる場所）に課税権を適正に配分しようとする方向に向かっているため、源泉地国課税

（注231）　OECDモデル条約（2010年版）前文パラ11.1

（注232）　UN,"Model Double Taxation Convention between Developed and Developing Countries"（2011, ECOSOC,UN）

の確保に軸足を置く途上国にとっても検討のインセンティブが十分な場といえる。

　もちろん、BEPSプロジェクトは租税条約の全体像を見直すことを目的とするものではなく、15項目の行動中租税条約の課税配分規定に関する提言をするものは、前述した行動6の条約濫用対策と行動7のPE認定の人為的回避に対する対応策（コミッショネア契約を利用したスキームなどへの代理人PEの認定範囲拡大と準備的・補助的業務の実質的判定等を内容とするものであるが、詳細は、第10章〜第12章を参照。）についてのみである。しかし、後者については国連モデルのより広いPE概念とも親和性が認められ、その意味ではBEPSプロジェクトが上記2つのモデル条約間の協調を一定程度促進する機能を果たし得るとも評価できるのではなかろうか。

　ただし、PE帰属所得の計算方法のガイダンスなど、今回の最終報告書で繰り越されたフォローアップ・プロジェクトが整うまでは、納税者にとって「BEPSの下での拡大したPE概念」＋「OECD承認アプローチを採用しない吸引力を持った従来のPE帰属所得計算」の相乗作用による途上国での課税強化が懸念され、むしろ予測可能性の欠如が心配の種となるかもしれない。

　せっかくの両モデル間の相互協調の動きに水を差さないためにも、解釈ガイダンスについての協調も迅速に達成できるよう、OECD租税委員会を中心としたBEPS検討チームによる迅速な成案の合意が必要であると思料する。

　　ウ　国別の条約締結ポリシーを事前開示する「特定国モデル条約」
　OECDや国連のモデル条約とは別に、自国の条約ポリシーを締結予定国を含む利害関係者に事前に開示する目的で作成される特定国モデル条約が存在する（注233）。これらは、通常条約締結交渉権を有する行政府が作成して公表するものであり、何ら法的効力を持つものではないが、USモデルは、これまでトリーティショッピング対応やプリザベーション条項などOECDモデルを含めた国際規範の先行モデルの役割を果たしてきた経緯もあり、各国から注目されている。

　　エ　USモデル条約（2016年改定版）の概要
　USモデルは、BEPS最終報告書が公表された後に米国財務省から2016年2

（注233）　国別のものとしてよく参照されるものとして、USモデル、オランダモデル。我が国では2003年改訂の日米条約がその後の他国との条約交渉の際のモデルとされていたようであるが、最近でもLOB条項を含め柔軟なスタンスをとっているようである。なお、米国もUSモデルは交渉のベースラインであり、現実に締結された条項はモデルとすべて同じ内容というわけではない。このほかマルチのモデル条約としてアセアンモデルがあるが、条約交渉での参照度は高くないといわれている。

月に10年ぶりに改訂・公表された。租税条約においても二国間主義の強い伝統を持つ米国が、国際協調の下でOECDモデルの改定等を提案するBEPS最終報告書の内容をどれだけ先取りするかに注目が集まったが、以下のとおり是々非々の対応であり、米国の租税条約ポリシーの理念を修正するほどの改定とは評価されないと思われる。ただし、LOB条項の改定やそれに際しての特別租税制度に係る規定は、今後、国際課税の進展の中でOECD等国際機関のみならず、他国からも多く参照されると思われるので、改正内容につき、著者の翻訳により、詳しい内容を本章で紹介することとする(注234)。

（ア）　USモデル改訂の意義

OECDのBEPS行動6では、多国籍企業による条約の濫用に対する処方箋として、米国が採用している特典制限条項（LOB条項）とEU諸国が採用している主要目的テスト（PPT）を中心とした3種類の条項のいずれかを選択して租税条約に装備するよう勧告している。行動6はBEPS 15項目中でも最も規範性の強い「ミニマムスタンダード」として勧告を行っているものの、LOBとPPTのどちらのアプローチも認めることとなり、かつLOBに関する部分については、米国モデル条約改訂が予定されていたことから、最終報告書はその改訂状況を待って最終確定するとの留保が付されていた。

米国では、2015年5月に米国モデル条約のうち改正対象条項のみについての草案1が財務省から公表された。同草案は、パブリックコメントを経た後2016年2月に全条文をそろえたフルセット版で公表された。以下で紹介するのは、改訂米国モデル条約の2006年版からの改定箇所に絞っており、該当条文を仮訳の上、若干のコメントをつけて紹介する。

なお、2015年5月の原案に付された米国財務省による技術的説明（technical explanation）も必要に応じ参照している(注235)。

（注234）　2016.11に公表された多国間協定には、多くの部分でUSモデルの表現を参照したと思われる条項が含まれている。

（注235）　翻訳対象としたUSモデル条約草案は、米国財務省ウェブサイト掲載の"Select Draft Provisions of the US Model Income Convention（May 20, 2015)によっている。なお、2016年公表版も米国財務省ウェブサイトによっているが、こちらについてはtechnical explanationは未公表である。ただし、同時に公表された"PREAMBLE TO 2016 U.S. MODEL INCOME TAX CONVENTION"（2016.2.17）で簡単な趣旨説明が付加されている。

　　なお、本節で省略した部分については、拙稿「USモデル条約の改正」租税研究2016年7月号P.424を参照。

（イ）　改正内容の概要

2016年2月に財務省から公表された改訂米国モデル租税条約（2016年モデル）は、今後財務省が租税条約交渉を行う際の基準書として利用されることになる。財務省によれば、2016年モデルは、脱税や租税回避を通じた二重非課税や税軽減の機会を創出することなく二重課税を除去することを意図した以下の新規定を含めている。

・「特別租税制度」対象所得への条約恩典を否認するための新規定の創設
・いわゆる免税恒久的施設（exempt permanent establishments）への配分所得に係る恩典除去ルール
・条約相手国がその法人所得税率を一定の閾値を超えて引き下げた場合の部分的な条約停止措置
・条約の特典制限条項（LOB条項）における新たな制限等
・インバージョンを行った法人から関連者への支払に係る条約恩典の否認ルール
・拘束力ある仲裁を通じた紛争解決を義務付ける規定

財務省は、2015年5月に改訂モデルの規定草案を公表し、コメントを募集していた。2016年モデルと従前の2006年モデルの基本的な違いは、新基準では企業による条約恩典の適用がより難しくなり、適用可能な企業でもより制限的になることである。最近の条約にある実体テスト（substantial presence test）を満たす公開企業は、引き続き条約恩典を受けられるとみられるが、条約の関連LOB規定の他のテストで条約恩典を受けている企業は、本モデルの規定を含む新条約や改訂条約でも引き続き適格になるかどうか、今後の条約改定等に際して慎重な検討が必要となりそうである。

（ウ）　主要な改訂項目の詳細

（a）　前文

　i　提案内容

「米国政府と＿＿国政府は、脱税と租税回避（本条約において第三国の居住者に間接的便益を供与する救済を得る目的で行われるトリーティ・ショッピング取決めを通じたものを含む）によって課税の減免の機会を作ることなく、所得に対する課税について二重課税を排除するための条約を締結することを意図して、以下の合意を行った。」

　ii　著者のコメント

改定前の2006年条約では、条約締結の意図として、「所得に対する課税につ

第9章　租税条約総論　　225

いて二重課税の排除と脱税の防止」を併記するのみであった。改正内容は
BEPS行動6の勧告を受け入れたものと考えられる。

　　　(b)　条約の適用対象者を定めた1条について新7項及び新8項の追加
　　　　i　7項及び8項の提案内容
　「7項：一方の締約国において発生した利得やゲインが、当該国において本
条約の便益を受けられる資格があり、かつ、他方の国の国内法により当該利
得・ゲインに関する個人の課税が、当該他方の締約国において送金され又は
受領された金額に関してのみ、行われる場合には、一方の締約国において本
条約の下で認められる便益は、他方の締約国で課税される部分に限定され
る。」

　「8項：一方の締約国の企業が他方の締約国から所得を稼得し、当該一方の
締約国が当該所得を国外に所在するPEに帰属するものとして取り扱う場合
には、本条約の特典は、以下のいずれかの条件を満たす場合には認めない。
　a)当該PEに帰属すると取り扱われる利得が、一方の締約国とPEが所在す
る国において課される結合された累積実効税率が、15％又は一方の締約国で
適用される法人税の一般税率の60％のどちらか低いほうを下回る場合、又は
　b)PEが、本条約の便益を請求している締約国との間で包括的な所得に関
する租税条約の適用がない第三国に所在している場合
　ただし、当該締約国がPEに帰属する所得を自らの課税ベースに含めてい
ない場合に限る。しかし、一方の締約国の居住者が本条約の本条に基づき条
約の便益を認められない場合であっても、他方の締約国の権限ある当局は、
そのような便益供与が本条の要件を満たさないこととなる理由（例えば損失
の存在）に鑑み便益供与が正当化される場合には、当該利得項目に関して本
条約の特典を与えることができる。
　そのような要求を受けた締約国の権限ある当局は、他方の締約国の居住者
による請求を容認又は否定する前に、他方の締約国の権限ある当局と協議し
なければならない。」

　　　　ii　8項についての米国財務省による詳細解説（technical ex-
　　　　　　planation）
　8項は、締約国の居住者が他方の締約国から居住国外に存在するPEを通じ
て所得を稼得し、かつ当該居住者が当該PEに帰属する所得について相当に
低税率の課税に服している、という状況下での所得の取扱いを規定している。

同項の適用事例は次のとおりである。

他方の締約国の居住者が、PEの所得に対してゼロ又は低い税率を課す第三国に自らのPEを設立する。当該PEに帰属する所得は他方の締約国によって、当該他方の締約国とPEの所在する第三国との間で適用される条約により、あるいは、他方の締約国の国内法により非課税とされる。当該他方の締約国の居住者は、当該PEを通じて米国内にファンド貸付けを行う。当該PEは第三国に所在するものの、他方の締約国居住者の不可欠な事業パーツである。

したがって、当該PEによる貸付金について当該居住者によって収受される利子は、8項がないとしたら（条約11条の他の要件を満たしていると仮定すると）租税条約により米国での源泉徴収免除の資格を有することになる。かくして、8項がない場合には、当該利子所得はPE所在地である第三国での減免税を享受しながら、米国の課税を免れかつ当該他方の締約国の課税も免れることになるが、8項はその効果を抑制できる（中略）(注236)。

一般的には、IRC954条b4の下で採用される原則は、当該利得が特定の閾値を超える実効税率の課税に服しているかどうかの判定に利用される。一方の締約国の居住者が本項により本条約の特典を否認される場合でも、他方の締

(注236)　同詳細説明は、その適用ぶりをさらに次の例で解説している。
　　「第8項によれば、一方の締約国の企業が、他方の締約国から居住地国以外に所在するPEに帰属すると取り扱われる所得を稼得する場合には、
　　a) 当該PEの利得が、一方の締約国とPEが所在する国において課される結合された累積実効税率が、15％又は、一方の締約国で適用される法人税の一般税率の60％のいずれか低いほうに満たない場合、あるいは、
　　b) PEが、本条約の特典を請求している締約国との間で包括的な所得に関する租税条約の適用がない第三国に所在している場合には、さもなくば当該条約の他の条項の下で適用される租税特典は、当該利得に対して適用されない。」
　　本項が適用される所得はすべて、条約の他の条項にもかかわらず、特典を要求された締約国の国内法の下での課税に服する。そこで、他方の締約国の居住者が米国でTrade or Businessのレベルに達していない活動を行い、その結果米国の課税を免れている事例を想定してみよう。他方の締約国では、そのような活動を米国におけるPEとして扱う。米国源泉の利子は、当該他方の締約国の居住者に対し支払われ、他方の締約国は当該利子を米国内のPEに帰属すると取り扱う。当該PEに帰属すると取り扱われる利得に対する結合した累積実効税率（米国での納税額と他方の締約国での納税額を勘案したもの）が、15％又は当該他方の締約国で適用される法人税の一般税率の60％に満たない場合には、第8項が発動されることになり、その結果他方の締約国居住者に支払われる米国源泉の利子は、米国国内法により課税されることになる。

約国の権限ある当局は本条約の特定所得条項に係る特典を与えることができる。ただし、当該居住者が本項の要件を満たしていないという理由に基づき当該特典の供与が正当化される場合に限られる。8項は相互主義の下で適用されるが、米国は国内法上も条約上も米国居住者の第三国PEの利得を非課税にすることはない。

　（著者注）7項、8項とも二重非課税状況に対する個別措置であり、特に8項は第三国PEを利用した便益取得のプランニングを防止するものである。

　　　（c）　3条1項の新(1)「特別租税制度（special tax regime）」の定義等
　　　 i　 1項(1)による「特別租税制度（special tax regime "STR" と
　　　　　略称）」の定義

　「STRとは、第2条の適用税目に規定する税に関する締約国の法律、命令、及び行政実務であって、以下の条件の全てを充足するものをいう。
　　　　　　 i ）　以下の一つ又はそれ以上の結果をもたらすもの
　A）利子、ロイヤルティ、保証料あるいはこれらの結合したものに対するもので、財貨や役務の販売所得とは異なる優遇税率、
　B）利子、ロイヤルティ、保証料あるいはこれらの結合したものに対する以下の許容による課税ベースの恒久的な縮減であって、財貨や役務の販売からの所得には対応する縮減がないもの、
・グロス収益から除外されるもの
・対応する支払ないしは支払義務のない損金算入支払配当についての損金算入
・7条及び9条の原則に適合しない課税
　C）当該国において能動的な活動に従事しない法人に対する、優遇税率及び法人の実質的に全ての所得あるいは法人の実質的な全ての国外源泉所得に関して、本条B）項に規定される課税ベースの恒久的な縮小
　　　　 ii ）　ロイヤルティに関する優遇税率及び恒久的な課税ベース
　　　　　　 の縮減の場合には、そのような特典の享受を当該締約国に
　　　　　　 おいてR＆D活動が行われるという要件に服させるものでは
　　　　　　 ないもの
　　　　 iii ）　課税の税率が以下の税率の低い方よりも低いことが要求
　　　　　　 されているもの
　　　　　　 A）15％、B）他方の締約国における法人税の一般的な法定税率
　　　　　 の60％

iv）　次のものには主として適用されず

A)年金基金、B)専ら宗教、慈善、科学、芸術、文化・教育活動を促進する者に適用されるものC)及びD)主として一般投資家向けに募集され、多くの者に保有され、不動産、多様な有価証券のポートフォリオ、あるいはそれらの混合体を保有し、当該投資事業体が設立された締約国において投資家保護の規則の規制に服しているもの

v）　相互協議により締約国間で外交ルートを通じて上記 i ）
～iv）の要件を満たすこと

が確認された後であること」

　法令等が「特別租税制度」として取り扱われるのは、上記 i)～ v)を充足する旨を他方の締約国が書面による公告を発出した後30日を経過した後である。

（著者注）定義されている「特別租税制度」はLOB条項や受益者条項でも言及されるところの二重非課税を生来させるリスクの高いものを列挙しており、条約特典の否認対象のカテゴリーとして明示したものである。BEPS勧告に沿ったものであり、その趣旨については、下記の財務省詳細解説を参照。

ii　「特別租税制度」の定義に関する財務省詳細解説

　3条1項 l は、特定の所得類型に関する「特別租税制度」を定義している。当該用語は11条、12条、21条で使用されており、それらの条項は、利子、ロイヤルティ、その他所得の受益者である他方の締約国の居住者が、当該所得の支払者と関連しており、かつ、特定の所得類型につき居住地国で供与される特別租税制度から便益を享受している場合には、条約の便益を否定している。すなわち、これらの規定は、当該類型の所得の発生国に対して、当該居住者が居住地国の当該所得類型を含む所得区分について減免された税負担となる租税制度から便益を受けている場合には、国内法に基づく課税権の留保を認めているのである。特別租税制度の用語は、22条のLOB条項でも、同条4項のいわゆる派生的受益者ルールにおいても使用されている。11条、12条、21条における特別租税制度という用語の適用は、租税条約の新規締結あるいは既存条約の改正への政策決定上必要な租税政策判断と一貫性がある。そのことは、BEPSプロジェクトによって修正されたOECDモデル条約のコメンタリーで明らかにされているとおりである。特にOECDモデル条約序文のパ

ラ15.2は現在以下のとおり叙述している（省略）[注237]。

　特別租税制度の用語は、利子、ロイヤルティ、その他所得について税率の引下げや課税ベースの縮小の手段を含めて、優遇された実効税率の課税を提供するあらゆる立法・規則制定・行政措置を指す。利子の場合には、一般的に利用可能かどうかにかかわりなく、資本についてのみなし控除を提供する立法、規則、行政措置（ルーリング利用を含む）利用を含む[注238]。ただし、以下の7つの項目のうち少なくとも1つを満たす立法等は、特別租税制度とはされない。

① 利子、ロイヤルティ、その他所得、あるいはそれらの混合体について、不均一に便益を与えるものでない立法等を特別租税制度から除外している。この基準を満たすためには、立法等は所得に一般的に適用され、かつ産業横断的に利用可能なものでなければならない。ただし、資本についてのみなし控除を認める条項は、常に比例的でない便益利子であるとみなされる。特別租税制度とみなされない一般的に適用可能な条項には、例えば、標準控除、加速度償却、会社連結、受取配当控除、損失繰延、外国税額控除が挙げられる。この適用除外は、他国にあるPEに帰属する所得の非課税制度にも一般的に適用される。しかし、居住地国が当該非課税制度を不均一に利子、ロイヤルティ、その他所得を優遇すると合理的に想定される方法で執行する場合には、当該適用除外は適用されない。それは、PEが所

（注237）　このパラグラフはBEPS関連で特に重要であるので、以下に引用する。「租税条約の主たる目的は国境越えサービス、貿易、投資に対する税の障害を減ずるための二重課税の防止であるので、二国の税制の相互作用によって発生する二重課税のリスクの存在が主たる租税政策の関心事である。そのような二重課税のリスクは、二国間での現在及び将来の貿易・投資が実質的な水準にある場合に特に重要である。租税条約のほとんどの条項は、二国間に課税権を配分することによって二重課税の回避を図っているが、所得の要素につき自国の課税権を制限する条約条項を受け入れる際には、当該国はそのような所得の要素が他方の国で課税されるという理解を一般的に前提として受け入れている。一方の国が税を減免している場合には、他方の国はそれ自体租税条約を正当化する二重課税のリスクが存在するのかどうかを考慮すべきである。両国はさらに、国内経済からリングフェンシングする税優遇措置を含む二重非課税のリスクを増幅する可能性のある相手国の租税制度の要素の有無についても考慮すべきである。」

（注238）　例えば、国外源泉の利子が居住地国で低税率の課税に服することを認めるルーリングを納税者が得ていた場合で、かつ、当該税率が当該国の居住者により受領される外国源泉の利子所得に適用されるよりも低い税率である場合には、当該ルーリングが得られる行政措置は特別租税制度とされる。

在する国が当該所得を課税するとは期待できない状況下で、そのような所得を当該PEに帰属するものとして取り扱う場合である。

② ロイヤルティに関する立法等で、インセンティブを与えるため設計され、実際居住地国において行われるモーバイルではない性格の実質的活動を要求している立法等が除外対象となる。したがって、居住地国が知的財産について収受する支払に税の優遇を供与する立法を行う場合には、当該制度によって供与される税務便益が、（比例原則を含めて）居住地国で発生する知的財産の開発活動に帰せられる所得に限定されているならば、そのような租税制度は特別租税制度には該当しない（実質的な活動による適用除外は、OECDの有害租税実践フォーラムで合意された基準と適合的に解釈されることが予定されている）。②の適用除外に該当するもう一つの事例は、実際に製造業投資を促進するための「特別経済地域」である。米国の場合、この適用除外は、米国内で行われる研究開発及び製造活動についてのみ適用されるIRC41条と199条に対して適用される。

③ 条約7条及び9条の原則を実行させる立法等は特別租税制度ではないとされている。したがって、納税者が条約25条に従いAPAを得た場合や、米国の場合、レベニュー手続2015（又はそれに次ぐガイダンス）の下でのユニラテラルなAPA、APAが取得される行政措置は、特別租税制度ではない。ただし、独立企業原則や「2010 OECDのPE帰属レポート」に反するルーリングは、特別租税制度には該当しない。

④ このカテゴリーは3つに区分されており、Aでは、年金や退職給付を実行・管理する活動を実質的に全てを担当する規制事業体に対して主として適用される立法等は、特別租税制度に該当しないとしている。米国の場合、例えばIRC401条aに規定される事業体に適用される。年金基金及び締約国の居住者としてのこれらの者の資格は、3条1項k及び4条2項aにそれぞれ規定されている。Bでは、専ら宗教、慈善、科学、芸術、文化・教育活動に従事する者に主として適用される立法等は、特別租税制度でないとしている。この適用除外は、例えばIRC501条c3の下で設立される慈善団体に適用される。これらの組織体の締約国の居住者としての資格は、4条2項bで明確にされる。最後にCでは、集団的投資を規定する立法等は特別租税制度に該当しないとしている。この適用除外は、集団投資事業体で、主として一般投資家向けに募集され、多くの者に保有され、不動産、多様な有

第9章　租税条約総論　　231

価証券のポートフォリオ、あるいはそれらの混合体を保有しているととも
に、当該投資事業体が設立された締約国において投資家保護の規則の規制
に服している事業体に適用されるとの趣旨である。この例としては、
IRC851条により設立された規制投資会社が挙げられる。ただし、そのよう
な立法の下で課税に服する者は条約が特典取得のために必要と規定してい
る要件（4条及び22条の要件を含む）を満たしていなければならない。米国
の場合、上記CはIRC856－859条の要件を満たすREITsにも適用される。
REITsは不動産投資につき分散化したポートフォリオを保持するよう要求
していないが、集合的投資を受け入れるべく設計されており、かつ投資家
保護規則にも従っている。

⑤　ここでは、締約国は、各レジームについて特別租税制度に該当すること
　がないかどうかを相互協議により決定しなければならないとしている。

　　　(d)　5条に新3項の創設
　「一方の締約国に存在する建築工事現場、又は建設、若しくは据付工事、
大陸棚における資源開発のための掘削リグ及び掘削船については、それ及び
リグ・船舶の活動が12か月を超えるときにはPEを構成する。本条で12か月
の判定に際しては、以下の考慮により12か月を超えるかどうかを判定する。
　a)建築工事現場又は建設現場若しくは据付プロジェクトを構成する相手国
の場所で事業を行っており、その合計期間が12か月未満であること、及び
　b)同一の建築工事現場又は建設現場もしくは据付プロジェクトを構成する
相手国の場所で、関連する活動が、異なる期間、当初の企業と結合する企業
により30日超行われること
　上記の場合、b)の異なる期間はa)の企業の期間に加算して判定する」
　（著者注）
　BEPS勧告が要請する契約の分割等への対処策を規定するものである。た
だし、5条関係ではBEPS最終報告書行動7PE認定の人為的回避で勧告された
代理人PE条項と準備的・補助的業務条項の変更は含まれていない。

　　　(e)　10条に5項等の新設
　　　i　新10条5項
　「本条の他の項の規定にかかわらず、米国においては、国籍を捨てた事業
体（expatriated entity）によって支払われ他方の締約国の結合する居住法人
が受益者となる配当は、国内事業体の取得が完了する日から開始する10年間

は、米国の国内法に従い課税することができる。」

(注)　インバージョン対応条項である同項の財務省詳細解説

　　　同項は、配当を支払う法人が国籍を捨てた事業体である場合に、米国に関する限り2項で規定される配当の源泉徴収の減免措置の例外とする旨を定めている。そのようなケースでは、国内事業体の取得が完了する日から開始する10年間は、米国国内法に従い課税することができる。本項を適用する上で国籍を捨てた事業体とは、IRC7874条ａ、2aに定義されたものを指す。国内事業体とは、7874条ａ、2aiで規定される国内の法人及びパートナーシップを指す。国内事業体の取得日は、7874条ａ、2bの要件が初めて充足された日である。

　　　ⅱ　新11条2項ｄ、新12条5項ｂ、新21条3項ｂ

　内容は上記10条5項と同様の規定を、11条（利子）、12条（ロイヤルティ）、21条（その他所得）に追加したものであり、詳細は省略。

　　　ⅲ　11条2項新ｃ

　一方の締約国内で発生し、利子の支払者と関連する他方の締約国の居住者により受益される利子は、当該居住者が利子が支払われる課税期間のどの時点においても居住地である締約国において利子に関する特別租税制度に服している場合には、一方の締約国において国内法に従い課税することができる。

(注)　同項に係る財務省詳細解説

　　　2項(c)は、利子の受益者が利子の支払者の関連者であり、利子が支払われる課税期間のどの時点においても居住地国において利子に関する特別租税制度から便益を受けている場合に、利子に対する排他的な居住地国課税権を認めた1項の規定の適用除外とする旨定めている。そのような場合には、利子の発生国で当該国の国内法に従った課税に服することになる。特別租税制度の用語は、3条1項ｌに規定される定義に従う。本条約署名時点において、米国の立法等の中には特別租税制度の定義を満たすものはない。新12条5項ａ及び新21条3項ａ　（著者注：内容は上記11条2項ｅと同一）

　　　ⅳ　新22条（LOB条項）

　1項、2項：実質的変更なし。ただし、「特典が与えられたであろう時点において」という文言を追加し、時点に関する明確化を図っている。

　旧c)（会社の適格条項）について、ⅰ)は変更ないが、ⅱ)とされていた部

分（50％以上をⅰ）の要件を満たす5社以下の会社により保有されている会社の適格条項）を新たにd)ⅰ）として独立させ、そのあとに次のd)ⅱ）条項を付加している。

「10条以外の本条約の下での特典に関して、会社のグロス所得の50％未満で、かつ検証対象グループのグロス所得の50％未満が、直接・間接に当該会社の居住地国において、本条約でカバーされる租税の目的上損金算入可能な支払の形で、（本項abceの下で居住者として特典を受ける資格ありとされる）両締約国の居住者でない者かあるいは上記要件は満たすものの損金算入可能な支払に関し居住地国の特別租税制度による便益を受ける者に対して支払われ、あるいは債務発生した場合の会社。ただし上記支払には、サービスや有形資産に対する通常の事業過程での独立企業間支払は含まない。」

（著者注）

上記d)ⅱ）は、従来個人以外の者についての適格条項であるe)ⅱ）に規定される課税ベース浸食基準と同一の内容を規定したものである。条文のナンバリングは、旧d)が新e)に、旧e)が新f)に変更されているが内容は同じ。

4項：LOB条項を客観的に満たさない場合の権限ある当局間でのPPTテストによる救済条項（旧4項）は新6項へナンバリング変更し、新4項として以下の条項を新設している。

「一方の締約国の居住者である会社は、当該居住者が適格者であるかどうかにかかわりなく、特典が認められる時点において以下の各条件を全て満たす場合には、本条約の下で特典を受ける権利を有する。

a)株式の総議決権の少なくとも95％（かつ不均一分配株式の少なくとも50％）が、直接又は間接に、同等の受益者である7人以下の者により保有されていること（間接保有の場合は中間保有者が全て適格中間保有者であることが条件となる）

b)会社のグロス所得の50％未満で、かつ検証対象グループのグロス所得の50％未満が、直接・間接に当該会社の居住地国において、本条約でカバーされる租税の目的上損金算入可能な支払の形で、同等の受益者でない者あるいは同等の受益者ではあるが、当該控除可能な支払に関し居住地国の特別租税制度による便益を受けている者へ支払われること。ただし上記支払には、サービスや有形資産に対する通常の事業過程での独立企業間支払は含まない。」

6項：権限ある当局間の合意

ラストリゾートとしての権限ある当局間合意条項について、発動対象には変更はないが、その実施方法を以下のとおり修正している。

「当該居住者がその居住地国において実質的な税以外のネクサスを有することを立証し、その設立、取得、維持や当該事業運営の行動が、本条約の特典を得ることを主たる目的の一つとしていない場合という条件で」

7項：定義規定a)〜d)の4項目に修正はなく次のe)〜h)の4項目が追加されている。

e)同等の受益者「同等の受益者とは次の者を指す。

　　　　i）　以下の条件を満たすどこかの国の居住者

A)居住者である国と本条約に基づく特典を請求する国との間のフルバージョンの二重課税防止条約の下で、本条2項a、b、c及びeと相似の条項の下で、全ての特典の有資格者であること。ただし、当該条約が詳細なLOB条項を具備していない場合には、当該居住者が、本条約4条の下で一方の締約国の居住者であると仮定した場合に2項abc及びeの理由により本条約の特典を受ける資格があることが条件である。なお、当該居住者が個人の場合には、当該個人は国外源泉の所得やゲインに関して送金ベースでのみ課税を受けていないという条件を満たす必要がある。

B)1)本条約の10条、11条、12条で規定される所得に関して、当該居住者が、そのような所得を直接受領したとした場合に、本条約の下で請求される特典対象の所得類型に関し、少なくとも本条約の下で適用される税率と同等に減免された税率を有する条約下で適格者であること。本条項の目的上、経済ブロックに属するメンバー国であることによって享受し得る軽減税率は斟酌されねばならない。2)本条約の第7条、13条及び21条が規定する所得、利得及びゲインに関して、当該居住者が、本条約の下で請求される特典と少なくとも同等に優遇的な条約の下で、そのような所得を直接受領したと仮定した場合に、特典を得る資格を有していること。

　　　　ii）　本条2項abc及びeの理由により本条約の特典を受ける資格を有し、本条4項の特典を請求する当該法人と同じ締約国の居住者」

f)適格中間受益者「適格中間受益者とは、本条約の特典を請求する当該締約国との間に、二重課税防止のフルバージョンの条約（本条約の特別租税制度に対抗する条項を含んだものに限る）を有している国の居住者で、以下の

第9章　租税条約総論　　235

条件を満たすものを指す。

　　　　ⅰ）　本条約10、11、12条に係る所得に関し、当該条約が、本条
　　　　　　約に基づき請求される特典対象の特定所得類型について本
　　　　　　条約で適用可能な税率と少なくとも同等に低い税率を適用
　　　　　　していること。本条項の目的上、経済ブロックに属するメ
　　　　　　ンバー国であることによって享受し得る軽減税率は斟酌さ
　　　　　　れねばならない。
　　　　ⅱ）　本条約7、13、21条に規定される所得、利得及びゲインに
　　　　　　関し、当該条約が少なくとも本条約の下で請求される特典
　　　　　　と同等に優遇的な特典を与えるものであること。」

　g）検証対象グループ及びh）グロス所得の定義については省略
（著者注）
　米国財務省によれば、22条には詳細解説を付す予定はないとされている。
25条への新6～10項（仲裁関係）の追加2006年版で詳細規定を欠いていた仲裁
条項については、2016年版で6～10項にわたる詳細な規定を設けている。既
にこれらの内容は多くの先進国間条約で採用されつつあり、説明は省略する。
　　　ⅴ　新28条（事後の国内法改正）
　「1項：本条約の署名後において、どちらか一方の締約国において適用され
る法人税の一般税率が、居住会社の実質的に全所得に関して15％を下回るこ
ととなった場合、あるいは、どちらか一方の締約国が、実質的に全ての国外
源泉所得（利子とロイヤルティを含む）について居住者である会社を非課税
とすることとなった場合には、10条、11条、12条及び21条の規定は、双方の
締約国の居住者である会社に対する支払に対しては本条4項に従って失効さ
せることができるものとする。2項：本条約の署名後において、どちらか一方
の締約国において適用される個人所得税の最高限界税率が15％を下回ること
となった場合、あるいは、どちらか一方の締約国が、実質的に全ての国外源
泉所得（利子とロイヤルティを含む）について個人の居住者を非課税とする
こととなった場合には、10条、11条、12条及び21条の規定は、どちらか一方
の締約国の居住者である個人に対する支払に対しては、本条4項に従って失
効させることができるものとする。3項：本条の目的上、a）本来課税対象とな
る所得に対して％表示で一般的に利用可能となる控除枠、あるいは、全体税
率の減免を達成する他の同様のメカニズムは、法人税の一般税率又は所得税

の最高限界税率の決定に当たっては、適切なものとして考慮されなければならない。b)会社に対しそれによる利益分配に対してのみ課される税、あるいは、株主にのみ適用される税は、法人税率の決定に際しては斟酌してはならない。4項：一方の締約国における法改正が本条1項又は2項の条項を満たしている場合には、他方の締約国は一方の締約国に対して10条、11条、12条及び21条の規定の適用を停止する旨外交チャネルを通じて通告することができる。そのような場合には、その内容の書面通知後6月経過した時点で個人の居住者及び居住者である会社に対する支払に関して、それら条項の規定は、両締約国において効力を停止することとなり、両締約国は課税権の適切な配分を回復するため本条約に改正を行う目的で協議を行うものとする。」

（著者注）

　米国はタックスヘイブンとは租税条約を締結しないとの強い信念を有している。このため締約相手国の事後の税制改正によりタックスヘイブン化することには神経を使っている。本条はそれへの対応を示したものである。

（注）　上記に係る財務省詳細解説

（一部抜粋）

　（他の条との関係）28条の適用と利子、ロイヤルティ及びその他所得に関する第3条1項1の特別租税制度の定義との間には隙間や重複は存在しない。仮に、一方の締約国が特定類型の所得のみを非課税とし、当該類型には例えば、国外源泉の利子、ロイヤルティが含まれており、かつ、当該非課税は本条の適用対象となる実質的に全ての国外源泉所得を非課税とするレベルには到達していないと決定された場合には、当該制度は、所得類型を不均一に非課税とする特典を与えるもので、本条約の適用上は非課税類型の所得に関する第3条1項1の特別租税制度の定義が適用される。これに対し、一方の締約国が国外源泉所得に対して広範な非課税を提供する場合には、本条が適用されることになる。同様に、一方の締約国が一般法人税率を15％以上に維持しながら、利子、ロイヤルティ及びその他所得（及びそれらの所得の混合体）に関して15％未満の軽減税率を適用した場合には、当該軽減税率は利子、ロイヤルティ及びその他所得に対し不均一に便益を与えるものであるとされ、当該所得類型に関する特別租税制度とみなされる。他方で、上述したごとく、一方の締約国が実質的に全ての事業所得に関して軽減税率を適用する場合には、本条が適用される。

（著者注）　米国財務省のBEPS最終報告との相違点について

　　2016年版公表に際して、米国財務省が発表したPREAMBLE TO 2016

第9章　租税条約総論　　237

U.S.MODEL INCOME TAX CONVENTION 3 中に、BEPS報告書に対応した旨のコメントがあるので、当該項目を紹介する。

　前文に二重非課税防止の趣旨を明記し、二重非課税防止措置として、受益者が「特別租税制度」により納税をしていない場合の控除可能支払に対する源泉徴収免除の否認、建設PEの契約分割対応、直接保有配当に対する保有期間制限（12か月）の設定。なお、PE該当の人為的回避に対する処方箋（代理人PEと準備的補助的業務についての規定の改定）が含まれていない点については、PEの帰属主義についての共通理解が必要であることを理由としており、また、PE改正についての納税者と当局のコンプライアンスコストにも注目していると留保している。

第4節　租税条約の解釈と紛争解決手法

1　条約解釈のルール

　租税条約は、二重課税排除という目的に沿った構成を主としている国家間の合意であるため、締約国間で解釈が異なると大きな税収帰属のずれが生じてしまい、解決困難な紛争を発生させてしまう。条約解釈に当たっても前述のウイーン条約が参照されることとされており、同条約31〜33条があらゆる条約の解釈ガイダンスとして活用されている。その基本原則を概観すると以下のとおりである。

(1)　文脈に従いかつ目的論的解釈を許容する文理解釈の原則

　同条約31条は、条約は、文脈によりかつその趣旨目的に照らして与えられる用語の通常の意味に従い誠実に解釈するとの原則を規定するとともに、文脈という時に対象となるものとして、

・前文及び付属文書を含む条約文自体
・条約の締結に際して締約国間でされた条約の関係合意
・条約締結に際して一方の締約国が作成し、他方の締約国が条約の関係文書
　として認めたもの

が含まれるとしている（31条2項）。条約本体のみならず、条約締結時に交わされた議定書及び交換公文がこれらに該当する。

　更に条約31条3項は、文脈とともに解釈に当たって考慮し得るものとして

次の三種を認めている

・条約の解釈適用につき当事国間で後になされた合意
・条約の適用につきのちに生じた慣行であって、条約解釈についての当事者の合意を確立するもの
・当事国間関係において適用される国際法の関連規則

　租税条約の解釈適用に関して疑義が生じた場合には、モデル条約25条は具体的な紛争解決の手段とされる権限ある当局間の相互協議のメカニズムを利用すべきと規定している。租税条約は条文数も少なく規定ぶりも簡潔なため、事後に解釈によって条文の意味内容を確定しなければならない場合が多く、このための相互協議は必要に応じ活用されている。もちろん、得られた共通解釈の内容を公表すべきことは当然である。

　(2)　解釈の補足的手段

　ウイーン条約32条は、更に31条で得られた意味を確認するためという理由及び以下の場合に、解釈の補足的手段として、条約の準備作業及び条約締結の際の事情に依拠することを認めている。

・31条に基づく解釈では意味があいまい又は不明確である場合
・31条の解釈によって明らかに常識に反した又は不合理な結果がもたらされる場合

　租税条約は、双方が経済取引に関するデータや利害関係を考量して規定内容を精査するものではあるが、取引のグローバル化の下であらゆる経済事象の変化を先取りすることは不可能である。そのような状況下では前者の31条による解釈で意味があいまい・不明確な状況の発生を予防することはできないので、補足手段に頼るケースもあり得ると思われるが、準備作業中の記録等は間接資料であり、これらに安易に依存する解釈は適切ではない。あくまでラストリゾートとしての役割と考えられる。

　(3)　条約解釈に当たっての第三国言語による条約文確定

　租税条約は署名に当たって両当事国の言語で正本が作成されるのが通常であるが、それに加えて第三国語の正本を同時に作成する場合がある。この手順についてはウイーン条約33条が厳格な規定を置いているが、そのようなケースでは、両言語間の解釈にずれが生じた場合の解釈を当該第三国語に委ねるケースがある。日中条約では、そのような役割を英語の正本に委ねる旨が合意されている[注239]。

———————————————

(注239)　1984年日中条約後文

第9章　租税条約総論　　239

2　紛争解決のメカニズム

(1)　相互協議の仕組みと実体

　条約の規定に反する課税が一方当局により行われた場合には、当該課税は同時に条約違反状態になるため、納税者には租税条約上の特別の救済措置が用意されている。これが、モデル条約25条の権限ある当局間での相互協議による紛争解決である。納税者は条約の規定に反する課税を受けたと認識した場合には、国内法の救済手段とは別に、自己が居住者である締約国の権限ある当局に相互協議を申し立てることができ、申立てを受けた権限ある当局は締約相手国の当局と協議して二重課税の解決を図る努力義務が課せられている（モデル条約25条1項、2項）。

　最近の国税庁記者発表によれば[注240]、相互協議事案の98％が移転価格事案でしかもそのうち8割は事前確認事案ということであり、紛争解決のステージが課税後から課税前の紛争予防に移ってきていることが確認できる。また、相互協議事案の発生国としてアジア諸国で課税を受けた案件が増加しており、移転価格を中心としたアジア諸国の課税攻勢が我が国多国籍企業にとっての新たな負担となっていることがうかがえる。

(2)　相互協議に当たっての法的課題

　相互協議の申立ては、国内法の救済手段の利用を妨げるものではない。例えば、A国の子会社との取引について国税庁から移転価格課税を受けた場合には、納税者にとっては国内法に基づく紛争解決（不服申立て・訴訟）を追及するとともに、相互協議による紛争解決を求めることも可能である。しかし、その手続の前後関係によっては、一方の手段の機能する余地をなくしてしまうケースが存在する。それは、両制度の間に以下のメリット・デメリットが存在するためである。

（表3）相互協議・訴訟の比較表

項　目	相互協議	訴　訟
メリット	条約上2年の解決期限が付されている（条約によって	司法上の最終決着が保障されている

（注240）　2015年10月国税庁記者発表資料「平成26事務年度の「相互協議の状況」について」

第9章　租税条約総論

		はその後の仲裁の可能性も） 合意が得られれば100%の二重課税解消が可能	当事者として紛争解決に参画できる
デメリット		合意努力義務が規定されているのみで、最終解決が保障されない 司法判断が出ると権限ある当局の交渉ポジションが制約を受ける 当事者としての紛争解決過程への参加が制限されている	解決までのスケジュール管理が困難 部分勝訴になった場合の残存する二重課税救済が困難

　上記の事情から、両方の手段を併用したい納税者については、双方の手続をスタートさせ、まず訴訟を停止しておいて相互協議を先行させる手続を採るケースが多いといわれている。なお、2年間で相互協議の合意が得られない場合の仲裁への移行は、仲裁条項の発動が可能な条約がまだ限られている状況下（注241）では、必ずしも納税者の安心材料となっていない。ただし、納税者は相互協議合意が難しいと考えた場合に、訴訟に戻るルートを留保できている。

　なお、BEPS最終報告書では、紛争解決に向けた相互協議の有効化に向けG20の新興国を含めた一定の促進策が合意されたのは進歩といえるが、仲裁の導入に関しては広範な合意が得られていないことも不安材料である。

　従来、相互協議をめぐって納税者が懸念した法的課題の一つに、いわゆる「馬取引horse Trading」の可能性の問題がある。常時馬の売買契約交渉を

（注241）　25条に仲裁条項（モデル条約25条4項）を備えて、実行が可能な条約は、現時点で英、蘭、香港、ポルトガル、ニュージーランド、スウェーデンの6か国に過ぎない状況である。

第9章　租税条約総論　　241

する環境下では、A取引ではX当事者に有利な販売価格をつけるがその分次の取引ではY当事者にその分のリカバリーを行うという商慣行があるとされ、相互協議の場でも同様のバーター取引が行われるのではないかとの懸念である。近年このような批判はなりを潜めているが、その背景には、当局が相互協議手続過程の透明化を進めたこと、納税者・実務者サイドでも移転価格紛争の経験を積み、課税後の審査から事前確認に軸足が移行したことによって、相互協議の場への関心と関与が高まってきたことがあげられよう。

　ただし、これもBEPSプロジェクトや国連モデルの下での移転価格マニュアルの議論で明らかになったことであるが、効率的な相互協議実施に向けては、権限ある当局担当者のレベルアップが不可欠である。この点では、先進国から途上国担当者の能力アップに向けた支援が更に求められることとなろう。

第5節　租税条約の全体構造

　最後に、次の租税条約各論に入る前に、モデル条約の課税権配分規定についての条文の優先適用関係を概観しておこう。OECDモデル条約の条文全31条を大きく区分するとまず次の7種類に区分できる。

①　条約の適用範囲を定める条項　1～2条
②　条約の定義条項　3～5条
③　所得項目ごとの課税権配分条項　6～21条
④　財産に対する課税条項　22条
⑤　二重課税排除の方法　23条（免除方式23条Aと税額控除方式23条B）
⑥　無差別条項　24条（非居住者・外国法人の課税所得算定等についての差別取扱いの禁止）
⑦　その他手続条項等（相互協議、情報交換、徴収共助等）24～31条

　所得区分別の課税権配分条項間には、その性質上、おのずから一般法と特別法の関係に類似する秩序があり（例えば、一般法である事業所得条項（7条）に対し特別法である国際運輸条項（8条）の関係や、一般法である給与所得条項（15条）に対し特別法である役員報酬条項（16条）や退職年金条項（18条）

の関係等）、条文間の競合があった場合の適用の優先劣後は特別法が優先適用される関係にあると整理されている。それらと、所得の性格から見た競合関係を併せて、各条項間の優先適用関係を図示すると下図1のように表わされる。

(図1) 各条項間の関係イメージ図（左側にあるものが原則優先適用）

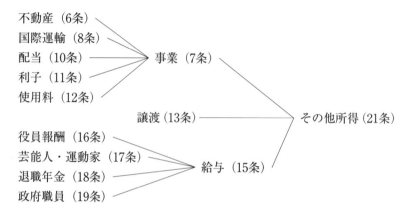

ただし、各論でも指摘するが、事業所得と配当、利子、使用料所得の間にはやや複雑な整理がされている点には注意を払わねばならない。

まず、7条の事業所得条項において企業が受け取る配当・利子・使用料は7条によって影響を受けることがなく10～12条により課税される旨規定しながら（7条4項）、別途、10～12条においては、当該投資所得を生み出す資産がPEを通じて行う事業において事業用資産として保有されている場合には、7条から委ねられた課税権を行使せず、もう一度7条に戻して7条の下で課税するとの規定が置かれている点である（10条4項、11条4項、12条3項）。なお、経済的二重課税の調整条項である移転価格条項（特殊関係企業条項）は、事業所得群・譲渡所得群・人的役務所得群のいずれにも属しない独立グループとして整理される。

第10章

租税条約各論Ⅰ（事業活動所得条項）

244

第10章　租税条約各論Ⅰ（事業活動所得条項）　　245

第1節　全体構造

　前章で概観したとおり、OECDや国連のモデル条約では、6条から21条まで
の所得区分別の課税権配分条項のうち、①専ら事業活動に伴う利得に関する
課税権配分条項を6条から9条に、②投資活動に伴う利得に関する課税権配分
条項を10条から13条に、さらには、③個人が提供する人的役務提供に伴う利
得に関する課税権配分条項を14条(注242)から20条に、それぞれまとめて規定
している。

　これらの条項では、いずれも、二重課税を避ける観点から、源泉地国での
課税権行使を最小化することによって国境を越えた貿易・投資を促進すると
の租税条約の理念のもと、源泉地国の課税権を一定の制約のもとに縮減する
方向で制度設計がされている。

　すなわち、①事業所得条項においては、恒久的施設（PE）の存在という閾
値を置き、企業利得（企業による棚卸資産の製造・販売及び役務の提供等に
よる利得）がPEに帰属する場合に初めて収支計算に基づくネット利益ベー
スでの課税権を源泉地国に与えるとするのに対し、②投資所得条項（配当、
利子、使用料、譲渡収益）においては、PEなどの閾値はなく所得区分ごとに
源泉地国納税者からの支払額を対象としたグロスベースでの源泉徴収課税権
を認めつつ当該源泉徴収税率の減免等を行い、③個人による人的役務提供に
ついては、提供役務の種類に応じてPEの所在や役務提供者の一定の滞在期
間を要件として支払額を対象とした源泉徴収課税を中心とした課税権付与の
仕組みを定めているのである。ただし、事業活動の一環として行われる②が
規定する投資活動全般や、同じく事業活動の一環として行われる③が規定す
る役務提供活動の一部に関しては、①と②、あるいは①と③との重複適用の
潜在的可能性があるため、どちらを優先適用すべきかについて各条項間で交
通整理が行われている。すなわち、下記第2節1(2)の表1に示すとおり、源泉
地にPEを有しており企業利得が当該PEに帰属する場合に限って、課税権を7
条の下に集約し、それ以外の場合には個別の条項の取扱いに任せるとの割り

（注242）　ただしOECDモデルは2000年に14条（自由職業所得）をその構造の共通性を理由
　　として7条の適用下に置くよう修正し、14条自体は削除している。

246 第10章 租税条約各論Ⅰ（事業活動所得条項）

切りである[注243]。

　本章では、多国籍企業のグローバルビジネスにもっとも関わりが深い企業本体の事業活動に関連する条項（6～9条）の適用に関する準則を中心に概観する。すなわち、企業の本業がもたらす営業利益をカバーする上記①のカテゴリーである。10～13条の具体的適用基準については、個人が行う投資活動とも共通するので、次章（投資活動所得）で詳述する。

第2節　事業所得（モデル条約7条）

1　条約上の事業所得

(1)　事業所得の定義

　租税条約において、7条が対象とする「事業所得」は個人によると法人によるとを問わずあらゆる企業活動の利得と表現され、法人税法22条（各事業年度の所得の金額の計算）及び所得税法27条（事業所得）で規定する課税ベースであるネットの所得金額を指すものと解されている。

(2)　事業所得の中身と適用条項

　企業利得には、営業利益の他に財務利益も包括するので、7条の事業所得条項と10～13条の財務利益条項との優先適用関係が問題とされるが、OECDモデル条約はそれを（表1）のとおり整理している。

（表1）　企業の稼得する営業利益と財務利益に対する源泉地国における適用条項

PE の有無	PE へ の帰属	営業利益としての課税	財務利益としての課税
有	帰属あり	7条（事業所得条項）	10～12条（配当・利子・使用料）の適用を排除し（源泉徴収回避）、7条

（注243）　青山TKC税研情報2016年2月号P.51参照。

		により課税	により課税 13条（譲渡所得）も7条の枠内での適用
無	帰属なし	7条により非課税	10〜12条の適用（源泉徴収） 13条の適用

　したがって、企業が自らの財務活動の結果として稼得する配当、利子、使用料、有価証券譲渡益などは、それを生み出す金融資産等（株式、債券、無形資産等）がPEの資産を構成している限りにおいて、通常PEに帰属する所得として、10〜13条の源泉徴収を免れて7条の下でネット課税にのみ服することになる[注244]。

(3)　人的役務所得条項の競合の可能性

　企業の事業で顧客に対する人的役務の提供を内容とするものが会社の通常の被用者によって提供される場合には、顧客から稼得する役務提供収益は通常の事業所得条項で上記（**表1**）により判断し、当該被用者に対する給与の課税権が源泉地にあるかどうかは15条（給与所得条項。通常は183日超の滞在＋PEによる給与負担という条件付）によって決定される。これに対して、提供される役務が会社に雇用されている自由職業者（弁護士、会計士、税理士等。モデル条約14条該当）や芸能人・スポーツマン（モデル条約17条該当）によって提供される場合には、条文の適用関係が輻輳するが、概要は（**表2**）のとおり整理されている。

（注244）　我が国では、所得税法180条が、一定の政令要件を備えた外国法人が国内源泉所得に関する課税の特例の証明書を税務署長から受けることを前提に、源泉徴収を免除している。

248　　第10章　租税条約各論Ⅰ（事業活動所得条項）

（表2）　自由職業者や芸能人を雇用して提供される企業の利得に対する課税権の配分

企業の雇用対象	条約のタイプ	源泉地国の課税権を認める規定	課税権の内容
自由職業者（企業内の弁護士・会計士・税理士等）	OECDモデル	企業の利得（7条）	PEに帰属する所得のみを対象とした事業所得課税
		企業が自由職業者に支払う報酬（15条）	183日超の雇用を前提とした給与所得課税
	国連モデル	企業の利得（7条）	法人としてのPEの所在を前提とした事業所得課税
		企業が自由職業者に支払う報酬（14条）	個人としての固定的施設の存在又は183日超滞在ルールを前提とした自由職業所得課税
芸能人・スポーツマン等	OECDモデル・国連モデル共通	芸能人・スポーツマン条項（17条）のみ	滞在期間等の制約のない課税権（芸能法人が介在して利得を収受していても、17条のルールで無条件の課税権付与）

2　PEへの帰属原則

　法人税法の外国法人課税が採用する課税原則、すなわち、①PEなければ事業所得としての課税なし、②PEがあれば当該PEに帰属する所得のみ源泉地国が課税対象とできる、の2大ルールは、租税条約においても共通している。

第10章 租税条約各論Ⅰ（事業活動所得条項） 249

ただし、OECDモデルと国連モデルの間には2つのルールにつきその内容に差異があり、さらには、2015年10月に公表されたBEPS最終報告書では第1のルールのPE認定範囲について大規模な改正（以下(2)で詳述）が提案されている(注245)ので、特定国との間で発生する事業所得の源泉地における課税権の状況については、常に該当する二国間条約の条項を参照して適用範囲を確認する必要がある。なお、両モデル間のPE概念の相違とBEPS報告書の当初改正案については、TKC税研情報（2014年10月）の拙稿(注246)を参照されたい。そこで以下においては、PE帰属主義についてモデル条約の構成及び解釈上の相違点を中心に解説する。

（1） PE帰属主義に関する各モデル条約の構成及び解釈のバリエーション

「PEに帰属する所得」の内容に関しては、①いわゆるPE「吸引力（force of attraction）理論」に基づきPEに帰属する所得を幅広く規定する国連モデルと厳格に規定するOECDモデルの間の相違に加えて、②7条のPE帰属主義を定める規定の文言が同一であっても、帰属する所得の範囲を解釈で狭く考える関連所得アプローチと広く解釈する分離企業アプローチの間での相違、が挙げられる。

　ア　PE吸引力を認める理論

PEが存在する場合には、利得のPEへの帰属の有無を問わず全ての国内源泉所得を企業の事業所得として課税する（すなわち法人の場合は法人税のネット利益の課税ベースに取り込む）考え方が、完全な吸引力理論である。我が国の帰属主義に改定する前の法人税法（2016年3月末まで適用）がとっていた立場は、そのような完全な吸引力理論をベースとした「総合主義」であった。ただし、我が国が締結した個別の租税条約は全て帰属主義を採用していたため、条約の優先適用の結果、PEに帰属しない事業所得や国内源泉所得たる投資所得（利子、配当使用料等）(注247)は、法人税の課税ベースには算入せ

（注245）　BEPS最終報告書では行動7として「PE認定の人為的回避の防止策」が検討され、モデル条約の改定案が提示されているので、OECD/G20の枠組みで討議に参加した国にとっては、今後条約改定への圧力が高まる。

（注246）　青山慶二「外国法人課税制度とBEPSプロジェクト」TKC税研情報2014年10月P.54-65参照。

（注247）　本店等が国内顧客と直取引する場合や国内金融商品に直接投資する場合の国内源泉所得を指す。

ず所得税の源泉徴収のみで我が国との課税関係を終わらせるというものであった。

源泉地国課税権を優遇する国連モデル条約も、その起草当時からOECDモデルの下での帰属主義の普及実績に鑑み、完全な吸引力理論を採用することはなかった。すなわち、原則帰属主義の下での限定されたPE吸引力の承認という以下イに詳述するスタンスである。

イ　PE吸引力に関する規定の相違

純粋なPE帰属主義を貫徹すると、途上国の税収確保の観点からは以下の懸念が指摘されてきた。すなわち、海外の投資家からの投資を専ら受け入れる立場の途上国にとっては、投資に基づく国内の企業活動に関して外国本店と自国のPEが果たす諸機能に関する取引情報（帰属主義の下での貢献度測定に必要）の入手の困難性や調査担当者の執行能力の限界等により、詳細な機能分析が困難という問題に直面するからである。このことは、多国籍企業が国内で発生した利得がPEの貢献ではなく本店の直取引によると主張した場合に、課税当局は十分な反論ができないため顕著な課税漏れリスクが残ってしまうとの認識である[注248]。

その結果両モデルの間には、（表3）のようなPE吸引力に関する規定ぶりの相違点が存在している。

（表3）　両モデル条約におけるPE吸引力の取扱い（改正前法人税法とも比較）

項目	OECDモデル	国連モデル	旧法人税法下での我が国のスタンス
PE 吸引力の規定ぶり	一切言及なし（吸引力を認めない完全な帰属主義）	帰属主義にプラスして以下の限定的PE吸引力対象の所得を付加 ・PEを通じて販売する物品等と同一又は類似の物品等の源泉	・国内法上は包括的なPE吸引力（総合主義） ・条約上はOECDモデルベースの帰属主義

（注248）　国連モデル条約7条コメンタリー・パラ6（UN Model Double Taxation Convention, UN2011）P.143

第10章　租税条約各論Ⅰ（事業活動所得条項）　　251

備考	OECDモデル7条1項	国連モデル7条1項	法人税法141条1号 日米条約7条1項等

地での販売による所
得
・PEを通じて行う事
業と同一又は類似の
事業を源泉地で行う
ことによる所得

　ウ　帰属主義の解釈の相違

　PE帰属主義とは、源泉地にある恒久的施設が果たす機能の貢献度に応じて発生する所得を割り当てる原則である。その際には本店・支店をそれぞれ独立した企業と擬制して、独立企業間であればそのような機能分担にどの程度の利得配分が行われたかを移転価格税制の比較対象取引分析を行い決定する。

　ただ、両モデル条約7条の帰属主義については、分配対象所得の捉え方によって2つの解釈が可能であった。実際に実現した企業利得の範囲内で利得を配分するとの「関連事業活動アプローチ」に基づく解釈と、配分対象所得の上限は実現した企業利得によって制限されず純粋に貢献度に応じて（負の貢献も考慮して）配分するとの「分離企業アプローチ」の違いである。2008年のOECDレポートがこの問題について後者に解釈を統一する旨宣言し、2010年版のOECDモデル改定でその内容が7条コメンタリーに展開されて決着を見た。

　ただし、OECDモデルでの新たな分離企業アプローチへの改定を受けて審議された国連モデル条約7条の審議結果は、同様な改定を行わないこと、すなわち、新たな分離企業アプローチをとらないことを宣言している(注249)。旧来の7条をそのまま残す選択の理由は、内部取引（内部利子、内部使用料等）の損金算入を源泉地では認めないとする国連モデル7条3項を維持したいという点にある。この点に関しては、2015年10月のBEPS最終報告書でも帰属主

――――――――――

（注249）　前掲（注248）P.140　7条コメンタリーパラ1

義の適用ガイダンスにつき途上国を含めたコンセンサスが成立していないことが懸念され、今後の宿題として検討が行われている。内部取引の認容は、経済的価値の創造に貢献した場所に課税権を付与するとのBEPSプロジェクトの基本方針に不可欠の一要素とも位置付けられるものであり、今後の検討が両モデルの帰属主義の構成や解釈の相違にどの程度影響を及ぼし得るか注目されるところである。

(2) BEPS最終報告書での提案

BEPSプロジェクト中の「PE認定の人為的回避の防止（行動8）」の最終報告書は、①代理人PEの範囲の拡大と②PEの適用を免除される準備的・補助的活動の中身の明確化を図るモデル条約条文改正案が提示された。モデル条約条文自体の改正案は関係国の今後の条約締結・改定交渉に直接の拘束力を持つため、15項目の処方箋の中でも実効性の高いものである。

ア 狭義の代理人PEの範囲の拡大

現行の両モデルでの代理人PE認定の要件は、①企業（本人）の名前で、②契約を締結する権限を有し、かつ③当該権限を常習的に行使する者で代理人業を通常業務とする者（独立代理人）でないもの、と規定している。上記3要件の適用を外せばPE非該当となり、源泉地国での課税を免れることから、①代理人自身の名前で契約を締結する、②契約締結に至る実質的な活動を代理人が行いながら、契約締結は本人が行う、③関連企業を独立代理人として機能させて従属代理人性を消去する、といった典型的にはコミッショネア契約（本人の名前を開示せず自らの名前で契約を締結したり、契約締結に至る主要事務についての役務提供を手数料ビジネスとして行うステータス）を利用した租税回避行為の蔓延が指摘されていた。

最終報告書はこれに対して5条5項及び6項を次のとおり改正するよう勧告している。

① 契約者名基準に加えて、契約類型基準（本人の物品の販売契約や役務提供契約）によって代理人PEを認定する。(5項)

② PEと認定される代理人の活動に、「契約の締結につながる主要な役割を担うこと」を追加する。(5項)

③ 専ら関連企業のためにのみ業務を行う者を、独立代理人の定義から除外する。(6項)

我が国では、コミッショネア形態に事業再編した取引に対して、移転価格

第10章　租税条約各論Ⅰ（事業活動所得条項）　　253

税制で受託仕入・販売の比較対象取引を参照して課税した更正処分を違法としたアドビ事件判決が前例となるが、もし、租税条約改定によりPE認定が可能であれば、課税処分は認められる可能性が高まる。ただし、代理人PEを認定した場合に、当該代理人機能にどの程度利益が配分されるべきかについては、帰属主義の下での機能・リスク分析が必須であり、仮に当該コミッショネアが機能リスクに応じた手数料を受け取っている場合には、追加的に代理人PEに帰属する所得はわずかであると認定され得るであろう。機能・リスク分析は個々の事実関係に即して行わねばならないし、国によっては源泉地課税権の確保の立場から独自の判断基準に依拠する可能性があるので、新たな二重課税の発生を懸念するグローバルビジネスの立場からは、帰属主義適用のガイダンスの早期作成が求められている(注250)。

　　イ　PEの適用を免除される準備的・補助的活動の中身の明確化

　従来から両モデルの間で5条4項（準備的・補助的業務を行う施設はPEから除外する旨の規定）の範囲に差異があった。すなわち、OECDモデルでは準備的・補助的業務に区分しPEを構成しないものとされている「在庫引渡業務」について、国連モデルではPE認定している点である。改正前の我が国法人税法と同様、国連モデルの下では、商品の引渡しは国内源泉の事業所得を生み出すものと位置付けられるため、BEPS防止の観点から、より対応が必要とされたのはOECDモデルであった。

　また、両モデルとも5条4項の準備的・補助的活動の例示が、活動内容の定性的判断によりPE非該当を判断するのか、それとも当該活動が事業の中で「準備的・補助的性格」を持つ場合にのみPE非該当性を認めるのかについて、解釈に統一が認められなかったことも、活動の分割によりPE認定の人為的回避を可能にした原因と指摘された。

　最終報告書では、5条4項に以下の改正を提案し、租税回避の防止を図っている。

①　5条4項の列挙例示項目の前に、PEに該当しないのは「準備的・補助的性格」のものである場合に限ると明示した。

②　①の代替案として、現行のOECDモデル5条4項から、「引渡し」「物品の

──────────

(注250)　Final BEPS Project Recommendations：Position Summary（January 2016）
　　　　BIAC

仕入れ」、情報収集を削除し、これらの活動は、準備的補助的活動である場合にのみPE非該当と明記する。

今回の改正案を先取りして各国当局が執行に着手した場合には、我が国多国籍企業のように製造基地をアジア地域をはじめとした低コスト地域に移転しているケースでは、深刻な問題に直面しそうである。すなわち、日系企業は現地での生産効率を高める観点等から本社が管理する多様な機能を持った倉庫を活用しているようであり(注251)、現地課税当局がこれら倉庫を準備的・補助的業務用ではないと安易に認定した場合には、二重課税の潜在リスクが顕在化する。具体的適用ガイダンスについての、G20を舞台とした両モデルを通じた調整が期待されるゆえんである。

3　PEへの資本配賦及びPE間の内部取引の取扱いに当たっての条約上の課題

OECDモデルの7条が明らかにした帰属主義の適用における焦点はPEへの資本配賦と内部取引の認容である。2016年4月から適用される我が国の帰属主義の原則(改正法人税法138条)(注252)は、モデル条約7条コメンタリーのガイダンスをそのまま反映したものであり、同コメンタリーは我が国が締結した租税条約に含まれる帰属主義原則の解釈基準ともされているので、国内法・条約間に不整合はない。しかし、これらの2点に関する国内法制の整備や条約の解釈・適用が、本・支店が所在する両国で整合的に行われるとは限らない。具体的には以下のケースが想定されるからである。

(1)　PEへの資本配賦の相違

改正法人税法では、PEへの資本配賦方法を1つに絞り込まず、資本配賦アプローチ(PEの保有資産の法人全体資産に対する比率に応じて資本を配分する方法)と過少資本アプローチ(PE所在地の独立企業の資産に対する資本比率を基準とする方法)のどちらかの選択制(継続使用が条件)としている。その結果、条約相手国でのPE(本・支店)への資本計上方法と我が国での計上方法が一致しない可能性がある。資本配賦方法の相違は、それを前提とし

(注251)　そのような倉庫は、調達資材等の使用者ではなくベンダーが管理する倉庫であることからVMI(Vendor's Managed Inventory)倉庫と呼んでいる。

(注252)　その内容については2014年8月TKC税研情報の拙稿P.40参照。

第10章　租税条約各論Ⅰ（事業活動所得条項）　　255

た両国での支払利子費用の損金算入制限に整合性がないことを意味し、その結果二重課税の発生が懸念される。

　(2)　内部取引の認定

　OECDモデル条約7条2項は、帰属主義の下では本支店間の経営資源の移転（内部取引）は独立企業原則に基づき全て親会社・子会社間取引と同様に認識すべきとしている。この点に関しては、内部利子や内部使用料などについて法人は文書化により明らかにしなければならないとされているものの、当該規定の解釈やそれを受けた各国国内法の内容が必ずしも整合的である保証はない。この場合も、結果として二重課税のリスクが残る。

　(3)　上記2例に対応した租税条約上の二重課税排除の仕組み

　OECDモデル条約7条3項は、上記の事態について移転価格税制（9条2項）と同様の対応的調整条項を置いている。すなわち、当該国のPEに対する課税処分が条約の趣旨（帰属主義）に沿ったものである限りは、本店所在地国等に対応的調整（当該国での増差額に対応する所得を減額調整した上で本店等所在地国において外国税額控除等による二重課税の排除をするメカニズム）の義務を課しているのである。

　上記対応的調整の前提としては、課税処分の内容が帰属主義の趣旨に沿ったものであることが求められるので、その点に関して争いがあれば両国の権限ある当局間の相互協議（モデル条約25条）に付される。

第3節　不動産所得、国際運輸所得

　本節では、不動産所得と国際運輸業所得を企業に係る事業所得系所得類型として掲げている。企業が両所得に係る業務を行う場合、不動産所得はPEがなくても運営が可能という点で通常の事業所得と差別化され、国際運輸業所得は船舶・航空機という言わば国境を越えて移動するPEに相当する施設（プラス乗務員サービス等）によって稼得されるという点で、固定的なPEを前提とする通常の事業所得と差別化されると考えられる。

1 不動産所得

貸付等不動産のあらゆる使用から発生する不動産所得の稼得主体は、企業に限らず個人の場合もあり、個人については所得税法が規定する不動産所得と重なる部分が多い（ただし、条約では農業・林業から稼得される所得も不動産所得とされている一方、所得税法が不動産所得とする船舶・航空機の貸付による所得は条約ではそれらを不動産の定義に含めていない）。

なお、両モデル条約の6条の規定ぶりは同一であり、所有者の居住地のいかんを問わず不動産の所在地に課税権を付与するとしている。これは、不動産とその所在地国との経済的結びつきが強固であることを考慮したものであり、源泉地国課税権を優先する所得類型の代表例として、所得類型別課税権配分規定（6～21条）の最初に登場しているものである。なお、同様に源泉地国課税権を認める趣旨は、13条の譲渡所得のうち不動産の譲渡所得についても規定されている。

不動産所得の解釈に関しての留意点は次の2点に集約される。

(1) 「不動産」の意義及び不動産所得の範囲

6条2項は、不動産をそれが存在する国の国内法上の概念を借用することとしているが、一方、前述したとおり農林業関係への拡張、船舶・航空機の除外という留保が行われている。

(2) 企業が保有する不動産から生じる所得についての事業所得条項との適用関係

不動産貸付を事業として行っている場合は7条を適用するのではなく、6条を優先適用して源泉地に課税権を認める旨が、6条4項に規定されている。すなわちPEがない場合で7条の下では源泉地に課税権が配分されない状況でも、6条により不動産所在地国は国内法による企業利得の課税が可能になるのである。各国国内法は、おしなべて自国に所在する不動産から生ずる所得を国内源泉所得として規定している（法法138①五）。

なお、企業による不動産の譲渡による所得についても、同様にPEの存否にかかわりなく13条1項を優先適用して不動産所在地国に課税権を認める旨規定されており、この取扱いは、不動産自体の保有に加えて株式価値の50%超が当該国に存在する不動産である場合の所在地国課税権承認の規定（13条4項、いわゆる「不動産化体株式」の譲渡で、我が国も法人税法施行令178条1項5号で同等の取扱いを規定）で補強されている。

第10章　租税条約各論Ⅰ（事業活動所得条項）　　257

2　国際運輸所得

　モデル条約8条は、国際間の船舶・航空機による運輸事業（加えて、内陸河川の船舶運輸業を含む）が取得する所得の課税権を、企業の実質的管理の場所が存在する国にのみ認めている。多国にわたって行われる国際運輸等は所得の源泉地の特定が困難であるため、本条項は、企業の居住地国（本条ではモデル条約4条の法人の居住地振り分け規定に配慮し実質管理地と規定）に課税権を片寄せすることで課税関係の明確化を図ったと理解されている。課税権配分規定は、居住地と源泉地の双方に課税権を認めるものが多く、定性的に居住地に片寄せする（すなわち源泉地では常に免税とする）条項は、本条項とOECDモデル12条の使用料のみである。なお、管理支配地に替えて居住地の他の基準（設立準拠地、本支店設置地など）を満たすところに片寄せする課税権を認める選択肢も、モデル条約は許容している(注253)。

　本条の解釈上焦点となるのは次の2点である。

(1)　国際運輸所得の範囲

　企業自らが国際運輸業を行う場合のみならず、完全に艤装された乗員サービス付の傭船（機）契約に基づく賃貸料収入も、所得の経済的性格が同じであるので、同様の居住地片寄せ基準で規律することとされている。国際運輸等に伴うコンテナの賃貸料収入も、国際運輸に付随する利得として、原則として8条の規定下に置かれる。ただし、裸傭船（機）契約に基づく賃貸料は、それが国際運輸業の付随的な活動でない限り、8条ではなく7条の通常の事業所得のルールに従う。

(2)　共同計算による運航の取扱い

　近年コードシェア便など航空運輸で特に顕著な共同計算の仕組みなどに参加する場合の、各社に配分される所得の課税権も8条1項の片寄せルールに従うこととされている。

第4節　特殊関連企業条項

　各国が国内法で規定する移転価格税制の国際的な調和を担保するものが、

（注253）　OECDモデル条約8条コメンタリー・パラ2～3

租税条約9条の特殊関連企業条項である。同条は、既に国内法の移転価格税制の第7章でも見てきたとおり、「両締約国に存在する関連企業間で独立企業間とは異なる条件で取引が行われた場合には、正常な条件下で取引が行われた場合に算出される利益に課税することができる」とする独立企業原則の適用を締約国間で合意するとともに（1項）、1項の趣旨に合致する課税が一方の締約国で関連法人に対して行われた場合には、他方の締約国は自国の取引相手となる関連法人の所得を調整して二重課税の解消を図ることを約束する内容（2項）、となっている。

　1項の独立企業原則の解釈・適用については、我が国ではそれに忠実に移転価格税制が設計されており（措法66の4）、その内容の解説も済んでいるので、本稿では条約プロパーの次の3点に焦点を当てて概観する。

1　他の課税権配分諸規定との関係

　他の課税権配分規定が、同一納税者の同一所得に対し複数国で発生する納税義務の源泉地国・居住地国間での課税権の配分に係るメカニズム（法的二重課税状況の下での課税権調整）であるのに対し、本条項のみが、異なる納税者間の取引を契機とした両国でのそれぞれの課税により、居住地・源泉地の区分に関係なく発生する企業グループ全体での超過税負担を解消させるメカニズム（経済的二重課税対応）という意味で、独自の性格を有した規定となっている。

　しかし、先行する7条（事業所得条項）で、本・支店間（すなわち源泉地・居住地間）での課税権配分基準として、帰属主義の基準の下に本条と同様の独立企業原則が適用されている他、後続する11条、12条（投資所得条項）中でも、独立企業原則に反して支払われた利子、使用料に関する源泉地国課税権制約の特例が定めているなどの環境から、9条という事業所得系の最後で投資所得条項の前に位置するポジショニングにはさほどの違和感は感じさせない。そうはいっても事業所得とは異なる機能を果たす条項であり、他の条項と競合する場合の適用順序については、次のような整理が必要とされている。

(1)　事業所得条項との競合

　事業所得条項の発動は、本支店間という同一法人格内のみにおいて発生す

第10章　租税条約各論Ⅰ（事業活動所得条項）　　259

るものではない。関連法人が代理人PEと認定される場合には、代理人の機能に対し本人法人から支払われる対価（代理人手数料）の妥当性の問題（9条の管轄）と、代理人が本人のために果たす機能に帰属する本人所得の源泉地における課税権行使の問題（7条の管轄）が併存し得る。その場合の適用の優先順位は、論理的な順序に従うと、前者の取引においてまず独立企業原則を適用して法人格独立規準に即した所得区分別の帰属を確定し、その後その結果に基づく両法人の損益を前提としてPEに帰属する所得を算定するということになる。

　以上はOECDモデル条約が従来から踏襲する理論的な整理であるが^(注254)、経済実態からみると、独立企業原則に基づく手数料を支払った後に、追加すべき有意な代理人PE帰属所得が残るかどうかは不透明であると最近では考えられている。

(2)　投資所得条項との競合

　モデル条約11条6項は関連者間の支払利子が独立企業間価格を上回っている場合には、11条2項に基づく軽減税率は独立企業間価格までの支払について適用され、超過分には適用されないと規定している。12条4項も使用料について同様の規定を置いており、まず利子・使用料については9条が適用され、その結果に基づき11条、12条の適用範囲が画されているのである。

2　対応的調整の義務

　9条2項は1項の独立企業原則に従った課税が一方の締約国で行われた場合には、他方の締約国は、条約の趣旨に沿った課税であるかどうかを確認するための相互協議等の手続を必要に応じてとった上で、相手国で課された税額について適当な調整を図るべしとされている。本項は、前述した7条3項の母体ともなった規定ではあるが、法的には、移転価格課税が発生させる経済的二重課税の下での特別な救済規定の性格を持つ。その点に関して焦点となる論点は以下の2つである。

(1)　対応的調整の方法及び範囲

　条文構成からみれば、相手国の移転価格課税が独立企業原則に即したもの

（注254）　それを主張するものとして、OECD「PE帰属所得レポート（2008.7）」Part1パラ71（日本租税研究協会翻訳）P.82

と認定した場合には、当該国単独で対応的調整ができると読める。しかし、対応的調整は、既に自国の関連納税者から納付済みの法人税を還付することにつながり得るので、現実にはモデル条約25条が規定する相互協議を通じて、相手国の課税根拠となる情報を入手検証する必要がある。ただし、二重課税調整の仕組みは、当該国のやり方に任されている。

対応的調整の範囲で問題になるのはいわゆる二次的調整（二次的調整の仕組みは（図1）参照）への対応である。

(図1) 二次的調整の発生する状況

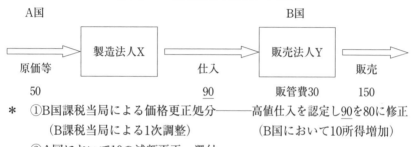

上図のとおり、二次的調整が行われれば移転価格税制に伴う税負担がより拡大するので、納税者は本件に関する各国税制に留意せねばならない。なお、9条コメンタリーでは、上記二次的調整を認める国内法が存在する場合に、条約はそれを妨げるものではないとしている。なお、米、加、豪、一部のEU諸国など多くの国が二次的調整の仕組みを国内法で定めている（我が国や英国は採用せず）。

(2) 対応的調整条項がない条約における当事国の義務

我が国が締結した現行の条約中には、既に我が国との経済交流規模が大きくなっている国を含めて、9条1項はあるものの2項を欠く条約を結んだ相手国も散見される（ブラジル、インドネシア、スリランカ、ポーランド、ルーマニア）。これらの国にとっては、独立企業原則を適用する更正処分を行う権限は相互に承認するが、他方、相手が行った更正処分に対して自国が対応

第10章　租税条約各論Ⅰ（事業活動所得条項）　　261

的調整を行う義務はないと主張し得る。

　当該条約が25条の相互協議条項を有している場合には、相手国の課税が条約の趣旨に即していない（9条関係では独立企業原則に即していない）として、相互協議に基づく解決を求める権限はあるものの、相互協議を行って仮に条約に即した課税であることについて合意できたとしても、対応的調整が不可能といういびつな法構成を認めることになってしまう。

　この点について、OECDモデルと同様の1項、2項の規定ぶりを持つ国連モデルの9条2項コメンタリー・パラ7は、自国の条約に2項を含みたくないと考えている途上国にとっては、2項に基づく対応的調整を求められることは負担が大きいという見解があることを認識しつつ、2項は9条にとって不可欠の要件であり、これを行わないと条約の趣旨に反する二重課税が発生すると指摘している(注255)。しかし、数か国の意見として、相手国が先に課税処分をした場合については、2項の対応的調整を「しなければならない」という表現ではなく「することができる」という表現に2国間交渉で変更できるとの見解を持っている。同コメンタリーは、残念ながらまだこの点につきコンセンサスはないと結んでいる。

3　BEPSプロジェクト最終報告書の焦点

　9条の関係では、BEPS最終報告書（2015年10月）は移転価格税制の実体的課税手法に関するガイダンスとして新たな数項目を提起するとともに、納税者からの開示情報の大幅拡張という方向での手続規定面の改定案を提起している。その大要は既に拙稿で紹介しており(注256)、ここでは移転価格を中心とした二重課税の紛争解決に関する25条改定方針に焦点を絞る。

　BEPS報告書・行動14「相互協議の効果的実施」では、ハイレベルの政治的約束をベースとして、相互協議を通じた適時・適切な紛争解決（モデル条約25条による）に向け、次の3点の最低限実施すべき措置案をまとめ上げた。

① 　相互協議事案を平均24か月以内に解決することを目標化すること
② 　相互協議の利用のためのガイダンス公表、及び相互協議担当職員の人員

（注255）　国連モデル9条コメンタリー・パラ7（UN Model Double Taxation Convention (2011 UN)，P.175）
（注256）　TKC税研情報2015年10月の拙稿P.55参照。

及び独立性の確保

③　納税者に対する相互協議機会の保障の観点から、取引を所管するいずれの締約国の権限ある当局に対しても相互協議申立てができるよう条約改正を行うこと

さらに、制度を導入する意思のある国という限定つきではあるが、強制的・拘束的仲裁に関する具体的な規定の作成作業を継続すべしと指摘している。この点、我が国は近年仲裁条項を含む条約を拡大しつつあり、当該仲裁を含めた上記最低限度措置案の実施は、BEPS報告書の国内法施行にアグレッシブに取り組もうとする新興国による新たな二重課税リスクに直面する納税者にとって、歓迎すべきものと考えられる。

第5節　投資所得条項の企業への適用関係

企業が財務活動を行う領域は、我が国企業の場合、国内での運用に加えて、①生産基盤の海外移転等に伴い海外で稼得・留保する利得が増加し、国際マーケットでの運用が拡大してきたこと、②グローバルバリューチェーンの効率的な構築のため海外でのM＆Aが活発化し海外での資金需要に応えた余剰資金の流動化が進んでいること、③グループ内ファイナンスに特化した関連会社設立も製造業等の一般企業にも普及しつつあり、その立地や取扱い取引に関する条約特典の有無が大きな関心事項になっていること、などの環境変化が観察される。

財務活動の一部については、受動的でモーバイルな性格からタックスヘイブン税制の適用対象になるものもあり、条約特典の享受への関心が少ないケースもあり得るが、総体的には、グロス支払金額を対象に源泉徴収される仕組みの投資取引に関する法人経営者の最大の関心は、条約がどの程度源泉徴収の減免を認めているかにあるといえる。

そこで、投資所得を生み出す金融業ないしは財務活動を行っている企業にとっての、租税条約の適用操作の再確認を行っておこう。

金融業ないしは財務活動により稼得される企業利得の中身は、利子、配当、譲渡を中心とした投資関連所得であるが、それらの所得は既に言及したとお

第10章　租税条約各論Ⅰ（事業活動所得条項）　　263

り、例えば利子所得については、①7条に影響されない11条に基づく源泉地課税（7条4項）、②利子の受益者が利子の生じた他方の締約国内においてPEを通じて事業を行う場合に、当該利子の原因債権がPEと実質的に関連するときは、7条に基づくネット課税（11条4項）という条文操作により、7条→11条→7条の順で、結局7条適用が優先するとされている。これは配当、使用料についても同様の取扱いである。

　なお、我が国が締結する租税条約のうち先進国相手のものでは、締約相手国の金融機関に支払われる利子についての源泉徴収がゼロとされる例が多くなっている（米、英、仏、豪、蘭等）ので(注257)、金融機関については支払・収受を通じて投資所得としての源泉課税が完全に回避される方向に向かっているといえよう。

（注257）　先進国・途上国間の条約にかかる国連モデルでは、減免率を個々の条約交渉に委ねているが、個々の減免結果はOECDモデルの減免率よりも通常低いものとなっている。

第11章

租税条約各論 II
（投資活動所得）

266

第11章　租税条約各論Ⅱ（投資活動所得）　　267

第1節　投資活動条項の意義

　2016年4月に国際調査報道ジャーナリストグループ（ICIJ）により公表されたパナマの法律事務所からの流出文書により明らかになったとされたいわゆる「パナマ文書（Panama Papers）」は、世界の富豪や著名人も関係しているとされるカリブのタックスヘイブンにおける法人設立情報を内容としていることから、タックスヘイブンを利用した申告漏れの租税計画の可能性が広く問題視されることとなった。

　パナマ文書問題では、タックスヘイブン法人への投資関与者（主として株主）が居住地国において納税義務を適切に果たしているかが問われることになり、今後具体的な資料開示を受けて各国の課税当局による解明が進むものと予測されている。その際の納税義務の検証対象は、国内法上は、タックスヘイブン法人を活用した取引が投資者である個人又は法人の納税申告に適正に反映されているかの検証であり、租税条約上は、当該投資からのリターンである投資所得（配当・利子・使用料・キャピタルゲイン等）に対する源泉地での課税規定の適用ぶりと租税条約（専ら情報交換に特化した国家間協定を含む。）に基づく情報交換の有効性が問われるところとなろう。

　本章では、租税条約の投資所得条項の機能を解説するとともに、パナマ文書問題により提起された課題に租税条約の情報交換規定がどのように取り組んでいるか最近のモデル条約改正動向を含めて検証する。

第2節　各種の投資所得条項

1　共通した特徴

(1)　事業所得との比較

　事業所得については、所得税法上、当該所得を性格付けるとされる要素として「自己の計算と危険において独立して営まれ、営利性、有償性を有し、かつ反復継続して遂行する意思と社会的地位とが客観的に認められる業務か

ら生ずる所得」（最判昭56・4・24民集35・3・672）かどうかという判別基準が判例により設けられているが、租税条約も同様の判断基準に従った所得分類を前提に、恒久的施設の存在とそれへの所得の帰属という閾値で源泉地国（事業活動が行われる国）における優先的課税権を認めている。これは前章で確認したところであるが、源泉地国での企業家自身の能動的企業活動（付加価値創造活動）については、源泉地国による優先的な課税権行使を認めるだけの十分な「経済的結びつき」が認められるとして、国際慣習法上認められた原則である[注258]。

　一方、配当、利子、使用料等の投資所得は、投資家による企業家（事業所得稼得者）への投資対象物（現金、固定資産）の使用許諾の対価の取得を内容としている。投資家が自国内に居住していないという国境越投資の文脈の下では、源泉地国での課税権行使は、通常企業家による対価支払時点で源泉徴収の形式で行使される。それら源泉地国においては、国内法により各種の投資所得について、受益原則（Benefit Principle）に即した判断により国内源泉所得に該当するか否かのソースルールを定め、国内源泉所得該当の場合にはグロスの支払額に対して一定率の源泉徴収を行う仕組みを用意している。

　(2)　租税条約による修正

　ただし、国内法を根拠とする源泉徴収に対しては、国境を越える投資・貿易を促進することを目的とする租税条約により、源泉地国の課税権を制約しようとする国際慣行も広範に成立している。

　すなわち、OECDモデル条約では、投資所得に対する源泉徴収がキャッシュベースでの当該所得の利益率を損ない、仮に、外国税額控除制度や国外所得免除制度により一定の二重課税排除が行われたとしても、国際投資活動に看過しがたいバイアスとなるとの観点から、これら投資所得に対しては源泉徴収税率の減免により源泉地国の課税権行使をできるだけ控えて、投資の成果に対する課税権行使は居住地国に集約させたいとの趣旨が暗示されているのである[注259]。我が国の締結する租税条約は、程度の差こそあれ、基本的にこのOECDモデルを踏襲している。

（注258）　Reuben Avi-yonah，"International tax as international law"、（Cambridge U. Press，2007）P.11
（注259）　OECDモデル条約（2010年版）序論パラ19

第11章　租税条約各論Ⅱ（投資活動所得）　269

　ただし、先進国・途上国間のモデルを標榜する国連モデル条約では、投資先である源泉地国（すなわち途上国）へのより積極的な課税権配分に軸足を置くため、源泉徴収税率を交渉結果に委ねるとし、OECDモデルのような減免の具体的ガイダンスを明示していない。

　なお、投資所得条項の内容に関する限り、OECDと国連の両モデルの間には、税率の特掲に関する部分以外は差異がないため、以下においてモデル条約コメンタリーを引用する場合はOECDのみを参照している。

　その結果、我が国が現実に締結している二国間租税条約の投資所得についての源泉徴収条項は、条約交渉の結果として、例えば次の（表1）のような多様性を持っている。

（表1）　配当、利子、使用料の源泉徴収税率のバリエーション（国別の例示）

締結相手国	米国	カナダ	インドネシア
相手国の性格	我が国にとって密接な投資・貿易相手国である先進国	OECD加盟の通常の先進国	我が国との経済関係の濃い途上国
条項の内容	OECDモデル条約より源泉地課税を縮小	使用料を除きOECDモデル条約どおり	OECDモデルより源泉地課税を拡大
配当	10% （10〜50%保有では5%、50%超保有では免税）	15% （25%以上保有では5%）	15% （25%保有では10%）
利子	10% （金融機関による受取利子は免税）	10%	10%

使用料	免税	10%	10%

　以下においては主要な投資所得に関するモデル条約の仕組みとその課題を概説する。

2　配　当

　両モデル条約の条文の規定ぶりは、源泉徴収税率を明示する（OECDモデルでは一般15％、親子会社間5％）か、源泉徴収税率を二国間交渉の結果に委ねてモデル条約上ガイダンスを示さないかの違いのみである。しかし、いずれについても源泉徴収税率を国内法に基づくものよりも軽減するポリシーであることはモデル条約コメンタリー上も明らかであり[注260]、OECDモデルにおいても交渉により軽減の程度をさらに拡大する方向で合意することは可能と解説されている（例えば、源泉徴収税率のさらなる引下げや、親子会社間の持株要件の更なる緩和など）。上記（表1）の米国との条約の配当欄の合意内容はその典型例である。

（1）　配当の定義

　OECDモデル条約コメンタリーでは、配当の基となる株式とは「信用に係る債権を除いて、法人の利得の分配に参加する権利を伴う法人が発行する証券」と解説している（10条コメ・パラ24）。

　したがって、利益参加社債や転換社債はその法的性格が債券であるため、10条の配当には、該当しない。一方、仮に「利子」の名目で支払われるものであっても、その貸付けの趣旨が株式と同様企業が生み出す危険を共有するものである限り、配当とみなすことを妨げないと解されている。

　なお、国内法上配当として課税するいわゆる「みなし配当」も10条の適用対象となるが、国内法上投資家本人に直接帰属するとされる我が国の民法法人や海外のパートナーシップからの分配は、配当とはみなされない。

　ただし、我が国で一定の条件の下に損金算入が認められている特別目的会

（注260）　OECDモデル条約10条コメンタリー、パラ9

第11章　租税条約各論Ⅱ（投資活動所得）　　271

社や投資法人など導管型法人（措法67の15）の配当については、10条の下での減免対象から除外することとされている（注261）。ところで、BEPSプロジェクトの行動2でハイブリッドミスマッチによる二重非課税事例として取り上げられ、我が国も平成27年度改正で講じた対処策（相手国で損金算入された配当に係る我が国での外国子会社配当益金不算入制度の不適用）は同じ状況で適用事例が重なるが、本件はあくまで源泉徴収税の減免についてのみ述べている。

　このほか、10条の適用については、2008年OECDモデル条約コメンタリーの改正により（パラ67.167.7）、不動産投資信託（REIT）についてのモデル条約の取扱いが改正された。すなわち、REITへの投資者を①10％以上の持分を有する大規模投資家と、②それ以外のポートフォリオ投資家に区分し、①については実質が不動産自体への投資と同様とみなして、10条の特典付与を拒否し、源泉地国に6条や13条4項（不動産化体株式の譲渡）と同一の課税権を付与するものである。

　(2)　減免を受けるための受益者該当要件

　配当、利子、使用料に対する減免条項の適用には、10条2項の「その租税の額は当該配当の受益者が他方の締約国の居住者である場合」という条件がおしなべて付されている。これは条約濫用に対する所得項目別の個別対応規定であり、特に受動的な所得である投資所得については、有利な租税条約にただ乗りするスキームが活用されやすいので、これを阻止するために規定されたもので、国内法の条文に照らすと「実質所得者課税の原則」（所法12、法法11）に匹敵する機能を果たすものである。

　受益者条項が機能する環境は例えば次の（図1）のとおりである。

（注261）　日米条約10条4項、5項ではこれを明示しており、米国においては規制投資会社（RIC）、不動産投資信託（REIT）、我が国においては特定目的会社（SPC）、投資法人等である。いずれも、通常のポートフォリオ税率での源泉徴収に服する（不動産に対する投資に用いられるペイスルー法人については、一定の例外を除き国内法の課税を許容。）。

(図1) 受益者とその権利行使者

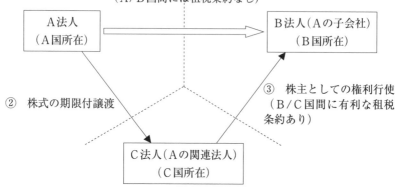

(注) 上記スキームの環境
 ・A、B、C各法人は、それぞれA、B、C国の内国法人（居住者証明の取得可能）
 ・B国は国内法で配当支払に対し高率の源泉徴収を実施
 ・B/C国間の条約では、配当の源泉徴収を大幅に軽減
 ・A/C法人間契約では、配当の入金と同時に同額をCがAに支払う約束

　受益者条項は、例えば、本来条約のないA/B間（源泉徴収に関しより不利な条件の条約がある場合のA/B間でもよい）の株式保有関係を、配当の直接受領者を有利なB/C間条約の下にあるC国居住者に変更することで、条約漁りを実現しようとするスキームに対する個別的な対応手段である。このパターンは投資所得全般に共通して利用されるスキームであるため、モデル条約は上記「受益者要件」を10〜12条（配当、利子、使用料）の特典を要求する居住者資格に追加して、租税回避行為の防止を図っている。すなわち、上記の例ではC法人がB/C条約適用上の受益者に該当するといえるのかが問われることになり、C法人が例えば代理人や単なる名義人、あるいは独立した受領者である者でも、いわゆる導管法人（法形式的には所有者であるが、利害関係者のために行動する単なる受託者又は管理者としての極めて狭い権限を行使するにすぎない。）の場合には、「受益者」要件を満たさないものとし

第11章　租税条約各論Ⅱ（投資活動所得）　　273

て減免税率の適用を認めないのである[注262]。

(3)　BEPS最終報告書における濫用防止規定との関係

BEPS最終報告書行動6が勧告した一般的な租税条約濫用防止規定（特典制限条項：LOBか主要目的テスト：PPTの両方あるいは混合体を条約に標準装備すること）と本件受益者条項は、一般法と特別法の関係にあり、相互に補完して条約濫用防止に貢献することが期待される。LOBは米国型、PPTは欧州型でそれぞれの機能の違いを認識しつつ、各国に選択を認める柔軟な処方箋となった。以下にLOBとPPTの比較表を、最終報告書のモデル条約改定案をベースに（表2）にまとめる。

（表2）　LOBとPPTの比較

項目	LOB	PPT
モデル条約条文構成	X条1項〜6項 （うち6項は定義規定）	X条7項
内容	1項：適格者でない企業には条約の特典を付与せず 2項：適格者の範囲として上場会社等を外形基準で列記 3項：能動的か事業活動基準 　（2項に不該当でも、能動的な活動に起因する一定の所得を救済） 4項：派生的受益者基準 5項：権限ある当局による認定	条約の特典は、その特典を得ることが取引又は取決めの主たる目的の一つであると合理的に結論付けられる場合には、与えられない。

（注262）　OECDモデル10条コメ・パラ12.1

		(1～4項に該当しない場合の最終救済手段)	
備考		派生的受益者基準とは、前述した（図1）において、本来のA→BをA→C→Bに迂回した場合でも、仮にA/B間とC/B間の特典内容に差がない場合には、租税計画の観点からCを介在させる動機に乏しいとして、特典適用を認めるものである。	PPTが欧州で適用される典型例は、前述した（図1）において、介在者が第三者の銀行等で信託契約により受益権を行使する場合が例示されている。

　受益者概念はOECDでの検討の経験があり、いずれの法制においても重要な共通概念として活用されつつあったが、適用範囲は法的に受益権限を解釈するため、比較的抑制的な解釈が行われてきたといえる。これに対して、今回のBEPS報告書では二重非課税対策としてより否認範囲の広いLOBとPPTのセットを提示した。その中では、従来受益者概念の延長線上で論じられてきた派生的受益者基準がLOBの中で具体化されたほか、導管取決め防止メカニズムとして整理される条項[注263]が、投資所得条項に設定することも提案された。これによって、従来の受益者概念での対応の限界が大きく拡大されたといえよう。

　　ア　我が国条約例にみるLOBの事例

　なお、我が国が既に日米条約に導入済みの導管取決め防止メカニズムは（図2）で表される事態に対応している。投資所得につき「導管取決め防止」の趣旨を明記しているのは、日米条約10条11項、11条11項、12条5項、及び21条4項（その他所得関係）であり、いずれも人為的なミラー取引を仕組む事例であるが、代表として配当に関するものを取り上げる。

（注263）　我が国は既に日米条約10条11項、11条11項、12条5項にみられるように、備付け済みの条約もあり、条約濫用に関してはBEPS対応の先進国といっても過言ではない。

(図2) 日米条約上、受益者に該当しない典型例としてのミラー取引（配当関係）

(注) 導管取引とみなされ、特典供与が拒否される条件
 ・第2優先株が第1優先株と「同等」のものであること
 ・居住者による第1優先株の保有と、第三国居住者による第2優先株の保有との間に、「前者がなかったら後者はなかったはずである」という条件関係が存在すること
 ・米国＝第三国間に、日米条約に基づく特典と同等以上の有利な特典が保証されていないこと

（同条適用の要件）
➤所得の受領者である相手国居住者が、当該取引と同種の取引を第三国居住者との間で行っていること
➤両取引の間に条件関係が認められること

　イ　我が国条約例にみるPPTの事例

　日英条約では、投資所得条項中に濫用目的防止規定を規定しており（日英条約10⑨・11⑩・12⑥及び21⑤）、代表例の配当条項では、「配当の支払の起因となる株式その他の権利の設定又は移転に関与した者が、本条の特典を受けることを当該権利の設定又は移転の主たる目的の全部又は一部とする場合には、当該配当に対しては、本条に定める租税の軽減又は免除は与えられない」とするものである。条文自体はLOBと異なり簡明でありその分濫用目的に対し広く対応が可能であるものの、その分納税者にとっては予測可能性がLOBに比べ劣るという問題点も指摘されている(注264)。

　なお、PPT適用の要件は、まず、①条約特典を受けることを目的に第三国居住者がペーパーカンパニーをいずれかの締約国に設立し、又は、一方の締

―――――――――
(注264) BEPS最終報告書でもこの問題への取組により、適用ガイダンス事例が追加されているが（我が国ビジネスの関心のある地域統括会社に関するものを含む。）、今後PPT採用条約の増加に伴い、さらなる拡充が求められよう。

約国の居住者に株式、権利、若しくは財産を移転し、次に、②当該ペーパーカンパニー又は上記居住者を「受益者」として条約特典を申請した場合ということになろう。

(4) その他

ア 株式の短期保有のスキーム

投資所得に関する条約濫用は、(図1)の事例のA／C間における株式の期限付譲渡取引の事例が暗示するとおり、配当の前後にわたって一時的な所有権を保有する形で、条約漁りを行う事例が従来から指摘されてきた。

これについては、特典享受の要件として、別途条約上最低保有期間を設けて対応する方策が普及している。我が国の条約も、親子会社要件として保有期間を最低6か月要求しているものが多い。また、親子法人間配当への軽減税率の適用に関しては、両締約国の国内法上の要件が異なる場合、双方の要件のうちより有利な方向で適用範囲を拡大する例が多くみられる。

イ 追っかけ課税の禁止

OECDモデル条約10条5項は、「一方の居住者が他方の締約国から得る配当等については、たとえそれらの配当が他方の国内で生じた利得等から成る時であっても、他方の締約国は当該配当に対し、いかなる租税も課することはできない」と規定しており、これは『追っかけ課税の禁止条項』と呼ばれている。この問題は米国が支店利益税（外国法人の米国支店が稼得した所得には、法人税と合わせて子会社であったら配当に対する源泉税として課されるはずの税負担を「支店利益税」として課す制度）を国内法上容認していることから、トリーティ・オーバーライド（国内法が既存条約の規定に優先して不当に適用される事例）としてかつて議論された経緯がある。現在は、米国も条約締結相手国の適格居住者には同税を課さないこととしており、モデル条約の懸念は少なくなった。ただし、我が国の現行条約例には、支店利益税を議定書等で認めるものが複数あり[注265]、注意が必要である。

ウ 匿名組合からの分配に対する課税

投資所得としての配当課税に近似する課税問題として、我が国には匿名組

[注265] 本文で触れたアメリカ条約（10条9項、10項）のほかにも、ブラジル、インド、フィリピン、カナダ、タイ等の条約があるが、相手国での課税についてはほとんど親子間配当と同様の限度税率が適用されている。

第11章　租税条約各論Ⅱ（投資活動所得）　　277

合員に分配される所得への課税への租税条約の対応問題がある。この問題は、ガイダント事件判決[注266]で当該匿名組合分配金はオランダ条約上のその他所得条項に該当すると主張した外国法人が勝訴したことで、我が国にとっての深刻なBEPS懸念として意識された。その後の条約の新規締結や改正に際しては、常に匿名組合分配金に関する我が国課税権を確認する趣旨（所得等が生じる締約国において、国内法に従った課税を容認するとの内容）が盛り込まれており[注267]、この点に関するBEPS懸念は一定程度立法的に解決されたといえよう。

3　利　子

利子の源泉徴収は、その定義からして配当との境界を明確にすることによって反射的に明らかになる性格のものである。しかし、前記「2　配当」のところで論じたとおり、株式の定義自体が必ずしも明確ではなく、利子についても広範な定義（「全ての種類の信用に係る債権から生じた所得」（11条3項））をOECDモデル条約コメンタリーで解説している。なお、利子については「利子の生じた国」という表現で課税権を配分しており、かつ、同条5項が「利子は、その支払者が一方の締約国の居住者である場合には、当該一方の締約国内において生じたものとみなす」と規定していることから、国内法の使用地主義によるソースルールではなく、債務者主義がとられていると解釈されている。

OECDモデルは利子につき一律に10％の源泉徴収限度額を認めているが、これは、源泉地国（資金借入れ国）の立場から見た場合、法人税の課税所得計算上、損金算入が原則許されその分だけグロスの課税所得の控除要因となる利子については、法人税課税後の所得から払い出される配当以上に源泉地国としての課税権確保の必要があるとの認識があると思われる。

ただし、近年、日米や日英など先進国間の条約では金融取引あるいは金融市場の国際化を促進する観点から利子非課税をうたう条約も増えつつある。

（注266）　東京高裁平成19年6月28日判決（判時1895・23）。なお同判決は平成20年6月5日最高裁が上告不受理とした。

（注267）　匿名組合契約分配金の我が国課税権を確認するものとして、例えば、日独10条、日米・議定書12、日英20条、日仏20条、日豪20条、カザフスタン、ブルネイ各20条、パキスタン議定書4など。

278　　　第11章　租税条約各論Ⅱ（投資活動所得）

　金融機関の受け取る利子を非課税とすることについては、収入（受取利子）
と費用（支払利子）の双方がグロスベースの源泉徴収に服するとなると、受
取/支払間の薄いマージン（利率の差であるスプレッド）に頼っている金融機
関の担税力に影響が大きく、残存する超過課税のリスクが国際金融の機能を
阻害するとの説明が行われている。しかし、一方では、①リーマンショック
後の金融危機を経て金融機関のリスクテークに対する批判が高まり、金融安
定化基金への拠出（バランスシート課税）や金融取引税構想(注268)など、金融
機関に対する新たな課税要請も高まっており、また、②BEPS行動4での利子
控除制限税制の検討が進むなど、金融機関の課税環境は強い緊張感の下にあ
るとみられる。

（1）　課税原則

　OECDモデル条約11条1項は、まず、受益者居住地国における課税権を承認
するとともに、同条2項が支払地国における課税権（限度税額10%）を定めて
おり、配当と同様双方に課税権を配分する構造を取っている。

　なお、モデル条約では触れられていないが、我が国の締結する条約では、
政府、中央銀行等の得る利子について免税取扱いを合意しているものが多
い(注269)。これは、一般的に国際礼譲に基づくものと説明されており、外交官
免税などと同一の理由によるものである。

　なお、受益者の解釈及び導管取決め防止メカニズムの設定なども配当と同
様の規定ぶりとなっている。

（2）　利子の定義

　11条3項の定義は、我が国のソースルールのように各種利子を区分してお
らず、前述したとおり包括的な記載となっているため、解釈に委ねられてい
る。同条コメンタリーでは、金利スワップなどのデリバティブ取引や遅延損
害金、保険年金など、いずれも利子に相当しない旨が解説されている。

(注268)　EUは、独、仏を中心に強化された協力の枠組みでデリバティブ取引を含めた取
　　　引ごとに低率の取引税を課す金融取引税の指令案を提出している。
(注269)　非課税利子の範囲はかなりの広がりを持っており、その概要は以下のとおりで
　　　ある。
　　　国、中央政府又は中央銀行に対して支払われる利子等、輸出金融プログラムに従って
　　支払われる利子、金融機関に支払われる利子（米、英、仏、スイス等との条約）、信用販
　　売に関する利子、年金基金等免税団体に支払われる利子など。

第11章　租税条約各論Ⅱ（投資活動所得）　　279

　ただし、独立企業間価格を超過して支払われる利子については、11条6項が
国内法による取扱いに任せるとして、条約の減免既定の適用対象から外して
いる（注270）。

　(3)　支店利子税の取扱い

　米国は、帰属主義の下で恒久的施設によって負担されるべき利子の額が現
実に負担した利子の額を上回る場合には、当該超過分は本店に対し支払った
ものとみなして10％の源泉徴収（支店利子税）を求めている。日米条約11条
10項はこの趣旨を確認しているが、金融機関等一定のものについては当該税
は免税とされている。

4　使用料（ロイヤルティ）

　OECDモデル条約12条1項は使用料につき、受益者の居住地国に排他的な
課税権を認めており、他の投資所得と異なる取扱いを定めている。ただし、
国連モデル条約の下では使用料に対する課税権は配当及び利子と同様、居住
地国と源泉地国の双方に認めていることもあって、我が国を含めて多くの
OECD加盟国も、本条項をそのまま自国の2国間条約に取り込むことに成功
しているわけではない（注271）。我が国自身、2004年の日米租税条約改定で使
用料につきOECDモデルの立場に変更するまでは、長い間同条項に対して留
保（反対の意思表示）を公表してきた経緯がある。無形資産の使用料につき
ネットベースで払出し過多の状況にある途上国では、源泉地国としての課税
権を放棄するOECDモデルの選択肢は取りづらいという事情があり、2つの
モデルの間の歩み寄りは容易ではない。

　(1)　使用料の定義

　使用料の定義については国内法と租税条約の間に差異があり、国内法（所
法161①十一）には工業所有権・著作権等の無形資産の使用対価のほかに機械・
装置等の使用対価も含まれているのに対し、モデル条約12条2項の使用料の
定義における列記では機械・装置が除外されている。無形資産については、
歴史上新たな取引形態の出現ごとに12条がコメンタリーも含めて個別対応し

───────────

（注270）　日米条約では超過支払利子部分については、5％の源泉徴収を規定している。
（注271）　日本が結んだ条約で居住地国への課税権の集中を認めるものは、米、英、蘭、ス
　　　イス、フランス条約のみである。

てきた経緯が観察されるので、次にその2例を紹介する。

　　ア　ノウハウの追加

　ノウハウ、すなわち「産業上、商業上若しくは学術上の経験に関する情報の対価」についての一連のコメンタリーは、1992年から徐々に内容の改定が行われてきた[注272]。定義上からもうかがえるように、役務提供との境界線は微妙である。例えば、アフターサービスの対価、製品保証に伴う役務提供及び技術者等による専門的助言は、役務提供に当たると解説されている。また、機械設備等の設計及び図面等に化体された生産方式、デザイン等は国内法上ノウハウとは別に規定されているが、条約上のノウハウは、これらも含む広範な概念である。

　なお、技術等を現物出資して株主となった場合には、それが①工業所有権又はその出願権である場合にはそれらの権利の譲渡対価であるのに対し、②現物出資対象物が工業所有権の実施権又はノウハウの場合にはその出資をした権利又は技術の使用料とすることとされている。

　　イ　コンピュータソフトウェアの追加

　これについては2003年のコメンタリー改正で詳細なガイダンスが追加された[注273]。プログラム著作物の譲渡については、譲受者が契約により取得する権利の性格により、売買に基づく事業所得か、あるいは著作権の一部の権利の取得のためになされた支払（すなわち使用料）かが決定される。

　(2)　使用料の源泉地

　我が国国内法は、使用料が国内源泉所得に該当するかどうかの基準（源泉徴収対象かどうかの基準）として、「国内において業務を行う者から受ける」（所法161①十一）という要件を明示することにより使用地主義をとることを明らかにしている。これに対して我が国が締結した条約では、米国、パキスタン条約を除き、債務者主義をとることが明らかにされている。

　(3)　今後の課題

　使用料についてはIT化が進展し、ライフサイクルの短い無形資産が収益稼得の中心的役割を果たす時代であることを考慮すると、今後ますますその識別と他の所得との間の区分問題の重要性が高まると予想される。それに加え

（注272）　OECDモデル条約12条コメンタリーパラ11～11.6
（注273）　OECDモデル条約12条コメンタリーパラ12～17.4

第11章　租税条約各論Ⅱ（投資活動所得）　　281

て、BEPS最終報告書でも指摘されている移転価格税制の適用ガイダンスの充実とも相まって、税の専門家を悩ませる課題となることは否定できない。

その点、使用料の課税権配分について先進国間で受け入れられている居住地に寄せる従来のOECDモデルのスタンスについても、無形資産への貢献を実質的に判定するとの経済実質主義がBEPS報告書で明らかにされたことにより、単に所有権の所在のみならず、無形資産の開発、維持、発展等への機能分析という、詳細な手順を踏まえた検討が今後要求されることになろう。

5　投資所得に関し条約の特典を受けるための手続

租税条約実施特例法は、租税条約に関する届出書（日米、日英では特典条項に関する付表を含む。）の提出（支払者を経由して税務署長へ提出）を条件に、我が国に恒久的施設を有する外国法人でPE帰属所得としての申告が予定される投資所得について、源泉徴収を減免する手続を用意している。

これらは個人の場合の居住者証明に相当するものであり、実務上は投資所得に関するキャッシュフローに大きな影響を及ぼすものとして重視されている。

第12章

租税条約各論Ⅲ（その他の重要条項）

284

第12章　租税条約各論Ⅲ（その他の重要条項）　　285

第1節　その他条項の意義

OECDモデル条約は、全31条を7章に区分しており、その大部分は所得に関する課税権配分に係る実体法の諸規則（1〜5章）であるが、実質的な最終章である6章（24〜29条）では、特別規定として、無差別取扱いの原則のほか、条約上の紛争解決手段としての相互協議条項及び情報交換・徴収共助等の執行協力条項を規定している。ここでは、既に9条の移転価格課税に関して詳述した相互協議条項を除く、①無差別条項と②情報交換・徴収共助の執行協力条項を検討する。これらは、①については、近年の地域経済統合やFTAなどの通商条約との関係でその射程が再度問われている問題であり、②については、国際的租税回避に対する対抗策として、特にOECDを舞台とした共通報告基準の策定や多国間執行共助条約の署名開放が行われ、2015年10月のBEPS最終報告でも新たな枠組みが生み出されるとともに、我が国でもそれに沿った税制改正が行われており、納税者にとってもその正確な理解とコンプライアンスが求められている分野である。

なお、通商政策の分野ではWTOの枠組みが必ずしもうまく機能しておらず、拡大する二国間のFTAにおいては最恵国待遇の適用除外とする措置を承認している。一方、二国間の租税条約ではOECD及び国連モデルの双方とも、無差別条項（24条）が認められているものの、その解釈適用については、例えば欧州裁判所の間接的な差別についての積極的な判断などにみられるように、納税者から見て予測可能性があるとはいい難く、必ずしも統一的なコンセンサスがあるとは言えない状況にあるとみられている[注274]。ここでは、先行研究を踏まえながら、24条の解釈適用の課題を抽出する。

また、執行共助については、2016年6月30日に京都で開催されたOECD租税委員会[注275]での重要決定（情報開示に非協力な国に対する制裁を含んだ対

（注274）　この問題点を指摘するものとして、国際租税協会（IFA）2008年年次報告 "Cahiers de droit fiscal international, vol. 93a"のHinnekensによる一般報告や、増井良啓「2国間租税条約の無差別条項」（REITI Discussion Paper Series　10-J-051、2010.9）

（注275）　当会議は、主として多国籍企業による二重非課税を狙ったスキームに対応する処方箋（実体法と手続法の双方に関するもの）を合意したBEPS最終文書と、富裕層によるタックスヘイブンを利用した租税計画の実態解明に向けた金融情報開示についての合意の具体化を議題としていた。

286　　第12章　租税条約各論Ⅲ（その他の重要条項）

応策）に至る経緯をフォローし、納税者にとっての協力に当たっての課題を検証する。

第2節　無差別取扱い

1　無差別条項の構造

　OECDモデル条約24条は、1項から5項にかけて順に、①国籍、②無国籍、③恒久的施設、④支払控除、⑤資本による無差別取扱いを定め、最後の6項では、同条の規定はモデル条約2条（対象税目＝所得及び財産に対する税と規定）にかかわらず、あらゆる種類の税に対して適用されるとしている。我が国の条約例でも、日米条約24条のように6項まで全てを含むものが多いが、ドイツ、オランダ条約等30か国条約では支払控除無差別を含めていないし、また、日中条約、タイ条約、ベトナム条約のように6項を欠いているものもある。その内容を順次概説すると、以下のとおりである。

(1)　各項を解釈するための基本原則

　2008年に解釈の統一を図るために追加されたコメンタリーであり、24条が源泉地国における非居住者の課税についての一定の無差別取扱いに焦点を当てたものであることを前提として、次の4点を確認している。

ア　間接的差別への不適用

　各国の課税主権の下にある租税制度は、一般的に納税義務の範囲の差異又は担税力に応じた正当な課税取扱いの区別を行っている。本条はこのような正当な区別を対象とするものではなく不当な差別のみを対象とする旨が確認された。この理念を明らかにするために、例として、「ある国の非居住者は、本来、当該国の国民でない者を含んでいる。したがって居住性に基づく税法上の異なる扱いは間接的に1項の国籍無差別原則に違反する差別的取扱いに該当する」との主張（間接的差別の主張）は、24条の解釈として許容されない旨をコメンタリーは明らかにしている。

イ　最恵国待遇の不適用

　二国間条約又は多国間条約で、締約国が条約相手国の国民又は居住者に租税優遇措置を認めている場合、当該条約の締約国ではない第三国の国民又は

第12章　租税条約各論Ⅲ（その他の重要条項）　　287

居住者は、第三国とこれらの国の締約国の間の租税条約の無差別条項を根拠
としてこの優遇措置の適用を求めることはできないとする原則である。通商
条約の関税の取扱いにみられる「租税優遇措置を第三国の居住者又は国民に
まで認めるいわゆる『最恵国待遇』(注276)」を租税条約24条は要求していない
ことを確認したものであり、条約の便益はあくまで二国間主義の下で個別締
約国ごとに決定するとの租税条約の特性が反映されている(注277)。

　　ウ　同様の状況にある者に適用すべきこと

　24条の各項は、特定の基準に基づく差別的扱いを禁止するにすぎない。し
たがってこれらの規定を適用する上では、当該基準以外の他の状況は同じで
あることを前提としている。それらは各項に「同様の状況（1項2項の国籍無
差別の場合）」、「同様の活動を行う（3項の恒久的施設無差別の場合）」、「類似
の企業（5項の資本無差別の場合）」等の条件を付している。また非居住者等
の扱いは、内国民より有利に扱う趣旨を含むものではないことも追加的に確
認されている。

　この点は、例えば1項においては、「居住者であるか否かに関し同様の状況
にある当該他方の締約国の国民に課される租税以外の租税若しくは課される
租税よりも重い租税を課されることはない」との条文に関する解釈を明らか
にしたものである。

　　エ　他の条項との関係

　無差別条項と租税条約の他の条項との関係は、他の条項に規定する措置は、
例えば非居住者に対する支払に対してのみ適用されるとしても（過少資本税
制を想定）、24条違反にはならないことが確認されている。

　以上、条文の文言の解釈が趣旨を超えて広がる懸念のある領域について、
2008年改正は限定的な解釈の枠組みを提示している。

　(2)　国籍・無国籍＝無差別（1項、2項）

　国籍無差別扱いの起源は既に19世紀欧州の通商条約であり、これに派生す
る無国籍者無差別は、1963年モデルから登場した。

（注276）　最恵国待遇とは、通商条約において、ある国が対象となる国に対して、関税など
　　　　について別の第三国に対する優遇処置と同様の処置を供することを、現在及び将来にお
　　　　いて約束することを指す。
（注277）　OECDモデル条約序論パラ37参照。

288　　第12章　租税条約各論Ⅲ（その他の重要条項）

　1項は「一方の締約国の国民」を対象とし、2項は「一方の締約国の居住者である無国籍者」を対象として、自国民との差別取扱いを禁じている。国民はOECDモデル条約3条（定義規定）において、国籍・市民権を有する個人のほかに当該国の法令により地位を与えられた法人・パートナーシップ等を含むとされ、適用範囲は広い。ただし、24条の適用上、法人については準拠法により国民かどうかが決定されることとなるため、法人の居住地の判定基準に管理支配基準を採用している英国等の国では、国民該当性と居住者該当性にずれが生じる。これらのケースについては、コメンタリーに5つの事例が説明されており(注278)、あくまで居住性に基づく同様の状況を前提として24条が適用されるため、居住性が同じであるのに準拠法ベースに従った差別的取扱いが国内法により行われた場合には、24条違反となる旨が示されている。

　(3)　恒久的施設・資本＝無差別（3項、5項）

　3項と5項は1963年モデル条約で導入された。前者は外国法人の事業所得課税についての無差別取扱いであり、後者は外資系内国法人の課税に対する無差別取扱いである。外資が我が国に投資する際の支店形態と子会社形態のいずれをとっても、課税所得計算に際して内国法人ないしは内資系法人と差別扱いしないとの趣旨である。

　まず3項は、自国内にある相手国企業の恒久的施設（PE）について、同様の活動を行う自国企業より不利な取扱いをすることを禁じている。ただし、本原則が適用されるのは企業の利得、すなわちOECDモデル条約7条の事業所得課税についてのみである。より厳密にいえば、7条が規定する恒久的施設に帰属する事業所得課税に関する差別取扱いについてである(注279)。したがって、PEに帰属しないが外国法人の納税義務の範囲として定められている他の所得項目（例として、不動産所得や本店からの芸能人等の派遣による人的役務の提供所得など）の取扱い（源泉徴収等）は3項の射程外となる。また、「同様の活動」要件からは、個人の非居住者の事業所得について、法的構造が異なる法人と同様の扱いをすることまでは求めていない。さらに、3項第2

───────────────

（注278）　川田剛、徳永匡子『OECDモデル租税条約コメンタリー逐条解説　2008年改正版』（税務研究会出版局、2009年）P.418-425に図解されている。

（注279）　この点において2016年から施行された我が国の帰属主義改正（PEに外国税額控除を認める内容を含む。）は、無差別条項の適用を国際基準に合致させる上で有効な改正であった。

第12章　租税条約各論Ⅲ（その他の重要条項）　289

文は、非居住者（個人）のPEに帰属する事業所得を念頭に、それらに対しては、居住者に認められる人的控除（配偶者控除や扶養控除）を認める義務がないことを確認している。これも「同様の活動を行う」に基づく適用範囲の限定解釈の趣旨を明らかにしたものである。

　3項コメンタリーは、無差別取扱いの詳細について以下のとおり解説している。

　　　ア　PEの課税標準算定に関して
・PEが控除できる経費は、本店経費のうちPEに帰属する部分の経費のほか、一般に事業所得から控除できることとされている事業経費とすべきこと
・減価償却についても一括償却や加速度償却を含めて無差別で認めるべきこと
・引当金・準備金の認容及び損失の繰越し・繰戻しも無差別で認めるべきこと
・PEの資産の譲渡による譲渡収益についても内国法人と同様に認めるべきこと

　　　イ　グループ内取引への適用
・本支店間取引について適用される独立企業原則は、それが内国法人の企業内移転に適用されないとしても、無差別取扱い違反ではないこと
・PEと関連事業体との間での連結納税、損失の移転、関連者間の資産の無償譲渡等にまで、無差別取扱いは及ばないこと

　　　ウ　その他国内法による政策減税
・自国の公共の利益のためだけに活動を行う非営利機関に対する税制優遇措置は、他国の類似機関のPE（自国の公共の利益のみに資しているわけではない）に無差別取扱いの特典を与えるべきでないこと
・その他、国益上、国防上、国家経済政策上国内企業に限って適用される優遇策についてのPEへの適用除外

　　　エ　PEが保有する株式に関して受領する配当について
・我が国のように内国法人の法人間受取配当につき二重課税の排除を益金不算入で行う国と税額控除方式で行う国とがあるが、PEの受領する配当につき当該特別規定を無差別取扱いの下で認めるべきかどうかという問題である。
・各国はこの認否につき意見が統一されておらず、コメンタリーでは3項第1

文の解釈として議定書で明らかにすべき旨が推奨されている。

・なお、企業の居住地国が、海外PEに帰属する所得を国外所得免除とする場合には、株式、債券、又は特許権に対する優遇税制を有する国のPEに当該資産を移転すると、二重非課税状態のトライアンギュラーケースが発生する。対応策はPE所在地国において通常の課税が行われる場合に限って、条約の特典を認める方式であるとコメンタリーは指摘しているが、これはBEPS最終報告書でも勧告されている内容である。

5項は資本に関する無差別、すなわち、内国法人が他方の締約国の居住者によって直接・間接に支配されていても、それによる差別取扱いを禁じる規定である。繰り返しになるが、内資系か外資系かで内国法人の課税に差別をもたらすべきではないとの趣旨なので、パートナー又は株主レベルで課税上の扱いを無差別にするというものではない。株主に対する分配については、それが居住者株主に対するものか非居住者株主に対するものかで差別的に扱うことは差し支えないとされている。また、3項で観察した上記(3)イの枠組みについても、同様に適用される。

(4) 支払控除に関する無差別取扱い

4項は、経費控除に関する無差別取扱いを規定している。すなわち、一方の締約国の企業が非居住者に支払った利子、使用料その他の支払金については、当該企業の課税対象利益の決定に当たって、当該国の居住者に支払った場合と同様の条件で控除できるとしているのである。

この点で、米国の過少資本税制や我が国の過大利子支払税制は支払先が内外無差別とされており（内国の非課税法人向け利子支払も対象）、4項に対する配慮が行われている。一方、我が国の現行過少資本税制は、外国企業に対する利子支払のみ規制対象としているので、一見して条約違反の懸念がある。しかし、損金不算入となる利子の計算に当たり、類似法人の負債・資本比率に照らした妥当な倍率の選択をも認めていることから、9条コメンタリー(注280)により条約に適合する法制（無差別条項違反ではない）とみなされると考えられている。

(注280)　OECDモデル条約9条コメンタリー　パラ4参照。

2 無差別条項の課題

　増井良啓教授は、欧州裁判所（ECJ）が繰り出す無差別条項違反関連の判例が、EUという域内ではあるが無差別条項の適用範囲を徐々に拡張しており、これを放置すれば租税条約の趣旨・目的との関係での同条項の役割の認識が不明確なまま国際租税制度が「暗闇への跳躍」を行うことになりかねないと警鐘を鳴らしている[注281]。そのような問題意識は、2008年のブリュッセルIFA年次総会の議論[注282]により、より明確となったと説明されている。一方、そのようなEUの動きに対して、OECDの2008年コメンタリー改正は、無差別条項の適用対象が「同様の状況下にある者」に適用するという限られた状況化で適用されるものであり、24条を間接的差別（あるいは隠れた差別）へ安易に拡張適用すべきではないとのOECD加盟国（特に米国をはじめとした非EU国）の懸念を確認したものであると評価されている。筆者自身も、無差別条項に関する限り、EUの動向が今後の国際課税のルール作りの場での先導者の役割を果たすことには不安を抱いているので、以下に私見をまとめたい。

（1）　EUにおける税制の調整

　EUは巨大なEU単一市場の創造に向け、加盟国を拡大しつつ税制面での統合の方向を目指してきた。しかし、共通税制（かつEUの共通費用の捻出源）としての付加価値税制の統合は進んだものの、法人税制についてはCCCTB（欧州統合法人税課税ベース）への協調が一定程度進展するのみで、現在においてもその統合道程は道半ばといってもよいと考えられる。

　しかし、その一方で欧州裁判所は、1990年代以降、EU法の優位を背景にEU法（特に設立の自由に関するEC設立条約43条と資本異動の自由に関する同56条）に抵触する加盟国国内税法を条約違反として排除してきた。その過程は、緩やかな統合国家としてのEUの税制調和が、立法ベースと司法ベースで必ずしもタイミングを合わせて進展していないという実態を反映したものといってよいと思われる。そんな中で、欧州裁判所の判決にも理由のある差別取扱いを認めるものも現れてきている。

（注281）　前掲（注274）P.21
（注282）　IFAは毎年主要テーマを2つ掲げて討論を行うが、2008年の第1テーマが「国際課税の岐路に立つ無差別取扱いの原則」であった。

292 第12章 租税条約各論Ⅲ（その他の重要条項）

(2) 無差別条項の租税条約における意義

　無差別条項は、租税条約が通商条約と並行して発展してきたという沿革の下で、半ば自明の原則としてその存在意義が十分確認されないまま現在に至っているのではとの増井教授の指摘には共感するところが多い。同教授も指摘されるとおり、居住者・非居住者の課税取扱いの中立性を促進する無差別条項は、租税条約の趣旨である適切な二重課税排除という大目的達成のためのバックストップであるとの基本的理解はできても、その射程がどこまで及ぶべきかは、二国間主義をとる租税条約においては、個々の条約ごとに検証すべき課題であるともいえる。その意味で、上記IFAブリュッセル会合のパネル討論の成り行きはこの問題に対するコンセンサスの見通しについて、期待と不安の双方をもたらすものであった。すなわち、期待感を持たせてくれたのは、2008年OECDモデル条約コメンタリー改定に配意しながらEU法と租税条約の趣旨や構造の違いが存分に議論された点であり、不安を増幅したのは、無差別条項の適用対象として、（ECJ判決の動向に寄り添った形で）給与所得、不動産所得、投資所得まで広げる方向の試案が提起されたことである(注283)。

(3) 国内法との抵触への考え方

　3年を経て完成したBEPS最終報告書では、多国籍企業の二重非課税を狙った租税計画に対抗する観点から、国内法と租税条約の耐久性について深掘りした検討が加えられた。その過程では、条約及び国内法の両面で一般的な租税回避否認規定の持つ有用性が随所で再確認されている（例として条約濫用に対する主要目的テスト（PPT）や利子控除否認措置に際しての資本・負債区分など）(注284)。これらは、無差別取扱いの拡大適用がもたらしかねない形式的な中立性確保の弱点＝租税裁定により二重非課税を狙った租税計画で悪用されるリスクを防止する機能を果たすものである。

　その意味では、今こそ、2008年のOECDコメンタリー追加をも踏まえ、

(注283)　2008年IFA年次総会パネル討論の様子については、岡直樹「第62回IFA総会——無差別原則をめぐる議題1及びセミナーAにおける議論の紹介」税大ジャーナルNo.10P.215
(注284)　15項目に及ぶBEPS処方箋の中身については、21世紀政策研究所・経団連経済基盤本部『BEPS　Q＆A　新しい国際課税の潮流と企業に求められる対応』（経団連出版、2016）参照。

第12章 租税条約各論Ⅲ（その他の重要条項）   293

BEPS状況を加味した再度の無差別条項の検証が求められている時期ではないかと考える。

第3節　情報交換及び執行共助条項

1　最近の状況変化

　2008年の世界金融危機は、国境を超えたアグレッシブな投資活動（タックスヘイブンへの不透明な資金の流れを含む。）がそれを助長したとの反省から、金融情報の開示に向けた新たな取組が国際協調の下で進展することとなった。その対応策の立案を担ったのが、G20サミットの政治的なイニシアティブの下で活動するOECDを中心としたグローバルフォーラムである[注285]。

　その後の情報交換の深化に向けた取組は、次の2つの流れに集約される。1つは、2010年に立法化された米国の外国口座コンプライアンス法（FATCA）への各国の協調取組みが契機となり、その後OECDにおける金融取引情報の自動的情報交換に係る「共通報告基準」の設定とその実施につながった取組であり、もう1つは、BEPSプロジェクトで提起された租税回避スキームの開示や移転価格リスクの判定に必要な租税・経営情報の開示拡大のスキームへの取組である。

　なお、前者については『パナマ文書』問題が、情報交換に非協力なタックスヘイブンに対する圧力を強化する必要性を認識させ、その後G7でも重要課題として取り上げられ、具体的な取組における国際協調を加速化させている。そこで、以下においては、情報交換の最近の進展ぶりを、これを支えるモデル条約26条の役割との関係で概説するとともに、合わせてOECDが起草し署名のために解放されている多国間執行共助条約が扱う徴収共助を中心とした執行協力スキームの条約上の課題を検証する。

（注285）　税の透明性及び情報交換に関するグローバルフォーラムは133か国が参加し、金融口座情報などの自動的情報交換の拡大等のプロジェクトを推進するG20/OECDがリードするフォーラムである。

2 共通報告基準の概要

(1) 経 緯

2008年のスイスUBS事件（スイスの大手銀行UBSの元行員が米国で脱税ほう助容疑で起訴されたことを契機に、米国当局の要求に応じスイス政府が数千人分の顧客情報を提出した事件）の発覚により、米国内で海外金融機関の銀行秘密を利用した居住者による脱税への批判が高まり、2010年3月に米国議会は米国市民による外国金融機関の口座を利用した脱税を防止する「外国口座税務コンプライアンス法（FATCA）」を成立させた（施行は2013年1月から）。

2012年に我が国を含めた各国がFATCAへの対応につき米国と合意したことを契機に、OECDでは、税務当局間で非居住者の口座情報を提供し合う自動的情報交換に関する国際基準の策定に着手した。

その後2013年9月のG20サミットが、上記国際基準の策定を支持するとともに、同基準様式の2014年央までの完成、及び2015年末までのG20メンバー間での情報交換開始を期待するとしたことを受け、OECD租税委員会は2014年1月「共通報告基準（CRS）」を承認・公表し、同年央にはその実施細目も公表し、各国における国内法実施段階に入った。

その後、2014年11月のG20サミットにおいても、最終決定されていたCRSが承認され、所要の法制手続の完了を条件として、2017年又は2018年末までに、自動的情報交換を開始することを約束した。この結果、パナマ文書問題の発覚直前の状況下では、94か国が2018年末までの初回情報交換の実施を約束しており、未約束の国は僅か5か国・地域にすぎない状況となっていた。

一方で上記を受け、我が国は、2015年税制改正において、金融機関による非居住者に係る口座情報の報告制度を整備した。それによれば、2017年から金融機関による手続を開始し、2018年に2017年分の口座情報の報告を受け、税務当局間で初回の自動的情報交換を実施することとされている。

(2) CRSを支えるモデル条約情報交換規定（26条）

ア 条文構成

26条は、まず1項で情報交換はモデル条約1条及び2条の制限を受けない、すなわち、情報対象は居住者に限らずまた、交換する情報の税目もあらゆる税目である旨を宣言している。

また情報交換の態様は、26条1項コメンタリーによると①特定の事案を念

第12章　租税条約各論Ⅲ（その他の重要条項）　　295

頭に置いた要請に基づく個別的情報交換、②一方の締約国に源泉があり他方の締約国で受領される利子、配当、使用料等様々な所得についての自動的情報交換、③例えば査察で得た情報で相手国における課税に役立つと思われる情報を自発的に提供する自発的情報交換の3種である[注286]。

　次に2項では、情報を受理した側の守秘義務がうたわれ、入手情報は、租税の賦課・徴収、これらの租税に関する執行若しくは訴追等に関与する者（裁判所、行政機関を含む。）に対してのみ開示されると規定され、目的外使用を認めていない。

　また3項では、情報提供義務が免除されるケースとして次の3つの場合を掲げている。

・締約国の法令及び国内法の慣例に抵触する行政上の措置をとること
・締約国の法令下において、又は通常の行政運営において入手することができない情報
・営業上・産業上・職業上等の秘密又は取引の過程を明らかにする情報、及び公開することが公の秩序に反する情報

　4項の自国の課税目的のために必要性がないこと（Domestic Tax Interestの欠落）を理由とした情報交換の拒否、5項の情報が銀行秘密等に係る情報であることを理由とした情報交換の拒否、の2つを認めないとする規定は、情報交換の実効性を担保する上で重要な規定であり、上述したUBS事件等を経て留保が許されない条項と位置付けられている。

　　イ　パナマ文書問題を受けたCRS実施に向けた補強と課題

　2016年6月30日から7月1日に京都において開催されたOECD租税委員会本会合は、BEPS報告書に基づく多国籍企業による二重非課税への対抗策と合わせて、国境を超えた金融情報のCRSに基づく自動的情報交換の実施策が議論された[注287]。そこでは、既にBEPS合意に参加していたG20/OECDベースの46か国に加えて、シンガポール、香港などが新たに参加し合計で約80か国に連携の枠組みが広がったと紹介されている。

　なお当会議では、CRSに基づく情報開示に非協力な国については、以下の3つの基準のうち2つ以上に合致していない国を悪質な非協力国と認定し、ブ

（注286）　OECDモデル条約26条コメンタリー　パラ9
（注287）　日本経済新聞（朝刊）2016年7月2日1面記事

296　　第12章　租税条約各論Ⅲ（その他の重要条項）

ラックリストに掲載するとともに、同国に移転する所得に規制をかける案が
提案されている。

・税の透明性を審査する国際組織の評価を満たしている

・個人の金融情報を定期的に交換する仕組みに参加している

・税務当局が協力する条約に多く署名している

　これらの最近の動きの中で、例えばパナマは我が国との情報交換協定を署
名するなど、パナマ文書問題がCSRに基づく情報交換の実施にフォローの風
を送っていることは事実である。ただし、CRSに基づく情報交換は口座情報
の名宛人が真実の『受益者』でなければ、絵に描いた餅にもなりかねない。
今後は、受益者の確認を情報交換当局がどのように行うのかについてのさら
なるガイダンスが必要と考えられる。

3　執行共助条項（徴収共助を中心に）

(1)　最近の環境変化

　モデル条約26条の情報交換規定の下では、上記の3種類の情報交換に加え
て、それを補完するものとして、締約国間の同時調査（同一取引について各
締約国が自国の取引当事者を同時期に調査し事実解明を図るもの）や調査官
の相互派遣などの協力が可能である旨示唆されている[注288]。これらのうち
後者については、自国調査官による外国子会社等に対する質問検査権の行使
は、相手国管轄権では行い得ないものであるので、事前の同意や立合い方式
などの工夫が必要である旨が示されている。

　ところで、近年のグローバル化した租税回避等に対応するためには、課税
処分段階のみならず、徴収段階での執行協力の必要性が強く意識されてきた。
納税者の海外移転に対する出国税などの課税要件規定での対応のみでは十分
ではなく、納税原資となる資産の海外への不当な移転に対応して税額徴収を
図る必要があるためである。

(2)　租税条約の対応

　OECDモデル条約27条は徴収共助に関する締約国間の協力スキームを8項
にわたって規定している。ただし、本規定については、相手国の租税債権を
当該債権の成立について自国での審理を経ずに、単に徴収面のみで協力する

（注288）　OECDモデル条約26条コメンタリーパラ9.1

第12章　租税条約各論Ⅲ（その他の重要条項）　　297

ことに対する法的な抵抗が従来からあり、例えば米国判例法理であるレベニ
ュールール（外国租税債権不執行の原則）が有名である[注289]。そのためモデ
ル条約27条には国内法、政策又は行政上の配慮により、本条に合意できない
国があることを認識して、両当事国が合意できる場合に限って規定されるべ
き条文であることが脚注で注記されている[注290]。

　OECDではそのような状況をも踏まえて、情報交換と徴収共助を中核とす
る多国間執行共助条約を公表し、1988年に署名のために解放しているが、そ
の内容は以下のとおりである。

　　ア　協力対象
・情報交換（省略。2010年の改定議定書により26条4項及び5項の趣旨が追加
　されている。）
・徴収共助（租税債権の徴収を外国の税務当局に依頼する仕組み）
・　文書送達共助（税務文書の送達を外国の税務当局に依頼する仕組み）
　　イ　署名国
　2011年に我が国を含む8か国が新規署名した（現在56か国が署名済み）。な
お、我が国は2012年改正で徴収共助に関する国内法整備を行っている。

（注289）　レベニュールーリングについては吉村正穂「徴収共助の許容性に関する法的観
　　点－レベニュールールの分析を素材として」フィナンシャルレビュー94号P.57
（注290）　OECDモデル条約27条脚注

第13章

BEPS最終報告書の課題

300

第1節 概 説

　2016年に入りBEPS最終報告書の提起した処方箋のうち最も規範性の強い4項目に関する合意（ミニマムスタンダード）の実施体制が、行動13の国別報告書の各国における法制化をはじめとして、着実に実行に移されつつある。しかし、規範性の弱い共通アプローチやベストプラクティスに属する勧告は、国により取組のスピードに差があり、必ずしも一様な進展を見せていない。また、それらの中核的なテーマである帰属主義や無形資産に関する移転価格算定方法などについては、改正すべき制度の枠組みや方向性は合意できたものの、具体的な適用ガイダンスは、最終報告書段階で積残しとされていた。そこで本章では、まず最初に、BEPS最終報告書発表後のフォローアップ作業の経緯を概観し、次に、2016年中の確定を目指した多国間協定（MLI）の成果と課題を概観し、併せて法的規範性の高いミニマムスタンダードを要求する4項目の執行状況の動向を確認した上で、最後に、最終報告書で積残しになっているPE帰属所得や移転価格に関するPS法の各ガイダンスの検討条項をフォローする。

第2節 BEPS最終報告書フォローアップ作業の全体的動向

　最終報告書後の作業過程で最も重要なイベントを挙げるとすると、それは2016年7月に京都でOECD租税委員会のリーダーシップの下で行われた、包摂的枠組みのスタートアップ会合であろう。これによってOECD/G20という限られた有力国間の合意がグローバルな合意に拡大する方向性が確認されたからである。

1 BEPS包摂的枠組みをスタートさせた京都会合
　まず、OECD租税委員会（CFA）の本会合で、OECDが本件合意の拡大にリ

ーダーシップをとることが確認され、翌日は数十か国の新しい枠組みに参加
する諸国とともにBEPSプロジェクトのフェーズ2を発足させた。我が国は
開催国という立場を生かして、その数日後に、経団連とOECD租税委員会事
務局との間の定例となっている合同会議を開催したが、そこには日、米、独
財務省の国際課税政策担当責任者も出席してビジネス界との意見交換が行わ
れた。包摂的会合の成果等を含めてその情報は、直ちに全世界で報道されて
いる[注291]。

2 税の透明化を目指すもう1つのプロジェクト

　BEPSの最終報告書が2015年の秋に出て以来、宿題として残されたものの
早期処理と併せて、BEPSプロジェクトと並行してOECDが取り組んできた
「税情報の透明化」に向けた取組も、G20、G7等のグローバルな政治リーダ
ーの下で推進されてきた。特に2016年春にパナマ文書問題が発覚した後は、
BEPSと税の透明化に向けた取組がセットになって政治リーダー達の関心事
とされた。「税の透明化」は、OECDが作成した租税条約に基づく情報交換に
関する共通報告基準(前章第3節参照)を各国が受け入れて、金融取引情報の
自動的情報交換のネットワークを拡大するプロジェクト[注292]であり、多国
籍企業のみならず個人の高額所得者の国際的租税回避も問題とする点で
BEPSと対象が完全に重なり合うわけではないが、いずれもタックスヘイブ
ンを利用したスキームに対する取組であった。国内取引の下で真面目に納税
している通常の納税者から大きな期待を寄せられ、BEPSと併せたこれら2プ
ロジェクトは政治ベースでの強力なサポートの下に順調に拡大展開してい
る。

　特に2016年に入っての展開は、まずパナマ文書の問題が4月にオープンに
なり、それと相前後してG20の財務大臣・中央銀行総裁会議(ワシントン)が

(注291)　2016年7月1日日本経済新聞朝刊。なお、OECD事務局はBEPSプロジェクト期間
　　　中は半年に1度程度BEPS動向のアップデートを図る目的でWeb-castと称する解説動画
　　　ニュースをホームページで流している。
(注292)　金融情報の透明化に際しては、FATF(「金融動作業部会」とも呼ばれるマネー
　　　ロンダリング対策及びテロ資金対策を目的とする政府間会合であり、事務局はOECD内
　　　にある。)とも共同して受益者の解明に当たる姿勢を鮮明にしている。

第13章　BEPS最終報告書の課題　　303

行われた際の共同声明で、BEPSと自動的情報交換の2本立政策に、より多く
の国が参加して着実に実施することの重要性が確認され、また、税の透明性
の実施状況については、各国の相互監視を強化する必要があるとの方針も確
認された。加えて、匿名性を悪用した犯罪等の防止のため、法人の実質的所
有者の把握のための国際協調が必要とし、租税条約の投資所得条項で軽減税
率適用の要件とされている「受益者」該当性の確認が重要な課題として提起
されている。

3　政治的コミットメントの拡大

　この点は、我が国が議長国であった2016年5月の「G7伊勢志摩サミット」の
首脳宣言というハイレベル文書の中で、直前の財務大臣会合結果も踏まえて、
G7としてBEPS・税の情報交換及び実質的所有者情報の透明性向上を着実に
講ずることが、まず確認された。これに続く2016年7月開催のG20財務大臣会
合（中国成都）の共同声明の中でも、G20/OECDによるBEPS包摂的取組の歓
迎に加えて、税の透明性に関し共通報告基準の進捗を歓迎する旨、そして透
明性に関する具体的な施策として、非協力地域を特定するための客観的基準
を提案しこれを充たさないものをブラックリストに載せて非協力国を名指し
するとともに(注293)、リストに名指しされた国に対しては、居住地国等が防御
的措置で対応するという方針を確認している(注294)。

　さらに加えて、これらの国際協調に参加する途上国に対しては、税制及び
執行の両面での能力開発（キャパシティ・ビルディング）に向けたマルチ機
関(IMF、世界銀行、国連等)主導による協調取組についても合意された(注295)。

(注293)　このようなドラスティックな方法は、"name and shame"策と呼ばれて、1998年か
ら始まった税の競争プロジェクトでの非協力国の名指し公開などの前例がある。
　　　非協力地域とされるリスト対象国を絞り込むための基準としては、次の3基準のうち2
つ以上を満たさない国としている。①グローバルフォーラムによるピアレビューでの評
価が「おおむね遵守」以上、②共通報告基準に基づく金融口座情報の自動的交換を遅く
とも2018年までに実施することを約束すること、③多国間執行共助条約への署名、であ
る。
(注294)　我が国の平成29年税制改正でタックスヘイブン税制の改正中にみられるキャッ
シュボックス法人と同じく厳しい合算扱いとされる「ブラックリスト国所在の法人」は、
この防御的措置の一環と位置付けられる。この点については、第5章第3節参照。
(注295)　IMFが主導して途上国向けに集積した国際課税関係の制度改革案の文書は「ツー
ルキット（道具セット）」と呼ばれ公開されている。

4 最終報告の執行及び包摂的枠組みのその後の進展

(1) 行政庁の取組

　最終報告書後すぐに各国で立法化された国別報告書の情報交換などについては、2016年5月に開催されたOECD税務長官会議のコミュニケの中でも紹介され、BEPS関連施策の取組に積極的な意思表明が行われている。その具体的内容は、①税務当局の長官として協調的な行動を求めるG20/OECDの国際課税のアジェンダを効果的に実施するという決意表明と、②デジタル世界の課題や機会に効果的に対処する近代的な税務行政を構築する決意、さらには③途上国が国際課税の状況変化から恩恵を受け、各国が必要とする資金を確保できるよう各国税務行政に対するキャパシティ・ビルディングを相互に支援するとの施策である。

(2) 各国税制当局の動向

　税制当局の新たな動きは前述した2016年7月のOECD租税委員会（CFA）本会合及び第1回の「包摂的枠組（Inclusive Framework on BEPS）」と呼ぶ拡大BEPS会議での、BEPS勧告成果物の共有が大きな転換点となった。OECDによれば、拡大BEPS会議は、最終報告書まで本プロジェクトに参加しなかった国であっても、これから合意内容の実施にコミットする意欲のある国に対しては、当該成果物である合意内容への参加を無条件で認めるという寛大な門戸開放策である。包摂的枠組のマンデートは3つに分かれており、1点目は、各国による合意事項の実施状況をしっかりモニタリングしていく。2点目は、最終報告書の積残し作業を完了させる。最後は、先ほどのキャパシティ・ビルディングとも関係するが、新たにBEPSプロジェクトに実施段階で参加する途上国への技術支援を充実するというものであった。このOECDのイニシアティブによる拡大BEPS会議は、OECD租税委員会議長として過去数年間BEPSプロジェクトの推進に貢献した財務省・浅川財務官がリードした会議であり、日本のリーダーシップが存分に発揮された会議と評価できる。

(3) 拡大BEPS会議における参加者の更なる拡大

　拡大BEPS会議への加入国が拡大すれば、BEPS合意の安定的な実施がグローバル環境で確立されることになり、法的安定性を納税者に保証できる。し

第13章　BEPS最終報告書の課題　　　　305

たがって、この過程では、後発参加者に次のインセンティブが与えられた。すなわち、新参加者は今後の最終報告書の実施に向けた作業や積残し作業に元祖メンバーと同一の権限で参加できるのみならず、合意の成果物がもたらす権利・義務に関しても元祖メンバーとイコールフッティングの資格を持つとされた。すなわち、議論の成果は、議論に参加しなかったにもかかわらずそのまま享受できる一方、OECD/G20ベースの参加国が決めた内容はそのまま引き受けなければならないとの条件である。

　そのようなイコールフッティングの条件で後から参加できるという機会の保証により、参加国は、従来の46か国に加えて39か国・地域が京都で新たに参加したことにより、計85か国の包摂的枠組みでスタートした。その中には香港、シンガポール、リヒテンシュタイン等の低課税の金融センターも含まれており、この点が大きな成果と評価されている[注296]。すなわち、イコールフッティングで新たに参加する国が全て同じ環境下にいるわけではなく、アフリカ・中南米等の本格的な途上国に相当しない新参加国（香港、シンガポール、リヒテンシュタイン）は現在グローバルビジネスのマーケットで重要な役割を果たす一員である管轄地国であり、キャパシティ・ビルディングの必要性は低い一方、透明性の向上につき大きな期待が寄せられている国である。OECDでは、BEPS問題に取り組めるキャパシティのレベルの違いに応じて、より早くBEPSの求める義務等についての実現を求めることもあるとのメッセージを発出している。他方、本格的な途上国に対しては、まずキャパシティ・ビルディングへの協力を重点施策とし、義務の実現に時間的な余裕を認めるとの方針である。

(4)　拡大BEPS会議での具体的アジェンダの確定

　京都会合の合意に関するOECD事務総長報告中には、当面取り組むべき事項が次のとおり列挙された。すなわち、①BEPS15項目の勧告中、最も規範性が強く既に各国での実施がスタートしている「ミニマムスタンダード」項

（注296）　この点はOECD事務総長のG20財務大臣会合（中国成都）あてリポートで具体的な成果としてうたわれている。OECDウェブキャストでのPascal St. Amans租税委員会事務局長のブリーフィング（2016年7月）参照。

目^(注297)につき、優先的にピアレビューをすること。そのための実施要領（タームズ・オブ・レファレンス）を起草し、2017年の第2回包摂的枠組会合で決定すること、②4つの積残しになっていた重要討議文書案^(注298)を公開しコンサルテーションを通じて早期に確定すること、③税の透明性拡大についての成果報告、の3点である。

　重要討議文書については、2016年秋にビジネスとのコンサルテーションが行われたが、多くのコメントが出され2017年春においても継続審議中である。なお、利子控除のガイダンスについては2016年12月に追加ガイダンスが公表されていた。京都会合でBEPSと並び大きな柱とされた税の透明性拡大についての成果報告は意義がある。すなわち、2016年末までに税の透明性及び情報交換についてのグローバルフォーラムへの参加国が既に135か国となり、加えて、多国間執行共助条約の署名国も98か国になり、さらには、情報交換に関する多国間の権限ある当局間合意（共通報告基準に関する合意）への署名国が83か国になったという実績である。

　上述した政治的リーダーシップの下での税の透明性拡大に関する各国の協力合意の広がりをベースとして、2017年7月に向けて、自動的情報交換実施のための安全な共通交換システム（電子的なツールでセキュリティーを確立した情報交換を保証するためのシステム）の開発作業も最終段階にあるとされた。新聞で大きく報道された非協力地域特定のための基準を達成できなかった国には、2017年7月に開催されるG20首脳会議にブラックリストに掲載され公表される形でのプレッシャーが待っており、さらに、それらの国に対しては、前述した防御的措置をそれらの国に対して講ずる措置が待っている。これらが、一連の政治的なイニシアティブの下実施されることが確認されている。

（注297）　行動5でのルーリングの開示、行動6での条約濫用防止規定の導入、行動13での国別報告書の情報交換、行動14での紛争解決の新ガイダンスの実施、の4点。

（注298）　移転価格ガイドライン9章の改定、PEへの帰属所得算定のガイダンス、利益分割法（PS法）に関する追加的ガイダンス、利子控除制限のグループ比率に関するガイダンスの4点。

第13章　BEPS最終報告書の課題　　307

第3節　多国間協定の確定と課題

1　多国間協定の趣旨

　行動15（多国間協定）の最終報告書では、その趣旨が以下のとおり解説されていた。すなわち、BEPS合意の成果物のうち租税条約関係の内容の実施の効率化である。仮に、現行の二国間租税条約をBEPS勧告に従い個別に改定する場合の執行コストを削減するため、新たに、包括的な多国間協定を起草し、これへの署名開放等の手続により、3000を超えるといわれる全世界の二国間条約改定作業を短縮化しようとするものである。これらは、条約交渉に慣れていない拡大BEPS会議への参加国からも歓迎される一方、どのような内容で合意できるかについては、例えば、BEPS最終報告書では結論に至らなかった権限ある当局間の相互協議を補完する仲裁（MAP仲裁）に関する条項をどのようにするかなど、課題も指摘されてきた。しかし一方では、特にBEPS対応が各国において整合的でなく行われた場合に発生する新たな二重課税のリスクに対処するためには、多国間協定での実体法と手続法のカバー領域の広さも必須と考えられたものである。したがって、全員一致の条項のみならず、代替的なオプション条項も含めた起草作業が行われることとなった、多国間協定の中身の検討のためにサブグループが結成され、96か国がイコールフッティングの条件で参加して（最終的には100か国超）、2016年11月に解説文書とともに署名のため開示された。

2　課　題

　米国は、元来租税条約に関して二国間主義を強く主張する立場を維持してきており[注299]、最終報告書の完成段階では、多国間協定起草作業への参加の意思表示を行わなかったため、協調のほころびがみられた。この点に関しては、その後米国も参加表明したため、懸念材料が解消されたが、アメリカ第一主義の下、特に通商政策でグローバル協調と一線を画すと明言しているトランプ政権の下では、米国の国際課税面での協調参加に不安を抱かせている。

（注299）　第9章で検討した2016年USモデル条約におけるPE概念の無修正など実体法ポリシーの違いに加えて、例えば、上述したOECDによる共通報告基準での対処についても、米国は自国のFATCA法制と整合的であるとして共通書式による参加を控えている。

また、同様の懸念は、Brexit問題下で多国間協定の重要項目（PE概念の拡大等）に留保を付した英国についても指摘されている[注300]。

なお、多国間協定の内容交渉は、政府間ベースでの条約交渉の例に倣い、守秘義務の下で行われたが、当該枠組みに関しては2016年5月の討議文書（項目とその概要のみ）に基づき同年7月にコンサルテーションが実施されたものの、詳細な条文内容の詰めは、政府ベースで秘密の下に条約担当者がやるものであるとの原則に沿って行われた。この点に関しては、これまでのBEPSでのコンサルテーションに比べてビジネスへの事前開示が遅れているとの批判が寄せられている[注301]。

3 多国間協定の内容

まず、討議文書では、多国間協定に盛り込まれる内容につき以下の開示が行われた。

・透明な事業体に対する条約適用について（モデル条約1条関係）
・国外所得免除方式の下での二重課税救済策について
・行動6の下でのミニマムスタンダード（条約濫用防止に向けたLOB又はPPTの採用）及びセービング・クローズの導入及び第三国PEを利用したトリーティーショッピング対応など
・行動7の下でのコミッショネアへの代理人PE適用及び準備的補助的活動条項の改正（OECDモデル条約5条4項・5項の改正）
・行動14の下でのミニマムスタンダード関係(25条1項〜3項と指定しており、仲裁は範囲に含めず。)。すなわち、相互協議を2年以内に合意させ二重課税を解消するというミニマムスタンダードに関する条項である。

上記の項目中、仲裁条項については、ビジネスからの要望を踏まえた仲裁の必要性と既存条約での採用例の拡大に配意し、選択条項として起草するこ

（注300）　2017年1月　KPMG"new-look website"
（注301）　5月の討議文書に対するビジネスからのコメント中にも、同様のクレームが散見されている。外交交渉文書であるため、コメント要求は包括的な技術的事項に限定するとされたが、ビジネスからは、BEPSプロジェクトの一環として多国間協定の問題が議論されており、その枠組みも既にコンサルテーションに付された内容であるから、通常の二国間条約交渉と同様に政府関係者のみで中身を詰めるのはいかがなものかとのコメントである（例として、OECDビジネス諮問委員会（BIAC）のコメント）。

第13章　BEPS最終報告書の課題　　309

ととされた。コンサルテーションでのコメントの焦点は、BIACに代表され
るように技術的事項に限定されない条項別のコンサルテーションをやってほ
しいという要望であったが、OECD当局は、行動15は他の行動での合意事項
をそのまま体現するものであり、合意済み内容の議論をre-openするもので
はないので、詳細なコンサルテーションは必要ないとの立場を維持した。

4　2016年11月多国間協定文書の概要と今後の対応ぶり

　協定文書は多国間条約の形態をとっており、その内容は以下のとおり、ミ
ニマムスタンダードとされた項目を中心に基本的に選択可能なその他の事項
（仲裁を含む。）に係る改正で編成されているが、それぞれの内容はいずれも
BEPS最終報告書の内容に即したものとなっている。

（協定の主要な条文構成）

1.　当協定の背景・性質・適用範囲・用語（前文－2条）
2.　ハイブリッドミスマッチ（第3条－第5条）
3.　条約濫用の防止－主要目的テスト、特典制限等（第6条－第7条）
4.　配当移転取引（第8条）
5.　不動産を保有する企業・パートナーシップ・信託の株式・持分の譲渡か
　　らの収益（第9条）
6.　第三国のPE（恒久的施設）に係る濫用防止規定（第10条）
7.　国内法の下での自国居住者への課税の許容（第11条）
8.　PE（恒久的施設）（第12条－第14条）
9.　相互協議（第16条）・対応的調整（第17条）
10.　義務的拘束的仲裁（第18条－第26条）

　なお、課題とされていた仲裁に関する選択条項については、27か国が起草
に関与しており、少なくともこれらの国は仲裁条項を受け入れるものと思わ
れる。協定の署名に向けたスケジュールは2017年2月の署名前事前会合を経
て、2017年6月のOECD閣僚理事会に合わせた署名セレモニーが企画されて
いる。

第4節　ミニマムスタンダード項目の個別検討

1　行動13（ドキュメンテーション）関係

(1)　最終報告書でのドキュメンテーションの構造

行動13のドキュメンテーションについては、日本のビジネスが最も関心を持ち意見表明のインプットを続けたという経緯がある。まず、ミニマムスタンダードの内容を再確認すると、移転価格のリスク評価に役立つ3種類のドキュメンテーション要請は、①国別収入・納税額・従業員・資産等の比較データを一覧表にした国別報告書（完全に新規のもの）に加えて②マスターファイル及び③ローカルファイルという3種類の文書でワンパッケージとされている。ローカルファイルは従来から提出を求められてきた移転価格の算定方式を根拠付ける直接的な資料であり、それに対しマスターファイルはグローバルグループの事業概況を事業戦略を含めて説明する文書という性格のもので、これら2文書は、子会社が当局に手渡す方式とされている。他方で、最も機微にわたる企業グループの国別パフォーマンス内容を開示する国別報告書は、ビジネスからの守秘を図る必要があるとの主張を踏まえて、基本的には租税条約に基づく情報交換ルートで、究極の親会社が作成し究極の親会社所在地の課税当局に提出したものを、それぞれの情報交換網で租税条約の守秘義務の下で交換し合うという内容が合意された。その部分がミニマムスタンダードになり、かつ実施開始が2016年と他のプロジェクトに先行することとなったので、我が国をはじめ多くの国では既に国内法改正を済ませている。

(2)　開始時期のずれによる実施国間での調整

ア　調整を必要とするタイムラグ

国別報告書の作成・交換は2016年1月から施行するというBEPS合意は、我が国のように3月で税制改正が実現し4月から適用するという国ではタイムラグが生じ、3か月分（2016年1月〜3月）の国別報告書の提出義務をカバーできないという問題を発生させた。問題は、そのように国によって立法の施行期に若干のタイムラグが生じたときに、行動13でどうすべきかと指示しているかである。基本は、情報交換に基づく提供を受けるということであるが、相手国が情報交換に基づく提供体制が整っていなければ、国内法に基づく提供

第13章　BEPS最終報告書の課題　　311

を求めてもいいとされていた。このような予備的手法に従う方法を、子会社に作成提出を求めるので「子会社方式」と呼ぶが、1月から3月までの間の日本の施行がまだ行われていない期間について相手国から子会社方式で要求された場合には、相手国国内法のドキュメンテーションルール（必ずしもミニマムスタンダードどおりの範囲や内容を求める穏健な制度という保証はない）に沿った提供ということになり、守秘義務や情報の濫用（課税のデータとしての直接活用など）を懸念する我が国をはじめとする各国ビジネスから、問題を提起する声が高まっていた。

　イ　BEPSからの新たな提案

　これを受けて、2016年6月OECDから、国別報告書についての「親会社代理方式」等の適用に関するガイダンスが公表された。そこでは、①2016年1月というBEPS合意の開始時期において、国内法改正による現地文書化義務創設に間に合わない事業年度がある場合については、親会社の国内法制に基づいて作成した情報を親会社が現地課税当局に提供するという親会社による代理提供方式を許容するものである(注302)。具体的には、相手国がタイムラグのある期間につき国内法に基づく提出を求めてきた場合にも、多国籍企業は、究極の親会社が本来の国別報告書の提出方式に基づき自国の課税当局に提出し、当局がそれを情報交換規定に基づき相手国と交換するという方式で、自国の国内法上は提出の公的義務がない期間について、親会社がボランタリーに作成して通常の情報交換に基づくルートに乗せて履行する。その結果、BEPSの合意内容を適正に履行したものと見なして、相手国はそれを受け入れるという内容のガイダンスである。これで日本企業が持っていた懸念は1つ解消された。

　ウ　提出義務の閾値に関する為替換算等

　以上に加えて、2016年6月のガイダンス文書中では、国別報告書提出義務ルールの投資ファンドやパートナーシップへの適用ガイダンスも規定された。また、国別報告書提出義務の7.5億ユーロ相当額という最終報告書の閾値設定について、為替変動があった場合への対処の必要性有無もビジネスからの関心事項であった。BEPS報告書の7.5億ユーロという基準は各国が法制化

（注302）　これは、日本・スイス・米国がその採用を求めていたもので、これらの国はいずれも、国内法上のタイムラグ問題があり、ビジネスから対応を求められていた。

にあったその当時の為替水準で換算しているわけであるが、その後の為替変動により過不足が出た場合の対処である。これも上記ガイダンス文書において、当該変動については修正不要とされた[注303]。

2　行動14（紛争解決メカニズム）関係

　納税者の二重課税リスクの解消はBEPSプロジェクトの中で最重要項目の1つとされ、2年以内の相互協議解決などが、行動14の紛争解決メカニズムでのミニマムスタンダードとされた。ビジネスにとって最も重要な項目の1つとされながら、仲裁導入には新興国等の合意が得にくい中でどう対応するのかが問われていたものである。この難問に関する順次の検討過程をまとめると次のとおりである。

(1)　ミニマムスタンダードの確認

　処方箋の中心は、ミニマムスタンダードとして、紛争解決に2年間の期限を設置し、必ずそのガイダンスに沿った措置を取るよう保証するということに尽きるが、各国主権が介在するだけにその実行には困難が予想され、ビジネスは仲裁導入のみならず、強力なモニタリングの必要性も提起していた。そこで、ミニマムスタンダードの内容をまず再確認すると、以下の要素の充足に基づく効率的で効果的な相互協議（MAP）手続の確保という仕組みである。

　具体的には、①まず紛争の予防について、適切な処置を取るべきとの提言、②MAPの利用可能性確保及びそれへのアクセス権の保障、③MAP事案を合意により解決すること、④合意に至ったら当該合意内容を実行すること、の4点セットがミニマムスタンダードの内容とされている。以上のプロセスの実行がどのように担保されるのかが、残された課題である。

(2)　紛争解決目的の達成を担保する手段

ア　義務的仲裁の拡大

　1番目の工夫は、参加国全体の合意は得られていないものの、相互協議合意促進に関して有効と制度導入国で評価され、ビジネスも期待している義務的仲裁（MAP仲裁）の活用拡大である。これについては、27か国の起草参加を得て前項で紹介したとおり、多国間協定の選択項目として登録された。仲裁についての途上国の一般的消極姿勢という実状は変わっていないようである

（注303）　我が国では為替換算して「1,000億円以上」と法定している（措法66の4の4④）。

第13章　BEPS最終報告書の課題　　313

が、今後先進国を中心に実績を上げビジネスの信頼を得てくると、参加国の
拡大も十分見込めると予想される。

　イ　MAPパフォーマンスのモニタリング

　2番目の工夫は2年間の解決目標の下での各国MAPパフォーマンスのモ
ニタリングである。このモニタリングの方針について、OECDのプランは、
①2016年中に、2016年10月に公表された「MAPピアレビュー文書」に基づく
レビューを開始する、②それを踏まえて、各国が確立した紛争解決のための
法的枠組み及びMAPプログラムに関するガイダンスの評価を行う、③最後
に、それを踏まえて国別評価報告書（評価した内容を国別に評価したレポー
ト）を作成・公表するとの段取りである。評価に当たっては、各国の強みと
弱みを分析し、弱みに対する改善策を勧告することが予定されており、その
結果、2017年中に最初の全体報告書の公表をすると、こういった全体計画が
公表されている。

　ウ　政治的リーダーシップのサポート

　以上の手順は、一見して適切に組み立てられているかにみえるが、相互協
議の機能不全に常態的に直面しているグローバルビジネス(注304)に対する安
心材料としては、ややひ弱な印象を受けざるを得ない。ただし今回は、政治
のリーダーシップを踏まえた「税の安定性に関するビジネス調査」が同時に
行われており、政府・ビジネス双方の評価を基に透明性に欠ける税制・執行
や非効率なMAPに安住する国へのプレッシャーが本格化するものと期待さ
れる。OECD事務局情報(注305)によれば、MAP成果についての国別評価報告
書の評価内容は、例えば二重課税の紛争が発生ベースで何件あり、それがど
の程度解決されてきたのかを国別のデータで公表するもので、ミニマムスタ
ンダードに賛同してBEPSに参加していながら、この国との間の相互協議に
ついてかくも渋滞しているということが評価結果により開示されると、これ
は国際合意への参加国としての信義を損なうものとみなされ、他国からのピ

（注304）　我が国では、特にアジアの新興国との間で未解決のMAP事案が増加しているこ
　　　とが国税庁の記者発表で明確になってきている。なお、この点に関しては2016年G20財
　　　務相会議（成都）からスタートした「税の安定性（Tax Certainty）に関する取組み」が
　　　解決に向けた新たなインパクトをもたらすものとして注目される。税の安定性は、税
　　　制・執行を通じて検証されるものであるが、特に二重課税防止の観点は納税者にとって
　　　最も利害が左右される部分である。
（注305）　2016年7月の経団連・OECD定例会合におけるヒアリング資料に基づく。

アプレッシャーがかかるとの説明である。ポーズだけで具体的成果のない国（BEPS成果物のいいとこ取りのみする国）にとって、そのようなデータ公表は一定の効果を持つのではないかというものである。

　　エ　ビジネスからのインプット

　ビジネスや税の専門家の立場からは、最後は、義務的MAP仲裁がない限り最終的な安心はできないとされているので、厳格なモニタリングを行いつつ、将来的には義務的MAP仲裁に向けた働きかけを政治的サポートも得ながら進めていく必要があるのではないかと思われる。なお、モニタリングについては、本来BEPSのモニタリングは、各国当局が一次的にモニタリングの当事者となって、相互にピアレビューでやるということになっているが、特にこの紛争解決のモニタリングにおいては納税者からのインプットがないと、紛争の実態がどういうものか、特定の国で発生している紛争についてどういう特有の問題があって、何が解決の支障になっているのかという分析は不可能とも考えられ、ビジネス側からのインプットが必要とされる領域であるので、前述した税の安定性に関するビジネス調査への期待は大きい。

3　行動5（有害税制への対抗）関係

(1)　開示対象とされるルーリング

　行動5の本体は、有害税制への対応としてパテントボックスに焦点を当てた分析が行われた。一方、本項目でミニマムスタンダードの対象とされたのは、各国当局の個別ルーリングの義務的な自発的情報交換[注306]である。自発的情報交換というのは、相手国にとって課税処分によって是正するための有効な資料であることがわかったときに、自発的にそれを相手国に提供してやるという仕組みである。対象となるルーリングを列挙すると、①優遇税制の適用に関するルーリング、②移転価格税制に関するユニラテラルのAPA、（本件の規制対象化については潜在的なユーザー数に鑑みると大きなインパクトが予想される。）、③国外の親会社に対する追加的な利払損金算入を認めるなどの有利なユニラテラルルーリング、④PEの存否及びその帰属に関す

（注306）　英文ではmandatory spontaneous exchange of informationと表記されており、自発的情報交換が義務的というのは日本語の意味ではやや矛盾しているが、忠実な翻訳に従った。

るルーリング、⑤関連者間収益を関連者間費用により圧縮するスキームに関するルーリング、などである。

(2) 開示の趣旨

上記一連のルーリングは、いずれも一方の国が勝手に納税者に対して透明性のないルーリングの利益を与えるバイアスを持つものである。その結果、当該国に対する影響だけではなく、ルーリング対象取引の相手国でのBEPSにつながるおそれという弊害が認識される。それらを網羅的に自発的な情報交換の対象にすることにより、BEPS防止効果が見込まれるが、前述した一般的情報交換の仕組み作りよりも、より守秘義務ニーズの度合いの高いものであり、かつ、テクニカルな部分もあるので、OECDでは特別のXMLスキーマについてのガイダンス（タックスルーリングの情報交換のための標準化されたITフォーマットとその利用者ガイダンス）の公表が行われた。

(3) ユニラテラルAPAへの影響

納税者サイドから見ると、例としてユニラテラルAPA（取引の一方を所管する当局とのみ締結される事前確認）などは最も課税のリスクがありそうな管轄へのみ申し立てて、その当局とルーリングを結んで合意していたわけであるが、今後はその内容が相手国にも周知されることになる。従来MAPを必要としない低コストの解決策として重宝されてきたユニラテラルAPAは、納税者から見た使い勝手の良さが、この措置によって一定程度減殺されざるを得ない。この点に関しては、デミニミスルールなどにより少額事案への開示義務の適用除外などが必要とされるかもしれない。

4 行動6（条約濫用）関係

(1) ミニマムスタンダードとされた条約改正の内容

4番目の行動6（条約濫用）関係の施策は、最終報告書中で具体的に論じられている。「条約に対する次の2つの改正による条約濫用防止」が、本項目のミニマムスタンダードとして指定された。すなわち、①条約の前文において租税条約は租税回避を通じた二重非課税を意図したものではない旨（本条約は租税回避を通じた二重非課税発生を認めない趣旨）を、条約の趣旨・目的のところで明言することと、併せて②PPT（主要目的テスト：Principal Purpose Test）及びLOB（特典制限条項：Limitation on Benefit）によるトリーティーショッピングの防止策の導入の勧告である。

（2） 多国間協定での具体化の動向

　PPTは欧州諸国が採用している条約濫用防止のための条文であり、LOBはアメリカが採用しているものであるが、その両者を結合した条約（日本は現実の条約交渉の中で結合したものを既に使用）も認めて柔軟性のある制度設計を許容している。それら選択肢の「どれかによる濫用防止条項の設置」というミニマムスタンダードに沿った改定が行われることになり、その受け皿は多国間協定が予定された。ただし、多国間協定での、簡易版及び詳細版のLOB条項の起草に当たっては、LOBの母国である米国が2016年春にUSモデル条約の改定を発表したので、それを踏まえて、簡易版・詳細版のLOB条項が起草された。加えて、集合的投資ビークルでないファンドへの条約適格性についての検討が行われガイダンスが発出された。この4つ目のミニマムスタンダードは、多国間協定に関する限り問題はなさそうであるが、特にPPTについては適用基準に関するがガイダンスがより求められると考えられる。

第5節　積み残しになっていた重要なガイダンス文書

　行動7関係のPE帰属利得に関する追加ガイダンスと利益分割法についてのガイダンスについては、いずれも公表ドラフトについてコンサルテーションが行われた。いずれのテーマについても提示された事例研究につき、多様なコメント具申が行われたが、これを踏まえた改定作業が進捗中である。以下においてはこれら2件のテーマを中心に当初の討議文書ベースで内容を紹介し、課題を指摘する。

1　行動7関係の討議文書：PE帰属利得に関する追加ガイダンス

（1）　行動7に関するミニマムスタンダードの確認

　PE帰属利得に関する追加ガイダンスの背景を、まず確認しておこう。最終報告書の中では、PEに該当する要件充足を回避する形でBEPSによる租税回避が発生する事態が懸念された。それを受けて行動7勧告では、モデル条約5条4項及び5項の改正、すなわち準備的補助的活動条項と代理人PE条項が、

PE認定を広くする方向で改正する合意に到達している。従来は、例えば代理人PEであれば、本人のために本人に代わってその条約を締結、すなわち、本人の名前で契約を締結する権限を反復継続して行使するとの要件が設けられていたが、今後は、本人のために棚卸資産を販売、あるいは本人のために役務を提供するという場合には、別に本人に代理してといわなくてもPEに該当する方向で、PE認定の幅が代理人PEについては広がった。

　準備的補助的活動のところも、単に保存・デリバリー等の活動の外形に着目して5条4項を適用するのではなく、当該活動が事業全体の中で準備的・補助的なものにとどまる限りにおいて、初めてPE該当性が阻却されるという言い方に改正されるべしとの勧告である。

(2)　帰属主義適用ガイダンスの必要性

　従来の法制の下でPE認定を人為的に回避するスキームへの対応策として拡大された上記PE概念の下で、PE帰属所得の算定に関するガイダンスが未整備であることの問題が、BEPSプロジェクトにおいて重要な論点として意識されてきた。上記ミニマムスタンダードを承認する条件として、そのようなガイダンスの確立が必要との認識は、新たな二重課税のリスクが大きくなることを懸念するビジネスのみならず、二重課税調整のコストを担う政府ベースでも高まったと観察される。かくして、PE帰属利得に対する追加ガイダンスは、最も急ぐ重要なテーマだと認識され、2016年6月の討議文書公開となったものである。

(3)　討議文書の構成

　討議文書では、①代理人PEについての4つの事例と②倉庫PEについての3つのシナリオを取り上げて、帰属所得を算定している。前者は、販売関連会社がコミッショネアの場合で、在庫リスクや顧客の与信リスクの支配管理状況が異なる4つの場合における帰属所得であり、後者は、準備的・補助的活動の例として、倉庫PEに該当する3つのシナリオを挙げて帰属所得を算定している。なお、3つのシナリオのうちの1つは、倉庫業者がコア事業として倉庫運営を源泉地で行っている場合の当該倉庫であり、他の2つは、販売業者が源泉地に引渡しのための倉庫を保有する場合の当該倉庫である（これは販売事業の内部機能としての倉庫活用という位置付け）。この後者の2ケースはさらに自社保有倉庫と外注倉庫の2つの事例に区分して、帰属所得の計算方法を説明している。なお、討議文書では、各事例は必ずしもコンセンサスベース

318 第13章 BEPS最終報告書の課題

でまとまったものではなく、コンサルテーションを経て修正し得るものという留保付で提示されている。以下では、2つの事例のガイダンス文書から、その適用に当たっての理念を抽出し、ビジネスとの問題点や今後の課題を検討する。

(4) 代理人PEの4事例の検証

ア 事例の概要

代理人PEの4事例の基本的な事実関係は同じであり、消費者向け商品の製造・販売業者が、国境の反対側に現地コミッショネアを有していて、このコミッショネアが販売に関する役務提供を行う関連法人という設定（下図参照）である。

4事例の概要

本人法人 （消費者向け商品の製造・販売）	現地コミッショネア （販売に関する役務を提供）

(注) 事例1〜4のリスク引受状況

事例1：契約どおり本人が在庫・クレジットの両リスクを支配・管理

事例2：契約と異なり現地法人が在庫・クレジットの両リスクを支配・管理

事例3：契約と異なり現地法人に替えて本人の従業員が同リスクを支配・管理

事例4：契約と異なりクレジットリスクの支配・管理を本人・コミッショネアで分担

　従来の伝統的理論では、当該現地コミッショネアはPEに該当するかどうかの判断において、契約締結代理権を持たないため代理人PEに該当せずとされる可能性が高かった。しかし、行動7の新しいPE概念の下では、「本人のため契約締結につながる主要な役割を果たす場合」に該当するとして、このようなコミッショネアはPEに該当する可能性が高くなるのである。

イ 帰属所得の計算

(ア) 2段階方式の採用

　事例検討に入る前に留意しておくべきは、これら事例での説明内容が、PEに帰属する利得についての計算を標榜しながら、それにとどまらずPE帰属所得計算（モデル条約7条）と関連者間の価格調整計算（同9条）の順序関係

第13章　BEPS最終報告書の課題　　　319

及び役割分担の整理も行っている点である。従って、従来7条と9条の間の適用関係について残されていた疑義についての回答も、この事例の解説の中で行われている。

その回答とは、まず一次的に、移転価格税制で当事者間で支払われた対価の独立企業間価格を確認し、次の段階で、修正対価を前提としたPE帰属利得の算定を行うという、2段階方式である。

　（イ）　計算過程

契約どおり本人が在庫・クレジットの両リスクを支配・管理している事例1は、契約に従い本人は製造するとともに販売契約の当事者であり、かつ、製造・販売に係る在庫やクレジットリスクを本人が全部支配・管理している状況である。事例2は、当該リスクの支配・管理をコミッショネアに分散したものであり、事例の3・4は本人以外によるリスク支配形態の派生形式である。9条と7条の適用関係のルールについては、事例1と2が端的にその手順を表現しているので、それを紹介すると以下のとおりである。

第1段階では、まずモデル条約9条の法人格独立の下でのコミッショネアの役務提供に対する適正対価がそれぞれ算定される。したがって、契約どおりのリスク支配が行われている事例1では、あらゆるリスクに伴う損益は本人に帰属すると判断されるので、現地コミッショネアには、契約どおりの役務提供対価が恐らくコストプラスアルファの適正フィーを9条（移転価格税制）の比較対象を参照して算出される。事例2では、契約にはないコミッショネアによるリスク管理機能もしんしゃくした適正な役務提供対価が、同様に比較対象を参照して算出される。

次に第2段階の7条の帰属主義の適用であるが、ここでは、PEと観念されるコミッショネアについて、本人のために果たす重要な人的機能の有無に着目して帰属所得を算出すべしとの原則（AOA原則）に沿えば、まず事例1の場合、コミッショネアは本人のため重要な人的機能を果たしているとはいえず、9条の適正対価以外に帰属させるべき所得は存在しないと結論付けた。この原型との比較で、事例2〜4におけるコミッショネアは、いずれも重要な人的機能を分担しているので、7条の帰属する利得が発生し得ることになり、例えば事例2で見れば、在庫・クレジットリスクの管理に伴い本人に発生している超過利得のうちのコミッショネアの機能に相当する部分が、9条での適正対価の算定で反映されていない範囲内で、PE帰属所得として計算されること

になる。

このように、まず9条適用で契約内容ではなく実際の役務提供実体に応じた適正対価を算定した後、PEに帰属する所得の有無を重要な人的機能に着目して算定する2段階方式は、いわゆるダブルエンティティ方式[注307]と呼ばれて、従来コメンタリーベースでOECDモデル条約が採用していることを宣言してきた方式であるが、今回、具体的な事例の解説を通じてそのポジションが再確認されたことには意義が認められる。ただし計算結果の数値を見ると、これも今まで一般的に指摘されてきたとおり、仮に代理人PEが認定されたとしても、その機能に応じ帰属主義の適用によりPEに帰属する利得は、取引の全体利得の中で大きくないという答えとなっている。

　ウ　代理人事例についての予備的検討

上記の2段階での算定過程の整理と帰属所得の計算結果については、これまでOECDがとってきたポリシーとも整合的であり、首肯できると思われる。特に、今回のBEPSに基づくPE概念の拡大により、途上国がその拡大を活用しつつ、PE帰属所得の計算に当たってはOECD基準（AOA原則）を超える源泉地国帰属所得を主張するのではないかとの懸念[注308]に対し、一応の安心材料を提供したものと評価できよう。

ただし、計算結果については、機能分析を通じたPE帰属所得への配分が本件事例だけでは不透明で課題ではないかとの批判や、事例1の場合のようにPE帰属所得が算定されない場合は、その前段階でPE認定をすること自体が不適切ではないかとの指摘も行われている。加えて、このような計算結果から見て、9条と7条を同じ独立企業原則に沿って統一的に適用するならば、シングルエンティティ・アプローチでの解決も可能ではないかとの批判も想定され、計算の精緻化については、進行中の討議文書改訂に当たって更なる検証が必要とされることになろう。

（注307）　これに対し、関連者間で適正対価の算定が9条に基づき行われた場合には、それ以上代理人PEとして本人所得を源泉地で課税する余地はないとする「シングルエンティティ・アプローチ」も移転価格の実務家からは主張されている。高嶋健一「事業再編に係る恒久的施設の論点―代理人PEを中心として」21世紀政策研究所レポート（2010）等。

（注308）　この懸念は我が国を中心としたビジネスがBEPSプロジェクト期間を通じて強く主張してきたものであるが、条約7条の適用の責任を負い、かつ、適正な帰属所得に対して二重課税調整責任も負っている先進国政府の懸念も根強いものがあった。

第13章　BEPS最終報告書の課題　　321

(5)　倉庫PEの3シナリオの検証

ア　事例の概要

モデル条約5条4項の準備的・補助的業務規程の改正に伴うガイダンスとしては、倉庫PE事例が討議文書で紹介された。倉庫PEに関する3つのシナリオは次のとおりである。

3シナリオの概要

| 本人法人
航空機スペアパーツの在庫保有・販売 | 現地の
倉庫 |

シナリオA：本人事業は上記スペアパーツの在庫保有役務の提供に特化
シナリオB：本人事業は上記スペアパーツの販売であるケース（倉庫運営は
　　　　　自社による。）
シナリオC：シナリオBと同様（ただし倉庫運営は非関連者による。）

イ　帰属所得の計算

本人法人が、航空機スペアパーツの在庫の保有ないし販売を担当する法人という前提で、それが現地に倉庫を持っている3ケースにつき、PE認定の有無と認定された場合の帰属所得が試算されている。シナリオAは、本人の本業が倉庫業（預託資産の受領・保管・引渡し）という場合の自社保有の現地倉庫の事例であり、他の2シナリオは、販売法人の現地倉庫（自社保有と非関連者保有に区分）であり、倉庫業務は本業の販売業務に比べると単なるコストセンターにすぎない役割とみられる環境と評価される。

本件では、上記の代理人PE事例と異なり、倉庫に対する9条に基づく適正対価の算定は省略できるので、1段階で帰属所得を算定することになる。要は、重要な人的機能が倉庫にあるかどうかで決定されることになり、それが少ないと目される本件事例では3ケースによって多少のウェイト付の違いはあるものの、大きな帰属所得は算定されていない。

ウ　倉庫事例についての予備的検証

倉庫関係では、BEPSプロジェクトを通じて、①アマゾン社の消費者所在地にある現地倉庫のように、現地顧客向けサービスの集積が行われる電子商取引をベースとした巨大倉庫へのPE認定の必要性と、併せて、②日本の製造業が現地生産の効率化を促進するため原材料・部品等の供給のため源泉地の

工場に近接して設置するVMI（Vendor Managed Inventory）倉庫のPE認定回避の必要性が、かねてから処方箋の論点とされてきた。今回の事例は、帰属主義の適用ぶりを示すため、これらの応用類型を避けて現地での倉庫活用の基本形ともいうべきシナリオを選択している。

　PE認定を物理的施設の存在でクリアした後の帰属所得については、討議文書も指摘するとおり、重要な人的機能の有無により判断するのであるが、懸案になっていたケースに引き寄せた事例が採用されなかったのは残念である。本討議文書についてもコンサルテーションに基づく改訂が予定されている。

2　行動8〜10関係の討議文書：利益分割法に関する改訂ガイダンス

　BEPS最終報告書後の討議文書で、帰属主義の適用ガイダンスと並んで重要なものが行動8〜10関係での移転価格の見直しに伴う実施ガイダンスである。中でも、無形資産に関する所得配分に係る利益分割法と所得相応性基準に関するガイダンスが、最も必要とされていた。このうち利益分割法に関するものが2016年7月に上記の帰属主義ガイダンスとともに公表されたので、以下にそれに関する討議文書の検討を行う。

(1)　BEPS最終報告書における利益分割法の位置付けの確認

　無形資産及びリスク負担の評価に焦点を当ててBEPS対応の処方箋を抜本的に検討した行動8〜10報告書は、現行のOECD移転価格ガイドライン（2010年版）の全体にわたる重要な改正を提言し、この結果OECD移転価格ガイドラインは無形資産に関係する全ての章が改訂された[注309]。移転価格のガイドラインの中核をなすは、1章から5章までが独立企業原則の適用に当たっての理論整理のパッケージであり、6章の無形資産以下9章事業再編まではその適用に関する各論という位置付けである。ただし、例えば取引の否認については、従来は理論編よりも後半（特に無形資産の章や事業再編の章）で適用

[注309]　改訂対象はガイドライン9章（事業再編）にも及んでいるが、この章はもともと無形資産関連での新しい考え方を先行して追加導入していた章という経緯もあり、実質的な改訂というよりは全面改訂された骨格部分（1〜2章の総論、6章の無形資産）の章との間での字句整理の性格が強い。

第13章　BEPS最終報告書の課題　　323

の可否が詳しく議論がされてきた。今回のBEPS提言を受けた改訂では、理論的ガイダンスは理論編で網羅し、後半では具体的適用ガイダンスに特化する方向で編集されている。利益分割法は、その活用取引が、価値のあるユニークな無形資産を伴う取引（通常、比較対象取引の発見が困難）に特化されるため、特に詳細なガイダンスが必要とされた。

(2)　討議文書における2つのアプローチ

　利益分割法に関する改訂ガイダンスは、行動8の無形資産の移転価格算定の目的下で、最適手法（ベストメソッドルール）の適用に際し、不可欠で重要な手法と位置付けられている。すなわち、まず新たに起草された理論編での利益分割法に関する言及部分では、①最適手法の適用に際して予測利益の分割と実際利益の分割の区分の必要性を指摘し、②そのうち、予測利益の分割は、取引時点での見通しにより当事者間で値決めをするという意味で、従来型の移転価格の価格設定の方式と位置付け、当該予測利益は今後リスクを取って当該無形資産を活用する側に（予測値にぶれがあったとしても）専ら寄せて帰属させるが、③一方で、実際利益の分割は、共同開発後もその成果とリスクを相互に共有するような密接な連携関係にある関連者間で行われると規定しており、これは無形資産の通常の移転価格算定方法（取引時点で譲渡者と譲受者を確定し価格を最終的に決定する方法）とは、異なる性格の仕組みであるとしている。

(3)　討議文書の問いかけとビジネスの反応

　討議文書では、以上の区別の妥当性とそれに基づく実際利益の分割法（所得相応性基準の考え方と整合的である。）についてビジネスに実例を問いかけている。すなわち、関連者間で無形資産の形成について双方とも貢献しているケースにつき、①完成した無形資産をどちらか一方のみが活用する場合（予測利益に基づく利益分割法）と、双方が活用してその成果・リスクを共有する場合（実際利益に基づく利益分割法）とに区分して議論しようというものである。後者のケースは、両当事者がいずれも商業化した製品の製造・販売活動に従事する場合であり、その後の事業活動の高度の統合があって事業結果のリスクのシェアが行われる特別なケースとも評価されるが、このようなケースがどの程度存在するかについては、必ずしも実証的な検証はできていない。ビジネスからは、このようなケースが少ないとの指摘が行われているようであるが、特に、我が国企業のように無形資産開発を親会社に集中

324　　　第13章　BEPS最終報告書の課題

して行わせ、その後の管理（業績・リスク管理）も親会社中心で行うという
体質のグループ運営では、後者の事例は例外的なものになると思われる。討
議文書では、この2区分分析に際しては、グループシナジーやバリューチェー
ンの分析が不可欠としており、その実態によって2区分法の有用性も変わっ
てくると考えられる。

(4)　所得相応性基準との関連性

　BEPS最終報告書の移転価格に関するもう1つの重要提案である所得相応
性基準は、契約時点で将来の収益性が未確定の無形資産を取引する場合には、
通常の第三者間では価格変更条項を付すことが通常であるとの想定の下で、
将来の実際利益の分割を独立企業原則の枠内に位置付けたものである。この
考え方は、開発した双方が販売活動で活用するという高度の統合形態を必ず
しも想定していない。したがって、2区分アプローチの実際利益分割論で置
き替わるものではないが、重複する部分も多いことは事実である。

　今後所得相応性基準の適用ガイダンスが議論されることになると予測され
るが、その前哨戦ともいえるコメントが出されていることから考えると、勧
告された所得相応性基準も、多国籍企業の無形資産開発・利用体制の特徴に
応じて柔軟な法制化を検討すべきとも考えられる。すなわち、いずれにして
も利益分割法の適用環境に係る諸要素の検討という表題の下に展開されるの
で、従来から指摘される「後知恵」批判にこたえるためにも、高度に統合さ
れた事業活動というのはどういうものなのか、あるいはユニークで価値のあ
る貢献がそれぞれあるというのはどういうものなのか、さらには、利益分割
ファクターの選択はどういうふうにしたらいいのか、という基本設計に関す
る分析と併せて検討すべきと考えられる(注310)。

3　行動4関係の討議文書：グループ比率の設計・運用の要素

　上記の2文書に比べると我が国での注目度は低いが、行動4の利子控除に関
するグループ比率に係る討議文書も、来年以降に我が国で予想される国内法
改正に重要な影響を与え得るという意味で、注目する必要がある。

(1)　行動4最終報告書でのグループ比率の取上げ方の確認

　行動4の利子控除制限に関しては、共通基準として固定比率方式（EBIT-

(注310)　この問題意識はガイドラインの理論編でも指摘されている。

第13章　BEPS最終報告書の課題　　325

DAの10～30%という低い閾値）を推奨するとともに、グループ比率をオプ
ションとして設定することも認めている。グループ比率の理論的根拠は、前
述したとおりGraetz教授の資産に基づく全世界配賦方式に発すると思われる
が、納税者にとっての一種のセーフハーバーとして位置付けられていると観
察される。

(2)　討議文書の提案内容
ア　グループ比率の位置付け

本件文書は、グループ比率の設計・運用の要素についてのコンパクトな討
議文書である。固定比率のみでは、業種によってレバレッジを効かせて事業
をやるのが普通であるところとそうでないところで違いがあるものに対応で
きない（納税者に過酷な結果を求めてしまう）との懸念に基づくもので、特
に我が国のように従来50%という高い閾値で利子控除制限が保護されていた
国にとっては、グループ比率はセーフハーバーとして用いる必要があるので
はないかとの問題意識を反映したものと考えられる。このオプションを適用
すると、グループ全体の比率をそもそも超えているかどうかというところが
決め手となるので（それを超えているとBEPSリスクが高いとの認定）、グル
ープ比率ルールはセーフハーバー的に働き、閾値設定の高低を変更する改正
の弊害を極小化できるのである。

イ　グループ比率の設定に関する2つの提案

今回の文書では次の2点が問題提起された。1点目は、グループ比率の分子
であるグループ全体の第三者への純支払利子について次の3種のアプローチ
を提起し、ビジネスの選択を求めている。

・連結財務諸表における利子をそのまま使用する方法
・連結財務データに加減算でやる方法
・個別に積上方式でやる方法

この問いかけについては、当然ビジネスからは、コンプライアンスコスト
の観点から連結財務諸表に出ているものが望ましいとの立場になろう。実際
BIACからは、他の2方法のコンプライアンスコストは高いとして、連結利子
の利用を求めるコメントが出されていた。本討議文書は、そういったものを
受けもう1回議論しようとのスタンスを示したものである。

2点目はより大きな課題であり、グループ全体が赤字等の場合のグループ
比率の機能不全問題への対応をどうしたらいいのかという設問である。グル

ープ比率の機能は、EBITDAに基づき算定されたグループの利子の比率を超過する純利子費用を見ていくわけであるので、グループ全体が赤字になったときには、そもそも機能しないではないかという当然の問題提起である。この問題は、全体赤字の時の配分にとどまらず、全体は黒字であっても、特定の子会社に赤字があってそれがEBITDA水準を押し下げている場合に算出される高い比率をどうするかという問題にもつながり、実務家の関心が高い領域である(注311)。

(3) 我が国税制改正への影響

2016年12月の税制改正大綱の補論では、中期的に検討する項目として、過大支払利子税制が、移転価格の所得相応性基準と並び提起されている。50%という高い閾値にある現行税制を、仮に10～30%というBEPS勧告水準に引き下げる場合、グループ比率をオプションとして導入する必要性は高い。しかし、それがために制度の極度の複雑化を招くなら、閾値の設定水準自体について見直す余地もあると考えられる。

4　その他の主要な討議文書及び主要国の国内法改正動向

公開されパブリックコメントに付されるその他の主要な文書については、現状（2016年末）を基に、以下のとおりその概要と意義を確認するとともに、BEPSの国内法制化における主要国の動向も概観しておく。

(1) 銀行・保険業における利子控除の討議文書

BEPS行動4に基づく勧告は、固定比率方式にしろグループ比率方式にしろ、銀行・保険業にそのまま当てはめることは妥当ではない。なぜなら、①銀行業等にとっては、支払利子はそれ自体重要なのではなく受取利子のコストとして重要だからである点、及び②銀行業等については自己資本規制等監督当局の規制が行われていること、③グループ内の持株会社や役務提供会社などに関わる独自のBEPSリスクの分析の必要があること、などの特殊事情があるためである。

(2) 支店ミスマッチ取決めについての討議文書

2016年8月に追加されたもので、行動2におけるミスマッチアレンジメント

(注311)　これらのグループ比率方式の技術的疑問に答える追加的な討議文書は、2016年12月にOECDから発表されている。

第13章　BEPS最終報告書の課題　　327

対応が必要なもののうち、支店形態を利用したものを詳細に列挙し、それに対する処方箋適用を確認するものである。

(3)　主要国の主な動向

BEPS対応策のうち、租税条約関連部分については、一次的には既に2016年11月に合意され署名のため開放された多国間協定（MLI）への参加いかんによるのであるが、その他の国内法改正事項は、各国によりその進捗状況等については跛行性が認められる。その中で注目していかねばならない点を以下に再確認する。

ア　新興国における過大な文書化要求

従来より、移転価格税制を執行する上での必要な情報格差が多国籍企業と税務当局間で顕著であるとの認識が、特に新興国をはじめとした途上国に強く意識されてきた。今回の行動13の国別報告書の新設やマスターファイルの充実などはこれらの要望に応えるものであるが、BEPS勧告をベースとしながらも、執行レベルでより強度の文書化義務を求める例が散見されている。

この状況のモニタリングと必要に応じた協調措置は今後の課題の1つである。

イ　BEPS基準から外れたEUの国別報告書Web公表指令

既に第7章（移転価格）でも観察したが、パナマ文書問題に触発されたNGO活動や政治のコミットメントを背景としたBEPS基準超えの立法化要請であり、税の専門領域の常識（納税者の守秘義務の尊重）に沿った方向への修正が求められている。

ウ　米国の2016年改定USモデル条約及び新政権下での独自な取組の可能性

これも既に第9章でUSモデルの改定を中心に動向を観察したところであるが、FATCA等に典型的にみられる二国間主義への米国のこだわりと、参加国による帰属主義の協調的実施に対する懸念を背景にしたものである。米国にとってのBEPSプロジェクトへの協調参加の制約として見守る必要があると考えられる。なお、米国・EU間のEU国家補助認定をめぐる紛争も、BEPS実施段階における協調の不安定性を増幅している。

エ　Brexitの英国のBEPSへの協調度の低下

Brexitに伴う英国税制の独自の動き（多国間協定への限定的協力方針を含む。）は、欧州におけるBEPS協調の不安定要因として今後も注目していかな

ければならない問題である。特に、我が国ビジネスはこれまで英国を欧州市場への進出の際の中心拠点にしてきた企業が多いことから、英国税制が国際協調から離れて独自性を強調した場合には、二重課税の解消面での困難拡大が見込まれ[注312]、影響が懸念される。

（注312）　既にBEPS基準を超える国内法上の「迂回利益税」の創設に伴う二重課税問題は、Brexit以前から既に懸念されてきた。

現代税制の現状と課題
（国際課税編）

平成29年10月20日　初版発行

著　者　青　山　慶　二

発行者　新日本法規出版株式会社

代表者　服　部　昭　三

発 行 所　新 日 本 法 規 出 版 株 式 会 社

本　　社	（460-8455）	名古屋市中区栄1－23－20
総轄本部		電話　代表　052(211)1525
東京本社	（162-8407）	東京都新宿区市谷砂土原町2－6
		電話　代表　03(3269)2220
支　　社		札幌・仙台・東京・関東・名古屋・大阪・広島
		高松・福岡
ホームページ		http://www.sn-hoki.co.jp/

※本書の無断転載・複製は、著作権法上の例外を除き禁じられています。
※落丁・乱丁本はお取替えします。　　　　ISBN978-4-7882-8336-7
323303　現代税制国際課税　　　　Ⓒ青山慶二 2017 Printed in Japan